CPSIA information can be obtained
at www.ICGtesting.com
Printed in the USA
BVHW012159310122
627716BV00010B/356

ייִדיש

אַן אַרײַנפֿיר:
לשון, ליטעראַטור, און קולטור

באַנד 1

שבֿע איטע צוקער

YIDDISH

AN INTRODUCTION
TO THE LANGUAGE,
LITERATURE, AND CULTURE

Volume I

Sheva Zucker

ייִדיש

אַן אַרײַנפֿיר:
לשון, ליטעראַטור, און קולטור

באַנד 1

שבֿע איטע צוקער

YIDDISH

AN INTRODUCTION
TO THE LANGUAGE,
LITERATURE, AND CULTURE

Volume I

Sheva Zucker

The Workmen's Circle/Arbeter Ring
New York, New York

This book, a publication of the Education Department of The Workmen's Circle, has been generously funded by
The ***Jacob T. Zukerman Fund*** *for Jewish Culture of The Workmen's Circle*
Walter and Sylvia Saltzman *in memory of Sol and Bernice Saltzman*
Philip Adelman
Shelby Shapiro

Corrected reprint 2019

Library of Congress Cataloging-in-Publication Data

Zucker, Sheva
[Yidish : an araynfir, loshn, liṭeraṭur un ḳulṭur / Sheva' Iṭa Tsuḳer]
= Yiddish : an introduction to the language, literature, and culture /
Sheva Zucker.
p. cm.
Includes bibliographical references and index.
Contents: v. 1. Units 1-11.
ISBN 1-877909-66-1
1. Yiddish language—Conversation and phrase books—English. 2.
Yiddish language—Grammar. I. Title. II. Title: Yiddish.
PJ5116.Z83 1994
437'.947—dc20 94-3551
CIP

Manufactured in the United States of America

צו מײַן מאַן
סענדער,
מײַן באַליבטסטן ייִדיש-סטודענט

צו מײַנע
עלטערן און לערערס
וואָס האָבן אַרײַנגעפּלאַנצט
אין מיר אַ ליבשאַפֿט צו ייִדיש

און צו מײַן טעכטערל
בינה-אַדעלע,
אין וועמענס מויל, האָף איך,
ייִדיש וועט ווײַטער לעבן

To my husband
***Sandy**,*
my favorite Yiddish student

To my
Parents and Teachers
who instilled in me a love of Yiddish

and to my daughter
Benna Adele,
on whose lips, I hope,
Yiddish will continue to live

CONTENTS

ACKNOWLEDGEMENTS

I would like to thank those people who helped and inspired me in the preparation of this book:

Dr. Chava Lapin, Director of The Workmen's Circle Education Department, for her assistance in editing and publishing the manuscript. Without her this project would never have materialized;

Mr. Joseph Mlotek, Past Director of the Workmen's Circle Education Department, for his constant support and enthusiasm;

Mr. Leybl Tencer of McGill University in Montreal, for the open-mindedness and caring with which he edited this manuscript. I valued his lengthy and painstaking letters on the minutiae of Yiddish grammar;

Dr. Mordkhe Schaechter, my Yiddish teacher and "rebbe," for his suggestions and linguistic expertise;

Dov Ber Lapin for his painstaking typesetting of the manuscript;

Paul Farber of The Workmen's Circle for his last minute help which went way beyond the call of duty;

Khane Mlotek of YIVO for her help in providing notes for songs;

Elise Goldwasser of Durham for her good-humored editorial assistance;

Sandy Kessler, my husband, for his editorial assistance, his encouragement and his refreshing belief that this book might actually be a bestseller;

Finally, **My Students** who made me think that the world is waiting for YIDDISH!

INTRODUCTION

At present, there is no dearth of Yiddish textbooks for college and adult education students. The question then is "Why another one?" I embarked on this project about seven years ago, not so much because I was dissatisfied with the existing materials, but rather because, after years of teaching Yiddish, I wanted to create something new.

The purpose of this book is twofold; first, I want to introduce students to the spoken language rather than textbookese. Each unit, therefore, contains a conversation on a common topic such as health, clothing, food, work, holidays, etc., and the basic vocabulary to discuss this topic. A good number of idiomatic expressions are included so that students will get the flavor of the spoken language. Second, I want to introduce students to literature at a very early stage. Therefore, most units contain folksongs and selections by authors such as Sholem Aleichem, I.L. Peretz, I.B. Singer, Kadye Molodowsky, and Aaron Zeitlin instead of the usual foreign language textbook stories peopled by pens and notebooks, dogs and cats, and other bland albeit irreproachable characters. Although I shortened and simplified some selections, I always tried to remain as faithful as possible to the original. These readings introduce students to the richness of Yiddish literature as well as to the varieties of Yiddish syntax. Their inclusion is based on their suitability to this course and does not present a judgment on the author's importance to Yiddish literature. Many fine writers could, unfortunately, not be represented.

The book is divided into two volumes and twenty units. Volume I contains Units 1-11. Volume II, Units 12-20. After Unit 7 each unit, except those dealing with Jewish holidays, is divided into two lessons. Lesson A **(א)** contains a conversation. Lesson B **(ב)** a literary, folkloristic, or historical selection on the same theme which utilizes the vocabulary of the conversation section and also introduces new vocabulary and grammar. Almost every unit contains appropriate proverbs and songs, explanations of grammar, and exercises. Some lessons contain supplementary reading selections and/or songs; any new vocabulary presented there will be reintroduced should it appear later. I hope that some students will read material not covered in class on their own. The holiday units (7, 13, and 16) are ***Review*** lessons. While they introduce some new vocabulary, they contain little or no new grammar and most of the exercises review grammar and vocabulary studied earlier. The last lesson of each volume, (Lesssons 11B and 20B respectively), also includes Review Exercises.

This book is intended both for college and serious adult education classes. I cannot say how long it should take the "average" class to cover the material since there is no "average" class. I expect that college classes will cover each volume in one to two semesters depending on the frequency of meetings and the linguistic ability and background of the students. Adult education classes will probably require almost two years to do so.

A ***Vocabulary*** list gives the new words presented in each conversation, reading selection, and song. The vocabulary words have been designated ***Active*** or ***Passive***. "Active" words are preceded by an asterisk and should be memorized when they first appear; they are used in subsequent lessons without additional explanation. "Passive" words are listed and defined again when they reappear. The ***Glossary*** at the back lists all the Yiddish words used in this text and indicates the lesson in which they first appear.

Most lessons have both ***Written*** and ***Oral Exercises***. It is unlikely that any class will do all the exercises. Teachers and students should choose those that appear most beneficial and interesting to them. I hope classes will not skip over the ***Oral Exercises***, particularly those that are designed to help learn word order. Only by hearing the language spoken can students develop a sense of Yiddish syntax.

The ***Orthography*** used in this textbook is Standard Yiddish Orthography. The gender of nouns is based on the norms given in Uriel Weinriech's *Modern English-Yiddish Yiddish-English Dictionary* as well as on information supplied by native Yiddish speakers.

I have tried to present a systematic study of the Yiddish language which also captures the humor and pathos of Yiddish-speaking life. The Yiddish experience is the Borsht Belt and the Holocaust and a great many things in between. I hope I have conveyed something of the essence of that experience in a way that appeals to both young and old, secular and religious.

A final word to students. This book is only the first part of a two-part course of study. Volume II is written and will, I hope, be published soon. I hope these books are only the beginning of your journey into the world of Yiddish. May we meet again in a class, at a function, or in other books. Until then:

Learn and Enjoy! לערנט זיך גוט און האָט הנאה!

Sheva (Charlotte) Zucker

שבֿע צוקער

ייִדיש: אַרײַנפֿיר

INTRODUCTION TO CORRECTED EDITION: 2019

Since I wrote the first introduction to this book, a quarter of a century has passed. Volume II was published several years later, and both the Yiddish language and culture and this textbook have enjoyed a popularity that is much greater than I could ever have imagined back then. It is most gratifying to be able to offer a new edition of this book.

I am thankful to Jackie Kazantzis of the Workmen's Circle for initiating this corrected edition, and to Noah Barrera for shepherding it through. I am indebted to Yankl Salant for doing the technical and editorial work required to make this edition a reality. He has handled all these issues with his usual skill and elegance.

This is a corrected, but not revised, edition of *Yiddish: An Introduction to the Language, Literature and Culture*, Vol. I. The content and structure of the book have not been significantly changed. All the readings and songs remain the same, as do all page numbers before the glossary.

So what *is* different?

I corrected spelling errors as well as any misplaced accent marks.

I enhanced and clarified grammatical explanations, where appropriate, and at times, added new examples and exercises.

I added a supplement to the cumulative glossary to include words that were formerly omitted, and, within the individual lesson glossaries, missing words were placed in their proper order. Where this was not possible, a black line was placed below the existing glossary to show that the words below it were added and are out of alphabetical order.

Users of this book who look closely at the Yiddish text may notice a slight difference in font where corrections or additions were made.

Finally, since the publication of the first edition of both volumes of *Yiddish*, I have enhanced these works with Answer Keys, CDs, and most recently, memory sticks. An English-Yiddish Glossary and Verb Key accompany the Answer Key to Volume I.

For more information regarding these items you can visit my website **shevazucker.com** or contact me at **sczucker@aol.com**. For information on ordering this book or to send comments or suggestions, contact the Workmen's Circle at **books@circle.org** or visit their website at this URL: **https://circle.org/what-we-do/yiddish-language/purchase-books/**.

Learn and Enjoy!
לערנט זיך גוט און האָט הנאה!

Sheva Zucker
שבֿע צוקער

List of Yiddish Letters and Sounds

PRINTED LETTER	WRITTEN LETTER	YIDDISH NAME	TRANSLITERATION OF SOUND	ENGLISH EQUIVALENT
א	א	Shtumer Alef	Silent, therefore not shown	silent
אַ	אַ	Pasekh Alef	a	no exact equivalent, close to A in **Ma**.
אָ	אָ	Komets Alef	o	no exact equivalent, close to O in **For**
ב	ב	Beys	b	B
בֿ	בֿ	Veys	v	V
ג	ג	Giml	g	G
ד	ד	Dalet	d	D
ה	ה	Hey	h	H
ו	ו	Vov	u	OO as in H**oo**f
וּ	וּ	Melupm Vov	u	OO [used when ו appears next to וו. The dot distinguishes ו from וו.]
וו	וו	Tsvey Vovn	v	V
וי	וי	Vov Yud	oy	OY
ז	ז	Zayen	z	Z
ח	ח	Khes	kh	KH as in **Kh**anukah

ייִדיש: אַלף-בית

ט	ט	Tes	t	T
י	י	Yud	i or y	EE or consonant Y
יִ	יִ	Khirek Yud	i	EE [used when stressed vowel precedes another vowel to show that יִ is in a different syllable.]
יי	יי	Tsvey Yudn	ey	AY as in D**ay**
ײַ	ײַ	Pasekh Tsvey Yudn	ay	Y as in Sk**y**
כּ	כּ	Kof	k	K
כ	כ	Khof	kh	KH as in Ba**ch**
ך	ך	Lange[r] Khof	kh	KH as in Ba**ch** only at the end of a word.
ל	ל	Lamed	l	L
מ	מ	Mem	m	M
ם	ם	Shlos-Mem	m	M, only at the end of a word.
נ	נ	Nun	n	N
ן	ן	Lange[r] Nun	n	N, only at the end of a word.
ס	ס	Samekh	s	S
ע	ע	Ayen	e	short E as in B**e**d
פּ	פּ	Pey	p	P

ייִדיש: אַלף–בית

פֿ	פֿ	Fey	f	F
ף	ף	Lange[r] Fey	f	F, only at the end of a word.
צ	צ	Tsadek	ts	TS
ץ	ץ	Lange[r] Tsadek	ts	TS, only at the end of a word.
ק	ק	Kuf	k	K
ר	ר	Reysh	r	R
ש	ש	Shin	sh	SH
שׂ	שׂ	Sin	s	S
תּ	תּ	Tof	t	T
ת	ת	Sof	s	S
דז	דז	Dalet Zayen	dz	DZ as in boa**rds**
זש	זש	Zayen Shin	zh	ZH as in **Zh**ivago.
דזש	דזש	Dalet Zayen Shin	dzh	J
טש	טש	Tes Shin	tsh	CH as in **Ch**arlie.

Here is a sample of Yiddish writing. Note the size of the letters in relation to one another.

אַלע גוטע קינדער דאַרפֿן זײַן אין דער הײם צו עסן.
לאָמיר שרײַבן אַ זאַץ מיט די װערטער "שבת" און "משפּחה".

Yiddish has no capital letters, but in transliteration, we shall capitalize the first word of every sentence, the first word of every line of poetry, and proper nouns such as the names of people and places.

ABBREVIATIONS AND SYMBOLS USED IN THIS BOOK

abbreviation	*abbr.*
accusative	*acc.*
adjective	*adj.*
adverb	*adv.*
affectionate	*affec.*
American	*Amer.*
archaic	*arch.*
article	*art.*
auxiliary	*aux.*
comparative	*comp.*
conditional	*cond.*
conjunction	*conj.*
dative	*dat.*
definite	*def.*
diminutive	*dim.*
emphatic	*emph.*
especially	*esp.*
familiar	*fam.*
feminine	*fem.*
figurative	*fig.*
formal	*form.*
Germanism	*Germ.*
hasidic	*has.*
Hebrew	*Heb.*
humorous	*hum.*
imperative	*imp.*
impersonal	*impers.*
indefinite	*indef.*
indirect	*indir.*
infinitive	*inf.*
informal	*infor.*
interjection	*int.*
interrogative	*inter.*
intransitive	*intrans.*
ironic	*iro.*
Jewish	*Jew.*
literally	*Lit.*
masculine	*masc.*
neuter	*neut.*
nominative	*nom.*
noun	*n.*
object	*obj.*
participle	*part.*
pejorative	*pej.*
perfective	*pf.*
person	*pers.*
plural	*pl.*
poetic	*poet.*
possessive	*poss.*
pronoun	*pron.*
pronunciation	*pronun.*
Russian	*Russ.*
sarcastic	*sarc.*
singular	*sg.*
someone	*s.o.*
something	*stg.*
subject	*subj.*
superlative	*super.*
traditional	*trad.*
transitive	*trans.*
verb	*v.*
verb intransitive	*v.i.*
verb transitive	*v.t.*

inadmissible in the standard language ○

of doubtful admissibility in the standard language •

diminutive △

iminutive □

UNIT 1

דאָס ערשטע קאַפּיטל[1]

!שלום־עליכם

INTRODUCTION

WELCOME TO YIDDISH! This book is designed both for students who know the Yiddish alphabet and for those who do not. We will begin our study of the language by learning to read and write (or if your teacher prefers, with the *Conversation* שמועס on p. 4).

In each of the first five units you will learn the names of several letters and how to print, write, and pronounce them. You will also learn some words that may be formed from these letters. This book coordinates the *Reading* section with the *Conversation* as much as possible. By Unit 3, many of the words you learn in the *Reading* section appear in the *Conversation*.

If all the students in the class already know how to read, we suggest to the teacher that the class nevertheless go through the *Reading* section quickly to learn the *Vocabulary* words.

I. LETTERS

Consonants

ENGLISH EQUIVALENT	*YIDDISH NAME*	*WRITTEN FORM*	*PRINTED FORM*
B	*Beys*	ב	ב
D	*Dalet*	ד	ד
T	*Tes*	ט	ט
R	*Reysh*	ר	ר

[1] The Yiddish word for unit is דער איינס *der eyns*. A קאַפּיטל *kapitl* is a chapter. We have used the word we feel is most appropriate in each language.

ייִדיש-סטודענטן אויף דער ייִוואָ-קאָלאָמביע ייִדיש-פּראָגראַם אויפֿן נאָמען אוריאל ווײַנרײַך לעבן ייִוואָ-בנין, 1982

Yiddish students in the Uriel Weinreich Summer Program, Columbia University–YIVO Institute for Jewish Research in front of YIVO building, New York City, 1982

ייִדיש-סטודענטן אין זומער-ייִדיש-פּראָגראַם, בר-אילן אוניווערסיטעט, ישׂראל, 1988

Yiddish students in summer Yiddish program, Bar–Ilan University, Israel, 1988

Vowels

Has no exact English equivalent; it is close to the ***A*** in M***a***, but shorter	*Pasekh Alef*	אַ	אַ
Has no exact English equivalent; it is close to ***O*** in F***o***r	*Komets Alef*	אָ	אָ
Like ***OO*** in B**oo**k	*Vov*	ו	ו
Like ***E*** in P**e**n	*Ayen*	ע	ע

II. VOCABULARY

MEANING	*PRONUNCIATION*	*WRITTEN FORM*	*PRINTED FORM*	
a	*a*	אַ	אַ	1.
he	*er*	ער	ער	2.
the *(masc.)* [2]	*der*	דער	דער	3.
the father, Dad	*der tate*	דער טאַטע	דער טאַטע	4.
he begs, prays, requests	*er bet*	ער בעט	ער בעט	5.
work *(n.)*	*arbet*	אַרבעט	אַרבעט	6.
he works	*er arbet*	ער אַרבעט	ער אַרבעט	7.
grandmother	*bobe*	באָבע	באָבע	8.
he does	*er tut*	ער טוט	ער טוט	9.
he rests	*er rut*	ער רוט	ער רוט	10.
he speaks	*er redt*	ער רעדט	ער רעדט	11.
you *(sg. fam.)*	*du*	דו	דו	12.
here	*do*	דאָ	דאָ	13.

[2] If an abbreviation is unclear to you, see the list of abbreviations at the beginning of book, p. xviii.

there	dort	דאָרט	14. דאָרט
but	ober	אָבער	15. אָבער
or	oder	אָדער	16. אָדער

III. READING PRACTICE[3]

1. אַ באָבע בעט.
2. אַ טאַטע בעט.
3. דער טאַטע אַרבעט.
4. דער טאַטע רוט.
5. אַ באָבע רוט.
6. דער טאַטע טוט אַרבעט.
7. ער אַרבעט דאָרט.
8. דאָרט אַרבעט דער טאַטע.
9. ער רעדט.
10. אַ באָבע רעדט.
11. דער טאַטע רעדט?
12. דער טאַטע אַרבעט דאָ אָבער ער רוט דאָרט.

IV. CONVERSATION שמועס

Because some of you may already know how to read Yiddish, the next few *Conversations* appear in both Yiddish letters and transliteration. Try covering up the transliteration when reading the Yiddish.

Those of you who do not yet know how to read – don't panic! You are not expected to be able to read the *Conversations* in Yiddish until they appear only in Yiddish with no transliteration. As some of the letters should be familiar to you from the *Reading* sections, we suggest you try to recognize those words and letters you already know. These same principles apply wherever Yiddish and transliteration are offered.

Sholem-Aleykhem! שלום-עליכם!

Motl: *Sholem-aleykhem.*	1. מאָטל: שלום-עליכם.
Fraynd Goldshteyn: *Aleykhem-sholem.*	2. פֿרייַנד גאָלדשטיין: עליכם-שלום.
Motl: *Vi heyst ir?*	3. מאָטל: ווי הייסט איר?
Goldshteyn: *Ikh heys Berl*	4. גאָלדשטיין: איך הייס בערל

---

[3] Note: In the reading section, and also in the grammar, conversation, and exercises, the words are presented either in printed or in written form. This will help students get used to reading the handwriting of someone other than their teachers.

Goldshteyn, vi heystu?[4]	5. גאָלדשטיין, ווי הייסטו?[4]
Motl: *Ikh heys Motl Zinger.*	6. **מאָטל**: איך הייס מאָטל זינגער.
Goldshteyn: *Un vi heyst*	7. **גאָלדשטיין**: און ווי הייסט
der tate, Motl?	8. דער טאַטע, מאָטל?
Motl: *Er heyst Mikhl Zinger*	9. **מאָטל**: ער הייסט מיכל זינגער.
Goldshteyn: *Oy, Mikhl Zinger,*	10. **גאָלדשטיין**: אוי, מיכל זינגער,
Ikh ken a Mikhl Zinger,	11. איך קען אַ מיכל זינגער,
er voynt do af der Ershter Gas,	12. ער וווינט דאָ אויף דער ערשטער גאַס,
ober er arbet nit dort.	13. אָבער ער אַרבעט ניט דאָרט.
Vu voynt ir?	14. ווו וווינט איר?
Motl: *Mir voynen af der*	15. **מאָטל**: מיר וווינען אויף דער
Ershter Gas.	16. ערשטער גאַס.
Goldshteyn: *A kleyne velt!*	17. **גאָלדשטיין**: אַ קליינע וועלט!
Zay gezúnt,[5] *Motl. A grus*	18. זײַ געזונט,[5] מאָטל. אַ גרוס
in der heym!	19. אין דער היים!
Motl: *Zayt gezúnt!*	20. **מאָטל**: זײַט געזונט!

Proverbs שפּריכווערטער

Man proposes, God disposes. (*Lit.* "A person thinks and God laughs.")	1. אַ מענטש טראַכט און גאָט לאַכט.
(A) small world!	2. אַ קליינע וועלט!
A world with small worlds!	3. אַ וועלט מיט וועלטעלעך!

---

[4] Note: Yiddish has both a familiar and a formal form in the second person. *Du* דו is *you* singular and informal. *Ir* איר is both *you* singular formal and *you* plural, both formal and informal. The imperative changes as well. *Zay gezúnt* זײַ געזונט is informal and *Zayt gezúnt* זײַט געזונט is formal and/or plural. In this dialogue Motl is a young boy so Goldshteyn addresses him informally, while Motl addresses the stranger and grown-up Goldshteyn formally.

[5] Note: In Yiddish the stress usually falls on the penultimate syllable. When it does not, we will indicate where the stress falls by an accent mark as in *gezúnt* געזונט. We will also indicate the stress in all words derived from the Hebrew-Aramaic component, no matter where it falls, as in *sholem-aléykhem* שלום־עליכם. We will also use it in other places that may be confusing. *e.g., der studént -di studéntn.* The accent is given in this book as an aid to correct reading. It is never actually written in Yiddish.

VOCABULARY [6]

af/oyf/uf (has several correct pronunciations)	אויף	on
du	דו	you *(sg. infor.)*
er	ער	he
ersht(er)	ערשט(ער)	first
(der) [7] *Fraynd (fraynd)*	דער פֿרײַנד (פֿרײַנד)	friend; Mr.
di gas(n) [8]	די גאַס(ן)	street
(der) got	דער גאָט	God
der grus(n)	דער גרוס(ן)	regards, greeting
di heym(en)	די היים(ען)	home
heysn	הייסן	to be called (as in "My name is...")
ikh	איך	I
in	אין	in, at
ir	איר	you *(pl.; sg. for.)*
kenen	קענען	can, to be able; to be acquainted with
kleyn	קליין	small, little
der mentsh(n)	דער מענטש(ן)	person
mir	מיר	we
nit/nisht	ניט/נישט	not
sholem-aleykhem	שלום-עליכם	hello
trakhtn	טראַכטן	to think
un	און	and
di velt(n)	די וועלט(ן)	world

---

[6] Until you know all the Yiddish letters, the vocabulary will be arranged alphabetically, according to the English transliteration of the Yiddish word. Naturally, in the case of nouns preceded by articles, look to the first letter of the noun and not of the article for alphabetic placement.

[7] Most common nouns are preceded by a definite article. It may be *Der* דער for a masculine noun, *Di* די for a feminine noun, or *Dos* דאָס for a neuter noun. This is explained in Unit 2, p. 20. Memorize each noun with its appropriate article.

[8] The plural of nouns or plural endings will be given in parentheses next to the noun. The plural article for all Yiddish nouns is always *Di* די.

dos veltele(kh)	דאָס וועלטעלע(ך)	world *(imin.)*
vi	ווי	how
voynen	וווינען	to live (as in to dwell)
vu	וווּ	where
zi	זי	she

Idioms and Expressions

A grus in der heym	אַ גרוס אין דער היים	Regards [to the folks] at home
Aleykhem-sholem	עליכם-שלום	→ see *Sholem-Aleykhem*
in der heym	אין דער היים	at home
Sholem-aleykhem, *Aleykhem-sholem*	שלום-עליכם, עליכם-שלום	Hello, and the response to "Hello"
Vi heyst ir?	ווי הייסט איר?	What's your name? (*Lit.* "How are you called?")
Zay gezunt!	זייַ געזונט!	Good-bye (*Lit.* "Be well") *(sg. fam.)*
Zayt gezunt!	זייַט געזונט!	Good-bye *(pl. or sg. for.)*

V. GRAMMAR

I. The Present Tense

The present tense of verbs in Yiddish is quite simple. In English we can say "*I talk, I do talk, I am talking.*" In Yiddish, this is all rendered as *ikh red* איך רעד.

The first person singular is formed by dropping the "*n*" ן or "*en*" ען from the infinitive. Thus *redn* רעדן: *ikh red* איך רעד, *heysn* הייסן: *ikh heys* איך הייס, *trakhtn* טראַכטן: *ikh trakht* איך טראַכט, *voynen* וווינען: *ikh voyn* איך וווין. This form is the base of the verb. The endings for the other persons: *du* דו you *(sg. & fam.)*, *er* ער he, *zi* זי she, *mir* מיר we, *ir* איר you *(pl. & sg. for.)*, *zey* זיי they, are formed by adding the appropriate endings to the base. Study the verbs on the next page. The endings are in a different font.

The infinitive[9] of Yiddish verbs always ends in "n" ן as in *redn* רעדן to talk,

[9] The infinitive is the verb form that names the action. As in English, it may or may not be preceded by "to." For example, (to) sing, (to) dance, (to) hear.

heysn הייסן to be called, *trakhtn* טראַכטן to think, or in “*en*”[10] ען as in *voynen* וווינען to live (dwell).

The infinitive of a verb ends in *en* ען if the base of the verb ends in:

N ן	as in *voynen* וווינען to live and *kenen* קענען to know,
NG נג	as in *zingen* זינגען to sing – see the song on page 10,
NK נק	as in *trinken* טרינקען to drink,
M ם	as in *kumen* קומען to come,
or a vowel	as in *ruen* רוען to rest.

Don’t worry about this rule too much. We will refer to it later in Unit 6 when you can apply it to more verbs. In the meantime, trust your pronunciation instincts and you’ll probably get it right. It’s much easier to say *voynen* וווינען than *voynn*.

The singular familiar דו is used with friends, peers, family members, children, animals, and generally with people younger than yourself. Interestingly, Jews also address God as דו. *Ir* איר is the only form of the second person plural regardless of your relationship to the people in the group. It is also used as the second person singular with older people, strangers, people of a higher status or in a position of power over you such as teachers or employers. In formal settings, both people, regardless of status, would generally use איר when speaking to each other. Thus, the employer and the employee, the professor and the student would address each other as איר. A hasidic rebbe, however, addresses his *hasid* as דו. Sometimes the application of these rules is subjective and may vary with dialect.

Redn רעדן

Mir redn	מיר רעדן	*Ikh red*	איך רעד
Ir redt	איר רעדט	*Du redst*	דו רעדסט
Zey redn	זיי רעדן	*Er redt, Zi redt*	ער רעדט, זי רעדט

Voynen וווינען

Mir voynen	מיר וווינען	*Ikh voyn*	איך וווין
Ir voynt	איר וווינט	*Du voynst*	דו וווינסט
Zey voynen	זיי וווינען	*Er voynt, Zi voynt*	ער וווינט, זי וווינט

---

[10] Note the slight irregularity in the conjugation of verbs whose infinitive ends in *en* ען. The first and third person plural also end in *en* ען.

Heysn הייסן

Mir heysn	מיר הייסן	Ikh heys	איך הייס
Ir heyst	איר הייסט	Du heyst	דו הייסט[11]
Zey heysn	זיי הייסן	Er heyst, Zi heyst	ער הייסט, זי הייסט

Arbetn אַרבעטן

Mir arbetn	מיר אַרבעטן	Ikh arbet	איך אַרבעט
Ir arbet	איר אַרבעט	Du arbetst	דו אַרבעטסט
Zey arbetn	זיי אַרבעטן	Er arbet, Zi arbet	ער אַרבעט,[12] זי אַרבעט

Now that you've studied these conjugations, you've probably noticed that the third person singular *er, zi, es,* (it) ער, זי, עס is conjugated the same as the second person plural in most cases. For example: *er redt* ער רעדט and *ir redt* איר רעדט.

The first person plural *mir* מיר and the third person plural *zey* זיי are always conjugated the same way. For example: *mir redn* מיר רעדן and *zey redn* זיי רעדן. First and third person plural are almost always the same as the infinitive.

Sample Sentences:

1. *Ikh ken Yidish.*	איך קען ייִדיש.	I know Yiddish.
2. *Du redst Yidish.*	דו רעדסט ייִדיש.	You do speak Yiddish.
3. *Er heyst Hershl Zinger.*	ער הייסט הערשל זינגער.	His name is Hershl Zinger.

---

[11] Note the slight irregularity in the second person singular of the verb *heysn* הייסן and other verbs in which the base ends in *s* ס. It is *du heyst* דו הייסט and not *du heys-st* דו הייס-סט, and is therefore the same as the third person singular *er* or *zi heyst* ער, זי הייסט. We do not add an *s* to the base because two *s*'s would be too hard to pronounce.

[12] Note the slight irregularity in the third person singular and second person plural of the verb אַרבעטן and other verbs whose base ends in ט such as *trakhtn* טראַכטן and בעטן. It is ער, זי, איר אַרבעט and not אַרבעט-ט, making this form the same as the first person singular. Again, this is done, because two ט's (try saying ער טראַכט-ט) would be too hard to pronounce.

4. *Zi zinkt*[14] *a lid.*	זי זינגט[13] אַ ליד.	She is singing a song.
5. *Mir arbetn in der heym.*	מיר אַרבעטן אין דער היים.	We work at home.
6. *Ir voynt af der Ershter Gas.*	איר וווינט אויף דער ערשטער גאַס.	You live on First Street.
7. *Zey trakhtn un lakhn.*	זיי טראַכטן און לאַכן.[13]	They think and laugh.

VI. A SONG: AZ DER REBE ZINKT

אַ ליד: אַז דער רבי זינגט

Folksong — *פֿאָלקסליד*

1) *Az der rebe zinkt, (2)*
Zingen ale khsidim. (2)
Bim bom bim bim bom,
Bim bom bim bim bom,
Zingen ale khsidim.

2) *Az der rebe tantst, (2)*
Tantsn ale khsidim. (2)
Ay day hop hop hop,
Ay day hop hop hop,
Tantsn ale khsidim.

3) *Un az der rebe shloft, (2)*
Shlofn ale khsidim. (2)
U U U ....
U U U ....
Shlofn ale khsidim.

1) אַז דער רבי זינגט, (2)
זינגען אַלע חסידים. (2)
2 { בים באָם בים בים באָם,
בים באָם בים בים באָם,
זינגען אַלע חסידים. }

2) אַז דער רבי טאַנצט, (2)
טאַנצן אַלע חסידים. (2)
2 { איי דיי האָפּ האָפּ האָפּ,
איי דיי האָפּ האָפּ האָפּ,
טאַנצן אַלע חסידים. }

3) און אַז דער רבי שלאָפֿט, (2)
שלאָפֿן אַלע חסידים. (2)
2 { או ו ו ....
או ו ו ....
שלאָפֿן אַלע חסידים. }

Can you make up more verses with other Yiddish verbs you know?

---

[13] The verbs *zingen* זינגען and *lakhn* לאַכן appear in the song "Az der rebe zinkt" "אַז דער רבי זינגט" on this page.

[14] Note: Before a ט, the ג sounds like a ק (k). Although ג is generally rendered as *g* in transliteration, to ensure proper pronunciation we have rendered it here, and in similar cases, as *k*.

VOCABULARY

ale	אַלע	all
az	אַז	when
der khosid (khsidim)	דער חסיד (חסידים)	Hasid, follower of a Hasidic rebbe
lakhn	לאַכן	to laugh
dos lid (lider)	דאָס ליד (ער)	song
der rebe(s)	דער רבי(ס)	rabbi of the Hasidim
shlofn	שלאָפֿן	to sleep
tantsn	טאַנצן	to dance
zingen	זינגען	to sing

Allegretto
Dm Dm
Az der re - be tantst, un az der re - be tantst,
Gm 1. Dm D7 2. Dm D7
Tan - tsn a - le kha - si - dim si - dim Un
Gm Dm 1. E7 A7
az der re - be tantst, Un az der re - be tantst tan- tsn a - le kha -
Dm D7 2. E7 A7 Dm
si - dim, Un tan - tsn a - le kha - si - dim.

פּערל פֿון ייִדישן ליד: 115 ייִדישע פֿאָלקס-, אַרבעטער-, קונסט- און טעאַטער-לידער, פֿון חנה און יוסף מלאָטעק, אַרבעטער-רינג בילדונגס-אָפּטייל, ניו-יאָרק, 1989.

Pearls of Yiddish Song: Favorite Folk, Art and Theatre Songs, compiled by Eleanor Gordon Mlotek and Joseph Mlotek, Education Dept. Workmen's Circle, New York, 1989.

EXERCISES

If you already know the alphabet, write the answers in Yiddish. Everyone should be able to write some of the words in Yiddish. Write those words that you have not yet learned to write in Yiddish in transliteration.

I. Conjugate *lakhn* לאַכן (to laugh), *heysn* הייסן (to be called), and *tantsn* טאַנצן (to dance).

II. Translate into Yiddish:

1. I sing.
2. You *(fam.)* dance.
3. We live at home.
4. Her name is Gitl. (She is called Gitl.)[14]
5. Your *(fam.)* name is Berl.
6. They live in New York.
7. You *(pl.)* live here.
8. I know Yiddish.
9. She works there.
10. You *(pl.)* dance at home (in the home).
11. (The) father rests.

ORAL PRACTICE

III. Substitute the highlighted words with those in parentheses. Make any necessary changes. Be sure to match the numbers correctly:

For example: - ***Ikh***[1] *heys Berl.* ***Der tate***[2] *heyst Khayim.*
A) (Du,[1] *Ikh*[2]*)*
B) (Er,[1] *Fraynd Gold*[2]*)*
Answer:
A) Du heyst Berl. Ikh heys Khayim.
B) Er heyst Berl. Fraynd Gold heyst Khayim.

1. -*Vu voynt* ***Ir***[1]*?*
- ***Mir***[2] *voynen af der Ershter Gas.*
A) (Du,[1] *Ikh*[2]*)*
B) (Di khsidim,[1] *Zey*[2]*)*

2. -*Voynt* ***di bobe***[1] *af der Ershter Gas?*
-***Di bobe***[2] *voynt af der Ershter Gas.*
A) (Du,[1] *Ikh*[2]*)*
B) (Zey,[1] *Zey*[2]*)*

---

[14] Parentheses ( ) in a translation exercise indicate that you ***should*** translate the word or words in parentheses even though this is not the way the sentence would be rendered in English.

UNIT 2

דאָס צווייטע קאַפּיטל

אַ שמועס אין קלאַס

I. LETTERS

ENGLISH EQUIVALENT	YIDDISH NAME	WRITTEN FORM	PRINTED FORM

Vowels & Diphthongs

Like English ***Y***. It may be a vowel with a long ***E*** sound as in *Bab**y***, or a short ***I*** as in ***I**n*, depending on the dialect. It may be a consonant like ***Y*** in ***Y**ellow*.	*Yud*	י	י
Like ***Ey*** as in *Gr**ey***	*Tsvey Yudn*	יי	יי

At the beginning of a word, the vowel י and the diphthong יי are preceded by a silent א as in איבער over, איידל gentle, אין in, אייגן own *(adj.)*, איידער before, איין one. A diphthong is two vowels that make one sound.

Consonants

H	*Hey*	ה	ה
L	*Lamed*	ל	ל
N only at the beginning and in the middle of a word	*Nun*	נ	נ
N only at the end of a word	*Lange(r) Nun*	ן	ן
S	*Samekh*	ס	ס
Z	*Zayen*	ז or ז	ז

II. VOCABULARY

Practice these letters in the words listed below. In these early lessons where the alphabet is introduced there are many words for you to practice. The teacher may want to divide students into groups or have the students practice some of the reading at home.

MEANING	*PRONUNCIATION*	*WRITTEN FORM*	*PRINTED FORM*
to have, he has	*hobn, er hot*	האָבן, ער האָט	1. האָבן, ער האָט
to hear, you *(pl.)* hear	*hern, ir hert*	הערן, איר הערט	2. הערן, איר הערט
the song(s)	*dos lid,*	דאָס ליד,	3. דאָס ליד,
	di lider	די לידער	די לידער
to love/like	*lib hobn*	ליב האָבן	4. ליב האָבן
you *(sg.)* love/like	*du host lib*	דו האָסט ליב	5. דו האָסט ליב
yes	*yo*	יאָ	6. יאָ
the student(s)	*der studént,*	דער סטודענט,	7. דער סטודענט,
	di studéntn	די סטודענטן	די סטודענטן
the teacher(s)	*der lerer,*	דער לערער,	8. דער לערער,
	di lerers	די לערערס	די לערערס
the teacher(s) *(fem.)*	*di lérern,*	די לערערין,	9. די לערערין,
	di lérerns	די לערערינס	די לערערינס
to teach, the teacher teaches	*lernen, der lerer lernt*	לערנען, דער לערער לערנט	10. לערנען, דער לערער לערנט
to eat, you *(sg.)* eat	*esn, du est*	עסן, דו עסט	11. עסן, דו עסט
it	*es*	עס	12. עס
there is	*es iz do*	עס איז דאָ	13. עס איז דאָ
before *(conj.)*	*eyder*	איידער	14. איידער
one *(num. adj.)*[1]	*eyn*	איין	15. איין
in	*in*	אין	16. אין

---

[1] For further information on numerical adjectives see Lesson 9A, p. 153 and Lesson 15A in Vol. II.

you *(pl. & sg. for.)*	*ir*	איר	17. איר
the potato(es)	*di bulbe,*	די בולבע,	18. די בולבע,
	di bulbes	די בולבעס	די בולבעס
she	*zi*	זי	19. זי
they	*zey*	זיי	20. זיי
the grandfather(s)	*der zeyde,*	דער זיידע,	21. דער זיידע,
	di zeydes	די זיידעס	די זיידעס
he is, she is	*er iz, zi iz*	ער איז, זי איז	22. ער איז, זי איז
no	*neyn*	ניין	23. ניין
the hand(s)	*di hant, di hent*	די האַנט, די הענט	24. די האַנט, די הענט
to see, you *(pl.)* see	*zen, ir zet*	זען, איר זעט	25. זען, איר זעט
an (*indef. article before a vowel)*	*an*	אַן	26. אַן
work; a job(s)	*an arbet,*	אַן אַרבעט,	27. אַן אַרבעט,
	árbetn	אַרבעטן	אַרבעטן
the work; the job(s)	*di arbet,*	די אַרבעט,	28. די אַרבעט,
	di árbetn	די אַרבעטן	די אַרבעטן

III. READING PRACTICE

1. ער רעדט. 2. דער סטודענט האָט אַן אַרבעט. 3. די סטודענטן האָבן אַרבעט. 4. דער לערער האָט ליב דאָס ליד. 5. די לערערס האָבן ליב די לידער. 6. דער לערער האָט ליב די סטודענטן. 7. די באָבע עסט די בולבעס. 8. די לערערינס עסן די בולבעס. 9. דער לערער עסט. 10. דער לערער עסט איידער ער טוט די אַרבעט. 11. עס איז דאָ איין לערער. 12. עס איז דאָ איין סטודענט. 13. רוט דער זיידע? יאָ, דער זיידע רוט. 14. דו הערסט די לידער. 15. זי האָט אַ בולבע אין דער האַנט. 16. זיי האָבן בולבעס אין די הענט. 17. דער טאַטע הייסט בערל. ער אַרבעט דאָרט. 18. דער זיידע אַרבעט דאָ אָבער ער עסט דאָרט.

IV. MORE PRACTICE

Many people confuse the *Dalet* (ד) and the *Reysh* (ר). Here is some more practice.

Words with ד:

דאָ　　דאָס　　די　　דאָס ליד　　די זיידעס　　דער סטודענט

Words with ר:

ער　　אָבער　　ער רוט　　איר הערט　　דער לערער　　די לערערין

These words have both letters:

רעדן　　דו רעדסט　　די לידער　　איידער

V. A CONVERSATION IN CLASS　　אַ שמועס אין קלאַס

1. **Perl:** *Gut-morgn.*	1. **פּערל:** גוט-מאָרגן.
2. **Motl:** *Gut-yor.*	2. **מאָטל:** גוט-יאָר.
3. **Perl:** *Vos hert zikh, Motl?*	3. **פּערל:** וואָס הערט זיך, מאָטל?
4. **Motl:** *Es iz nito kin nayes.*	4. **מאָטל:** עס איז ניטאָ קיין נײַעס.
5. *Vozhe hert zikh bay dir?*	5. וואָס זשע הערט זיך בײַ דיר?
6. **Perl:** *Vos zol zikh hern?*	6. **פּערל:** וואָס זאָל זיך הערן?
7. *Es iz nito kin nayes.*	7. עס איז ניטאָ קיין נײַעס.
8. **Motl:** *Hostu dayn Yidish bukh?*	8. **מאָטל:** האָסטו דײַן ייִדיש בוך?
9. **Perl:** *Nu, voden?*	9. **פּערל:** נו, וואָדען?
10. **Motl:** *Un dayn heft un*	10. **מאָטל:** און דײַן העפֿט און
11. *dayn feder?*	11. דײַן פֿעדער?
12. **Perl:** *Yo.*	12. **פּערל:** יאָ.
13. **Motl:** *A blayer hostu?*	13. **מאָטל:** אַ בלײַער האָסטו?
14. **Perl:** *Ikh hob nor eyn blayer,*	14. **פּערל:** איך האָב נאָר איין בלײַער,
15. *ober ikh darf tsvey. Zay*	15. אָבער איך דאַרף צוויי. זײַ
16. *azoy gut un gib mir a blayer*	16. אַזוי גוט און גיב מיר אַ בלײַער
17. *eyder der lerer kumt.*	17. איידער דער לערער קומט.
18. **Motl:** *Es iz do a blayer afn*	18. **מאָטל:** עס איז דאָ אַ בלײַער אויפֿן
19. *tish.*	19. טיש.

20. **Perl:** *Take?*	פּערל: טאַקע?	.20
21. **Motl:** *Yo, na.*	מאָטל: יאָ, נאַ.	.21
22. **Perl:** *A sheynem dank.*	פּערל: אַ שיינעם דאַנק.	.22
23. **Motl:** *Nitŏ far vos.*	מאָטל: ניטאָ פֿאַר וואָס.	.23
24. **Perl:** *Itst ken ikh lĕyenen*	פּערל: איצט קען איך לייענען	.24
25. *un shraybn. Itst ken*	און שרייַבן. איצט קען	.25
26. *ikh ărbetn.*	איך אַרבעטן.	.26

Proverb שפּריכוואָרט

A Jewish thief steals only books.

אַ ייִדישער גנבֿ גנבֿעט נאָר ביכער.

(A Yĭdisher gănev/gănef gănvet nor bikher.)

VOCABULARY

* *afn = af dem*[2]	אויפֿן = אויף דעם	on the
* *bay*	בײַ	with; at, by
* *der blayer(s)*	דער בלייַער(ס)	pencil
* *dos bukh (bikher)*	דאָס בוך (ביכער)	book
* *darfn*	דאַרפֿן	to need, to have to
dayn	דייַן	your *(sg. & infor.)*
dir	דיר	you *(sg. infor. indir. obj.)*
* *eyn*	איין	one *(adj.)*
* *di feder(s)*	די פֿעדער(ס)	pen
* *der gănev / gănef (ganŏvim)*	דער גנבֿ (גנבֿים)	thief
gănven / gănvenen	גנבֿען/גנבֿענען	to steal
* *gebn*	געבן	to give
* *gut-mŏrgn*	גוט-מאָרגן	good morning; hello
* *gut-yŏr*	גוט-יאָר	reply to any greeting beginning with *gut*
* *di heft(n)*	די העפֿט(ן)	notebook

---

[2] An asterisk (*) beside a word indicates that it is part of the active vocabulary. You should memorize it *now*. Other words are not part of the active vocabulary, but they may be used in the exercises of that lesson. Should they recur in another lesson, they will be listed again in the vocabulary.

All the words in Units 1 and 2 thus far are part of the active vocabulary although they were not starred. They are listed in the glossary at the back as part of the active vocabulary.

* *hostu?*	האָסטו?	Do you have?
* *itst*	איצט	now
kin	קיין	any, not any
* *kumen*	קומען	to come
* *ley(e)nen*	לייענען	to read
* *mir*	מיר	me *(indir. obj.)*
* *na*	נאַ	here (in giving)
* *di nayes (pl.)*	די נײַעס	news
* *nit*	ניט	not
* *nito kin*	ניטאָ קיין	there is/are not
* *nor*	נאָר	only
* *nu*	נו	well; come on
* *oyfn → afn*		
* *shraybn*	שרײַבן	to write
* *take*	טאַקע	really; oh?
* *der tish(n)*	דער טיש(ן)	table
* *tsvey*	צוויי	two
voden	וואָדען	What else?
* *Yidish*	ייִדיש	Jewish; Yiddish
* *yo*	יאָ	yes
* *zhe*	זשע	so, then
* *zoln*	זאָלן	should

Idioms

* *A sheynem dank*	אַ שיינעם דאַנק	Thank you very much
Es iz nito kin nayes.	עס איז ניטאָ קיין נײַעס.	There is nothing new.
* *Nito far vos*	ניטאָ פֿאַר וואָס	You're welcome (*Lit.* " There's not for what")
* *Vos (zhe) hert zikh?*	וואָס (זשע) הערט זיך?	(So) What's new, (So) What's happening?
Vos zol zikh hern?	וואָס זאָל זיך הערן?	Response to *"Vos hert zikh?"* What should be happening?
* *Zay(t) azoy gut*	זײַ(ט) אַזוי גוט	Please (*Lit.* "Be so good")

VI. GRAMMAR

I. The Irregular Verbs האָבן and זײַן

The verb האָבן (to have) is slightly irregular. Learn the conjugation:

mir	מיר האָבן		ikh	איך האָב	
ir	איר האָט		du	דו האָסט	
zey	זיי האָבן		er	ער האָט	
			zi	זי האָט	

The verb זײַן (to be) is also irregular. Learn the conjugation. Both of these verbs are very important because they are used to form the past tense.

mir zaynen/zenen	מיר זײַנען/זענען*	ikh	איך בין
ir zayt/zent	איר זײַט/זענט	du	דו ביסט
zey zaynen/zenen	זיי זײַנען/זענען	er	ער איז
		zi	זי איז

* Both זײַנען *(zaynen)* and זענען *(zenen)* are correct.

II. Article and Gender

In Yiddish, a noun may belong to one of three genders. It may be either *masculine*, *feminine*, or *neuter*. It may also be used in one of several ways; as a subject, direct object, indirect object, etc.

The definite article (the) will change depending on how the corresponding noun is used in the sentence. Most nouns, however, do not change. (See Lesson 11A for the few exceptions.) It may help you to understand these changes in Yiddish if you realize that English pronouns change in similar ways. For example, when the first person singular is used as a subject, it is *I* as in "I am a woman." When the first person singular is used as a direct or indirect object, it is *me* as in "He sees *me*."

Yiddish has definite and indefinite articles. The indefinite article is אַ *(a)* or אַן *(an)* and corresponds to the English indefinite articles *"a"* or *"an."* In Yiddish, just as in English, אַ is used in front of a consonant and אַן is used in front of a vowel.

The definite article *"the"* may be either *der* דער, *di* די, *dos* דאָס or *dem* דעם depending on whether it refers to a word that is masculine, feminine, neuter, singular or plural, subject, object, or indirect object. For now, let us concentrate

on "*the*" as a subject. The subject case is also called the ***nominative*** *case*. In the following examples, the ***highlighted*** words are in the ***nominative*** *case*.

The father works.	1. דער טאַטע אַרבעט.
He has a grandmother.	2. ער האָט אַ באָבע.
She sees the students.	3. די סטודענטן זעט זי.
The grandfather works here.	4. דאָ אַרבעט דער זיידע.

The definite article *"the"* for **masculine** nouns in the nominative case is **דער**. **Masculine** nouns include all those nouns that are clearly masculine such as **דער טאַטע, דער זיידע, דער לערער,** and some inanimate objects such as **דער טיש** *(tish)* and **דער בלייַער** *(blayer)*.

"The" for **feminine** nouns in the nominative case is **די**. **Feminine** nouns include all those nouns that are clearly feminine such as **די מאַמע, די לערערין,** **די באָבע** and some inanimate objects such as **די האַנט** and **די בולבע**.

"The" for **neuter** nouns in the nominative case is **דאָס**. Neuter nouns may be both animate objects such as **דאָס קינד** *(dos kind-* the child) or inanimate objects such as **דאָס בוך** and **דאָס ליד**.

As you can see, inanimate objects may be **masculine, feminine**, or **neuter** as in **דער טיש** *(der tish)*, **די העפֿט** *(di heft)*, and **דאָס בוך** *(dos bukh)*. There are some rules for determining gender, but at this point they would confuse rather than help you. In many cases, however, there is no logical reason why a noun is **masculine, feminine**, or **neuter**. Each word must be memorized with its article.

"The" for **plural** nouns is always **די** regardless of gender or case. For example: **די טאַטעס, די באָבעס, די הענט, די לידער**.

III. Idiomatic Expression עס איז דאָ

Note the idiomatic expression **עס איז דאָ** which means "There is" as in the sentences:

עס איז דאָ אַ לערערין אין קלאַס.
עס איז דאָ אַ לערער אין קלאַס.

The word **דאָ** should never be translated by its literal meaning "here" in the phrase **עס איז דאָ**. If you want to say, "There is a table here" you must repeat the word **דאָ** and say **עס איז דאָ אַ טיש דאָ** or **עס איז דאָ אַ טיש דאָ**.

VII. A SONG: / אַ ליד:

AFN PRIPETSHIK / אויפֿן פּריפּעטשיק

Mark Warshavsky / מאַרק וואַרשאַווסקי

1) *Afn pripetshik brent a fayerl*
Un in shtub iz heys,
Un der rebe lernt
Kleyne kinderlekh } 2
Dem alefbeys.

2) *Zokt zhe, kinderlekh,*
Gedenkt zhe, tayere,
Vos ir lernt do.
Zokt zhe nokh a mol
Un take nokh a mol } 2
Komets-alef – o.

1) אויפֿן פּריפּעטשיק ברענט אַ פֿײַערל
און אין שטוב איז הייס,
און דער רבי לערנט
קליינע קינדערלעך } 2
דעם אַלף-בית.

2) זאָגט זשע, קינדערלעך,
געדענקט זשע, טײַערע,
וואָס איר לערנט דאָ.
זאָגט זשע נאָך אַ מאָל
און טאַקע נאָך אַ מאָל } 2
קמץ-אַלף – אָ.

VOCABULARY

der alefbeys	דער אַלף-בית	alphabet
brenen	ברענען	to burn
• *dem*	דעם	the *(masc. dir. & indir. obj.; neut. indir. obj.)*
• *dos fayerl(ekh):*	דאָס פֿײַערל(עך):	fire *(dim.)*
dos/der fayer(n)	דאָס/דער פֿײַער(ן)	
• *gedenken*	געדענקען	to remember
heys	הייס	hot
• *di kinderlekh*	די קינדערלעך:	children *(dim.)*
dos kind(er)	דאָס קינד(ער)	
der/di komets-alef	דער/די קמץ-אַלף	the letter אָ
• *lernen*	לערנען	to learn
• *nokh a mol*	נאָך אַ מאָל	again
der pripetshik(es)	דער פּריפּעטשיק(עס)	old-fashioned stove and fireplace
• *zogn*	זאָגן	to say, to tell

ייִדיש: דאָס צווייטע קאַפּיטל

tayer(e)	טייַער(ע)	dear, dear (ones)
di shtub (shtiber)	די שטוב (שטיבער)	house; room

Reprinted by permission from מיר טראָגן אַ געזאַנג, חנה מלאָטעק, אַרבעטער-רינג בילדונגס-אָפּטייל, ניו-יאָרק **1977** *Mir trogn a gezang: Favorite Yiddish Songs of Our Generation*, Eleanor Gordon Mlotek, Copyright 1977 by the Workmen's Circle Education Department, N.Y., N.Y.

COGNATES

It may comfort you to notice how similar Yiddish is to English. A word that is similar in two languages is called a "cognate." Where the cognate is not synonymous with the literal translation of the word, the cognate is given in parentheses.

Compare these words:

brenen	ברענען	to burn
der/dos fayer	דער/דאָס פֿײַער	fire
heys	הייס	hot
lernen	לערנען	to learn
der ălefbeys	דער אַלף-בית	alphabet
di arbet	די אַרבעט	work (arbiter)
der student	דער סטודענט	student
di hant	די האַנט	hand
trakhtn	טראַכטן	to think (tract)
shlofn	שלאָפֿן	to sleep
tantsn	טאַנצן	to dance
zingen	זינגען	to sing
ale	אַלע	all

Note the ב–V alternation. English frequently uses V where Yiddish uses ב. Knowing this may help you figure out the meaning of a number of Yiddish words with ב, such as:

hobn	האָבן	to have
gebn	געבן	to give
iber	איבער	over
libe	ליבע	love

EXERCISES

I. Fill in the correct form of the verb האָבן:

1. די באָבע ______ ליב דאָס ליד.
2. זיי ______ אַרבעט.
3. איך ______ אַ גרוס.
4. מיר *(mir)* ______ אַ לערערין.
5. דו ______ אַ ליד.
6. זיי ______ צוויי *(tsvey)* ייִדעס.
7. איך *(ikh)* ______ דאָרט אַרבעט.
8. ער ______ ליב די וועלט *(velt)*.
9. איר ______ בולבעס?
10. דער סטודענט ______ אַ לערער.

II. Fill in the correct form of the verb זײַן *(zayn)*:

1. עס ________ דאָ אַ שטוב *(shtub)*. 2. דו ____________ דאָ.
3. דער סטודענט ____________ דאָ. 4. זי ________ אַ באָבע.
5. דו __________ בערעלע האָרן.

6. Mir ________ in der heym. *7. Ir ________ af der Ershter Gas.*

8. Ikh ________ a lerem. *9. Zey ________ itst in shtub.*

III. Choose the correct form of the verb:

1. *Mir* (geyt, geyen) *itst af der gas.*
2. *Du* (voyn, voynst) *af der gas.*
3. *Er* (voynt, voynen) *in der heym.*
4. *Ikh* (voyn, voynt) *in der heym.*
5. *Zey* (zingen, zingt) *a lid.*
6. *Der zeyde* (shlofst, shloft) *itst.*
7. *Ikh* (trakht, trakhtn) *nokh a mol.*
8. *Ir* (lernt, lernst) *dem (the) alefbeys nokh a mol.*
9. *Du* (host, hob) *a blayer, a heft, un a feder.*
10. *Es* (iz, zay) *do a bukh un a feder afn tish.*
11. *Fraynd Goldberg,* (zay, zayt) *azoy gut, git mir di bikher.*
12. *Vos* (herst, hert) *zikh? Es (iz, zay) nito kin nayes.*
13. *Ikh* (gedenken, gedenk) *dos lid.*
14. *Di khsidim* (lernt, lernen) *in shtub.*
15. *Mir* (leyen, leyenen) *un (shrayben, shraybn) Yiddish.*

16. דו (אַרבעטסט, אַרבעט) אײדער דו (עססט, עסט).
17. ער (זעט, זע) די לערערין. 18. מיר *(mir)* (האָבן, האָסט) אַ ליד.
19. זײ (עסן, עס) די בולבעס. 20. זי (האָבן, האָט) עס אין דער האַנט.

IV. Fill in the correct form of the article using די ,דער or דאָס:
In sentences where the noun is not in the nominative case, assume that the article is the same as it is for the nominative.

1. ד____ באָבע עסט בולבעס. 2. ד____ סטודענט האָט אַ גרוס.
3. ד____ זײדע לערנט די קלײנע קינדערלעך *(kleyne kinderlekh)*.
4. ער הערט ד____ ליד. 5. זײ עסן ד____ בולבעס.
6. ד____ לערערין זינגט. 7. ד____ טאַטע הײסט בערל.

8. ד____ זיידעס רוען אין דער היים (heym).

9. ד____ לערער רעדט.

10. ד____ בוך (bukh) איז דאָרט.

11. ד____ לערערין הייסט ביילע.

V. Translate into Yiddish: (Write either in Yiddish or in transliteration.)

1. What's new?
2. [There is][3] nothing new.
3. I have only one pencil and two books.
4. There is a pen on the (**דעם**) table.
5. Really?
6. We remember the (**דעם**) alphabet.
7. Please say "good morning" again.
8. The children have to (need) think.
9. There is a fire in [the] house.
10. The students read and write now.

VI. Choose the correct word from the list at the bottom of the exercise and fill in the blanks:

1. *Vos ___________ zikh?*
2. *Du ___________ dos lid.*
3. *Es iz ________ a fayerl in shtub.*
4. *Ikh hob eyn bukh ober ikh ______ tsvey.*
5. *A sheynem ___________.*
6. *Mir _________ redn Yidish.*
7. *Zey ________ a grus fun Berlen.*
8. *Nito ___________.*

dank *hert* *far vos* *hobn* *herst* *darf* *do* *darfn*

ORAL PRACTICE

VII. Substitute the highlighted words with those in parentheses. Make any necessary changes. Be sure to match the numbers correctly:

1. – *Vos lernen **zey?*** [1]
   – ***Zey*** [1] *darfn gedenken dem alefbeys.*
   a) (***mir***[1]) *b)* (***di kinder***[1])

2. – *Hot **der lerer*** [1] *lib di **studentn?*** [2]
   – *Yo, **ale lerers*** [1] *hobn lib di **studentn.*** [2]
   a) (***di bobe,*** [1] ***di kinderlekh***[2]) *b)* (***der rebe,*** [1] ***di khsidim*** [2])

---

[3] In order to make a good idiomatic Yiddish sentence, omit the words in square brackets [ ] and translate the words in parentheses ( ).

3. — *Vos hostu?*
   — *Ikh hob a **bukh** [1] un tsvey **feders**.* [2]
   *a) (**heft**,[1] **bikher** [2])* *b) (**shtub**,[1] **tishn** [2])*

4. — דו[1] עסט בולבעס?
   — יאָ, איך[2] עס בולבעס. איך[2] האָב ליב בולבעס.
   אַ) (ער,[1] ער[2]) ב) (זיי,[1] זיי[2])

VIII. Complete the dialogue:

1. — *Vos hert zikh?*
   — *Vos zol zikh hern? Ikh......*

2. — *Hostu lib tsu tantsn?*
   — *Nu, voden? Ale hobn lib tsu tantsn.*
   — *Ikh hob lib tsu tantsn ober.....*

3. — *Du kenst dos lid "Afn pripetshik"?*
   — *Yo, ikh ken dos lid un hob lib dos lid. Es.......*

IX. Conversation Topics

1. You are choosing a roommate (מיטוווינער mitvoyner). Have a conversation in which you each find out as much as you possibly can about each other.

2. You have just met a relative from another country who speaks only Yiddish. Introduce yourselves and get acquainted.

3. There is a new student in the class. Explain to him or her what you do in the class and what s/he needs to bring to class.

UNIT 3

דאָס דריטע קאַפּיטל

וואָס מאַכסטו?

I. LETTERS

ENGLISH EQUIVALENT	*YIDDISH NAME*	*WRITTEN FORM*	*PRINTED FORM*
Diphthongs			
Like **Y** in M**y** Sk**y**	*Pasekh Tsvey Yudn*	ײַ	ײַ

At the beginning of a word the diphthong ײַ is preceded by a silent **א** as were י, יי and ו. Thus , או, איי, אי and אײַ.

ENGLISH EQUIVALENT	*YIDDISH NAME*	*WRITTEN FORM*	*PRINTED FORM*
Consonants			
G	*Giml*	ג or ג	ג
V	*Tsvey Vovn*	װ	װ
Kh as in Ba***ch***, only at the beginning or middle of a word.	*Khof*	כ	כ
Kh as in Ba***ch***, only at the end of a word.	*Lange(r) Khof*	ך	ך
K	*Kuf*	ק	ק
M only at the beginning or middle of a word.	*Mem*	מ	מ
F only at the beginning or middle of a word	*Fey*	פֿ	פֿ

II. VOCABULARY

MEANING	PRONUNCIATION	WRITTEN FORM	PRINTED FORM
good	gut	גוט	1. * גוט
to go, you (sg.) go	geyn, du geyst	גיין, דו גייסט	2. * גיין, דו גייסט
as long as	abi	אַבי	3. * אַבי
healthy	gezunt	געזונט	4. * געזונט
as long as you're healthy	abi gezunt	אַבי געזונט	5. * אַבי געזונט
to want, I want	veln, ikh vil	וועלן, איך וויל	6. * וועלן, איך וויל[1]
where	vu	ווו	7. * ווו
when	ven	ווען	8. * ווען
who	ver	ווער	9. * ווער
what	vos	וואָס	10.* וואָס
whom	vemen	וועמען	11.* וועמען
why	far vos	פֿאַר וואָס	12.* פֿאַר וואָס
which, what	voser	וואָסער	13.* וואָסער
the lunch(es)	dos varemes, di varemesn	דאָס וואַרעמעס, די וואַרעמעסן	14.* דאָס וואַרעמעס די וואַרעמעסן
the day(s)	der tog, di teg	דער טאָג, די טעג	15.* דער טאָג, די טעג
to be, they are	zayn, zey zaynen	זײַן, זיי זײַנען	16. זײַן, זיי זײַנען
to do, I do	ton, ikh tu	טאָן, איך טו	17.* טאָן, איך טו[1]
to learn, I learn	lernen zikh, ikh lern zikh	לערנען זיך, איך לערן זיך	18.* לערנען זיך,[2] איך לערן זיך

[1] Note: There is a vowel change in the verbs וועלן and טאָן when they are conjugated in the present tense.

The conjugation of וועלן is: איך וויל, דו ווילסט, ער/זי וויל
מיר ווילן, איר ווילט, זיי ווילן.

The conjugation of טאָן is: איך טו, דו טוסט, ער/זי טוט,
מיר טוען, איר טוט, זיי טוען.

[2] לערנען means "to teach" and "to learn/study." לערנען זיך means only "to learn/study." We recommend you use לערנען for "to teach" and לערנען זיך for "to learn/study."

English	Transliteration	Cursive	Yiddish
the week(s)	*di vokh,*	די וואָך,	19.* די וואָך,
	di vokhn	די וואָכן	די וואָכן
because	*vayl*	ווײַל	20.* ווײַל
clever, smart	*klug*	קלוג	21.* קלוג
the/this time,	*dos mol,*	דאָס מאָל,	22.* דאָס מאָל,
once (one time)	*eyn mol*	איין מאָל	איין מאָל
for a change	*in a nòvene*	אין אַ נאָווענע	23. אין אַ נאָווענע
the kugel(s) (Jewish)	*der kugl,*	דער קוגל,	24.* דער קוגל,
pudding(s)	*di kuglen*	די קוגלען	די קוגלען
the mother(s)	*di mame, di mames*	די מאַמע,	25.* די מאַמע,
		די מאַמעס	די מאַמעס
the money	*dos gelt,*	דאָס געלט,	26. דאָס געלט,
monies	*di gelter*	די געלטער	די געלטער
from, of	*fun*	פֿון	27. פֿון
for	*far*	פֿאַר	28.* פֿאַר
Sunday(s)	*der Zuntik,*	דער זונטיק,	29.* דער זונטיק,
	di Zùntikn	די זונטיקן	די זונטיקן[3]
Monday(s)	*der Montik,*	דער מאָנטיק,	30.* דער מאָנטיק,
	di Mòntikn	די מאָנטיקן	די מאָנטיקן
Tuesday(s)	*der Dinstik,*	דער דינסטיק,	31.* דער דינסטיק,
	di Dìnstikn	די דינסטיקן	די דינסטיקן
Wednesday(s)	*der Mitvokh,*	דער מיטוואָך,	32.* דער מיטוואָך,
	di Mìtvokhn	די מיטוואָכן	די מיטוואָכן
Friday(s)	*der Fraytik,*	דער פֿרײַטיק,	33.* דער פֿרײַטיק,
	di Fràytikn	די פֿרײַטיקן	די פֿרײַטיקן
sick, ill	*krank*	קראַנק	34.* קראַנק

[3] The plural of the days of the week is used infrequently. For example, the phrase "on Sunday(s)" is simply זונטיק. "On Sunday(s) we're at home" would be זונטיק זײַנען מיר אין דער היים. Notice that Yiddish does not use a preposition before זונטיק or any other day of the week.

Idioms and Expressions

What's the matter?	*Vos is der mer?*	וואָס איז דער מער?	וואָס איז דער מער? *.35
It hurts (me), I have a pain	*Es tut mir vey*	עס טוט מיר וויי	עס טוט מיר וויי *.36
My hand hurts	*Es tut mir vey di hant*	עס טוט מיר וויי די האַנט	עס טוט מיר וויי די האַנט *.37

Learn to recognize the letters ש (sh), ת (s), and the טש (tsh) combination in the following words. These words will appear in the song בולבעס on p. 40.

MEANING	PRONUNCIATION	WRITTEN FORM	PRINTED FORM
Saturday(s)	*der Shabes,*	דער שבת,	* דער שבת,
	di Shabosim	די שבתים	די שבתים
Thursday(s)	*der Donershtik,*	דער דאָנערשטיק,	* דער דאָנערשטיק,
	di Donershtikn	די דאָנערשטיקן	די דאָנערשטיקן
the supper(s)	*di vetshere,*	די וועטשערע,	* די וועטשערע,
	di vetsheres	די וועטשערעס	די וועטשערעס

Here are some words that you have already learned in transliteration. Cover up the transliteration and see if you can read them.

the child(ren)	*dos kind, di kinder*	דאָס קינד, די קינדער	.1 דאָס קינד, די קינדער
dear, precious	*tayer*	טײַער	.2 טײַער
good morning, hello	*gut-morgn*	גוט-מאָרגן	.3 גוט-מאָרגן
good year, reply to any greeting starting with *Gut*	*gut-yor*	גוט-יאָר	.4 גוט-יאָר
to sing	*zingen*	זינגען	.5 זינגען
to know, to be able, can	*kenen*	קענען	.6 קענען

to laugh	*lakhn*	לאַכן	7. לאַכן
the book(s)	*dos bukh,*	דאָס בוך,	8. דאָס בוך,
	di bikher	די ביכער	די ביכער
really, indeed	*take*	טאַקע	9. טאַקע
the pen	*di feder,*	די פֿעדער,	10. די פֿעדער,
	di feders	די פֿעדערס	די פֿעדערס

III. READING PRACTICE

1. ווער זינגט? די קינדער זינגען.
2. ווער לאַכט? די קינדער לאַכן.
3. פֿאַר וואָס איז די באָבע קראַנק?
4. איין מאָל אין אַ נאָוועמבער עסט ער וואַרעמעס.
5. ווער וויל די גוטע בולבעס? זי וויל די גוטע בולבעס.
6. זײַנען די קינדער געזונט? ניין.
7. דער קלוגער טאַטע וויל ביכער פֿאַר די קינדער.
8. די קלוגע מאַמע קען דאָס ליד.
9. זי איז אַ טײַער קינד ווײַל זי לערנט זיך גוט.
10. מאָנטיק, דינסטיק און מיטוואָך עס איך וואַרעמעס און וועטשערע.
11. ווען עסטו בולבעס? פֿרײַטיק עס איך בולבעס.
12. מיר האָבן אַ גרוס פֿון די סטודענטן. זיי לערנען זיך גוט.
13. וואָס איז דער מער? מיר דאַרפֿן געלט.
14. זיי זײַנען קראַנק, ווײַל זיי עסן ניט.
15. ווער טוט די אַרבעט? איר טוט די אַרבעט.
16. ווו זײַנען די גוטע ביכער? דאָ.
17. וועמען קענט איר דאָ? איך קען די לערערין.
18. דער לערער זאָגט, "גוט-מאָרגן." די קינדער זאָגן, "גוט-מאָרגן, גוט-יאָר."

IV. MORE PRACTICE

Some people confuse certain letters when reading and/or writing. Here is some more practice in identifying these letters.

Written *Giml* (ג) and written *Zayin* (ז)

Words with ג:

גאָט, דער טאָג, די טעג, גײן, פּרעגן, גוט, קלוג

Words with ז:

זען, זאָגן, זינגען, אַז, דער זײדע, אַזאַ

Tes (ט) and *Mem* (מ)

Words with ט:

טו, טאָן, דער טאָג, די האַנט, דער טאַטע, טאַקע, טײַער

Words with מ:

דאָס וואָרעמעס, דאָס מאָל, וועמען, מיט, מיטוואָך, מאַכן

Zayin (ז) and *Vov* (ו)

Words with ז: דער זיידע, זאָגן, זען, געזונט, די נאָז

Words with ו: גוט, קלוג, די בולבעס, ווו, די וואָך

Nun (נ) and *Giml* (ג)

Words with ג:

קלוג, גוט, דער קוגל, גוט-מאָרגן, גאָט, גיין, דער טאָג

Words with נ:

קענען, זײַנען, לערנען, די האַנט, דינסטיק

Beyz (ב) and *Nun* (נ)

Words with ב:

די בולבעס, אָבער, איך האָב, די באָבע, בעטן, די אַרבעט, דאָס בוך

Words with נ:

דאָנערשטיק, זינגען, קענען, די הענט, נאָך, זונטיק, געזונט

Reysh (ר), *Daled* (ד), and *Lange Khof* (ך)

Words with ר:

וואָסער, פּרײַטיק, דאָרט, קראַנק, דאָס וואָרעמעס, רעדן

Words with ד:

דער, די, דאָס, דאָרט, דער דינסטיק, דאָס ליד, די לידער

Words with ך:

איך מאַך, איך לאַך, דאָס בוך, דער מיטוואָך, די וואָך

Vov (ו) and *Lange Nun* (ן)

Words with ו:

ווו, איך טו, דו טוסט, געזונט, און, קלוג, דער קוגל, די בולבע

Words with ן:

זײַן, איך בין, מאָרגן, ווען, טאָן, די וואָכן, וועמען, איך קען

V. CONVERSATION שמועס

וואָס מאַכסטו?

1. **וועלוול:** גוט-מאָרגן.
2. **ליבע:** גוט-מאָרגן, גוט-יאָר.
3. **וועלוול:** איך געדענק דיך. דו הייסט ליבע.
4. **ליבע:** יאָ, און דו הייסט וועלוול. וואָס זשע הערט זיך, וועלוול?
5. **וועלוול:** וואָס זאָל זיך הערן? עס איז ניטאָ קיין נײַעס. וואָס מאַכסטו,
6. ליבע?
7. **ליבע:** איך בין געזונט, אַ דאַנק.
8. **וועלוול:** גוט, אַבי געזונט. און וואָס מאַכט דער טאַטע?
9. **ליבע:** ער איז געזונט.
10. **וועלוול:** און די באָבע וואָס מאַכט?
11. **ליבע:** זי איז נעבעך ניט געזונט. זי איז קראַנק און ליגט אין בעט.
12. **וועלוול:** וואָס איז דער מער?
13. **ליבע:** עס טוט איר וויי די רעכטע האַנט און עס טוען איר וויי
14. דער האַלדז און די נאָז אויך.
15. **וועלוול:** אַ שאָד *(shod)*! דאָס איז טאַקע ניט גוט.
16. **ליבע:** יאָ, טאַקע אַ שאָד. נו, איך דאַרף *(darf)* גיין. זײַ געזונט.
17. **וועלוול:** זײַ געזונט, ליבע.

PROVERBS שפּריכווערטער

Don't ask the doctor,	פֿרעג(ט) ניט דעם *(dem)* דאָקטער,
ask the patient.	פֿרעג(ט) דעם קראַנקן.
Laughing is healthy; doctors	לאַכן איז געזונט; דאָקטוירים
tell you to laugh. (Sholem Aleichem)	הייסן לאַכן. (שלום-עליכם)

VOCABULARY

* *di / dos bet(n)*	די/דאָס בעט(ן)	bed
dikh	דיך	you *(sg. dir. obj.)*
* *der dokter (doktoyrim)*	דער דאָקטער (דאָקטוירים)	doctor
der haldz (heldzer)	דער האַלדז (העלדזער)	throat; neck
* *fregn*	פֿרעגן	to ask
heysn	הייסן	to tell; to order
ir	איר	her
der kranker (kranke)	דער קראַנקער (קראַנקע):	sick person, patient
[(dem krankn) dir obj.]	(דעם קראַנקן)	
* *lign*	ליגן	to lie
* *nebekh*	נעבעך	poor thing
* *di noz (nez)*	די נאָז (נעז)	nose
oykh	אויך	also
* *rekht*	רעכט	right

Idioms and Expressions

* *A dank*	אַ דאַנק	Thank you
A shod!	אַ שאָד!	A shame; (A) pity

VI. GRAMMAR

I. The Nominative Case

In Yiddish, articles and adjectives are declined (take on different endings depending on their number, gender, and case). Their function in the sentence determines their case. Most nouns are not declined. We shall discuss those that are in Lesson 11A.

When a word (or words) is the subject of a sentence it is in the ***nominative*** case. We have already learned the forms of the article for the nominative case in Unit 2.

Masc.	דער טאַטע
Fem.	די מאַמע
Neut.	דאָס קינד
Pl. for all genders	די קינדער

Notice what happens to the adjectives:

3. *Indefinite Article + Adjective*	2. *Definite Article + Adjective*	1. *Predicate Adjective*
אַ גוטער טאַטע אַרבעט.	דער גוטער טאַטע אַרבעט.	דער טאַטע איז גוט.
אַ גוטע מאַמע אַרבעט.	די גוטע מאַמע אַרבעט.	די מאַמע איז גוט.
אַ גוט קינד עסט.	דאָס גוטע קינד עסט.	דאָס קינד איז גוט.
גוטע קינדער רוען.	די גוטע קינדער רוען.	די קינדער זײַנען גוט.

The adjective גוט in each of the sentences in column 1 is in its *base form,* the shortest possible form of the adjective. Other examples of the base form of the adjective are: קלוג, געזונט, קליין.

The adjective גוט in column 1 is a predicate adjective. A predicate adjective is always in the base form. Rather than standing next to a noun as a modifier, it completes a linking verb such as the verb זײַן (to be). It is not declined regardless of number, gender, or case.

When an adjective modifies the noun, it is declined. In the nominative case, add the following endings to the base form of the adjective:

Masculine: Add **ער:** דער גוטער טאַטע, אַ גוטער טאַטע

Feminine: Add **ע:** די גוטע מאַמע, אַ גוטע מאַמע

Neuter preceded by the definite article: Add **ע:** דאָס גוטע קינד

The neuter adjective preceded by the indefinite article אַ or אַן stays in the base form. This means you add nothing to it. Remember, this applies *only* to neuter nouns with the indefinite article.

אַ געזונט קינד,	דאָס געזונטע קינד,
אַ גוט בוך,	דאָס גוטע בוך

Plural: Add ע. The plural is the same in the masculine, feminine, and neuter. The plural form of the definite article is always די.

די גוטע טאַטעס די גוטע מאַמעס די גוטע קינדער

Sample Sentences:

1. The good father works at home.	.1 דער גוטער טאַטע אַרבעט אין דער היים.
2. A good father loves the (his) children.	.2 אַ גוטער טאַטע האָט ליב די קינדער.
3. The clever mother remembers the songs.	.3 די קלוגע מאַמע געדענקט די לידער.
4. A clever mother knows her child well.	.4 אַ קלוגע מאַמע קען גוט איר קינד.
5. The sick child cannot learn.	.5 דאָס קראַנקע קינד קען זיך ניט לערנען.
6. A sick child has to lie in bed, poor thing.	.6 אַ קראַנק קינד דאַרף נעבעך ליגן אין בעט.
7. The healthy people see the doctor once in a while.	.7 די געזונטע מענטשן זעען דעם דאָקטער איין מאָל אין אַ נאָוועניע.
8. Healthy people can work.	.8 געזונטע מענטשן קענען אַרבעטן.

II. Yiddish Word Order

A crucial rule of Yiddish grammar: In a declarative sentence the inflected verb must always be the second sentence unit. This may or may not mean that it is the second word in the sentence. The following are sentence units. A sentence may have some or all of these:

Subject
Verb/Predicate
Predicate noun or adjective
Direct or indirect object
Adverb or adverbial phrase
Prepositional phrase
Interjection

Sample Sentences:

We/are eating/supper/at home.	.1 מיר/עסן/וועטשערע *(vetshere)* /אין דער היים.
Keyle and Berl/ speak/well.	.2 קיילע און בערל/רעדן/גוט.
The teachers and the students/ are/ smart.	.3 די לערערס און די סטודענטן/ זײַנען/ קלוג.

4. איך/גיב/די קינדער/געלט.	I/ give/ the children/ money.
5. יאָ, מיר/קענען/יידיש (Yidish).	Yes, we/know /Yiddish.
6. זי/ איז/ אַ לערערין.	She/is/a teacher.

In sentence 1

מיר is the subject,	עסן the verb,	וועטשערע the object,	אין דער היים a prepositional phrase of place.

In sentence 2

קיילע און בערל is the subject,	רעדן the verb,		גוט an adverb of manner.

In sentence 3

די לערערס און די סטודענטן is the subject,	זײַנען the verb,		קלוג the predicate adjective.*

In sentence 4

איך is the subject,	גיב the verb,	די קינדער the indirect object,	געלט the direct object.

In sentence 5

מיר is the subject,	קענען the verb,	יידיש the direct object.	יאָ** an interjection.

In sentence 6

זי is the subject,	איז the verb,		אַ לערערין the predicate noun.

Yiddish word order is quite flexible. Reordering the words may change the emphasis of the sentence, but the following sentences are still correct. Notice that the verb is still the second sentence unit.

1. וועטשערע עסן מיר אין דער היים./ אין דער היים עסן מיר וועטשערע.
2. גוט רעדן קיילע און בערל.
3. קלוג זײַנען די לערערס און די סטודענטן.
4. די קינדער גיב איך געלט./ געלט גיב איך די קינדער.
5. יאָ, יידיש קענען מיר.
6. אַ לערערין איז זי.

---

* Note: Linking verbs such as זײַן to be, ווערן to become, אויסזען to seem, and others are followed by predicate nouns or adjectives.

** Note: Interjections such as דאַנקען גאָט, יאָ, ניין, etc. are not counted as sentence units.

III. Yiddish Questions

In Yiddish there are three ways to form a question which requires a *yes*, *no*, or *maybe* answer.

1. The simplest and most common way is to retain the normal declarative word order and merely change your intonation. For example:

דאָס איז אַ בוך? ער איז אַ גוטער דאָקטער?

Sometimes, although not always, the effect is comic or sarcastic. Such an effect is also possible with the other forms, although not as common.

2. You may also reverse the order of the subject (noun(s) or pronoun(s)) and the predicate (verb). Rather than **זי איז געזונט** you may say

איז זי געזונט?

3. You may put the interrogative (question) word **צי** at the beginning of the sentence and follow it by reversing the order of the subject and predicate as you did in option 2. For example:

צי איז זי געזונט? צי איז ער אַ גוטער דאָקטער?

The word **צי** cannot be translated into English; it merely indicates that a question is being asked. This form is on its way out in modern spoken Yiddish, but you may hear it now and again, particularly when the question is not casual but requires reflection or emphasis. You will certainly find it in literature.

In addition, there are a number of interrogative pronouns such as **וועמען, וואָס**, and **ווער**, interrogative adverbs such as **פֿאַר וואָס, וווּ, ווען, ווי (אַזוי)** and interrogative adjectives such as **וואָסער** and **וועלכער**. These words are placed in the first sentence unit in an interrogative sentence, and are followed by the predicate (verb) and then the subject.

Sample Sentences:

How does he sing?	1. ווי (אַזוי) זינגט ער?
When do they eat potatoes?	2. ווען עסן זיי בולבעס?
Where does she live?	3. וווּ וווינט זי?
Who is sick?	4. ווער איז קראַנק?
What does he want to ask?	5. וואָס וויל ער פֿרעגן?
Whom do you know here?	6. וועמען קענט איר דאָ?

With whom is he speaking?	7. מיט וועמען רעדט ער?
What/which song does she want to sing?	8. וואָסער ליד[4] וויל זי זינגען?
Why is grandfather resting?	9. פֿאַר וואָס רוט דער זיידע?
Which foot hurts her?	10. וועלכער פֿוס[5] טוט איר וויי?
What book are you reading?	11. וועלעכס **בוך** לייענסטו?

IV. Verb + סטו

How are you?	1. וואָס מאַכסטו?
Where do you live?	2. וווּ וווינסטו?
Monday you're going with me.	3. מאָנטיק גייסטו מיט מיר.

If the subject of a sentence is **דו** and it comes after the verb, then the verbal ending is fused with **דו** to form **סטו**. The **ד** of the pronoun **דו** is dropped.

This form appears in interrogative constructions and elsewhere when **דו** follows the verb as in the third example above. No other personal pronouns may be merged with the verb in this manner.

מאַכסט דו = מאַכסטו

גייסט דו = גייסטו

טוסט דו = טוסטו

טו איך = טו איך

V. The Plural of עס איז דאָ

The plural of **עס איז דאָ** (there is) is **עס זײַנען דאָ** (there are). For example:

There is a child in the class.	1. עס איז דאָ אַ קינד אין קלאַס.
There are children in the class.	2. עס זײַנען דאָ קינדער אין קלאַס.
Yes, there are potatoes in the house.	3. יאָ, עס זײַנען דאָ בולבעס אין שטוב *(shtub)*.
There are seven days in a week .	4. עס זײַנען דאָ זיבן טעג אין אַ וואָך.
	זיבן טעג זײַנען דאָ אין אַ וואָך.

---

[4] Although **ליד** is the second word, it is not the predicate. In the case of the interrogative adjective **וואָסער**, **וואָסער** plus the noun it modifies form one unit which is followed by the predicate. The same applies to **וועלכער** in sentence 10.

[5] **וואָסער** and **וועלכער** (and their declined forms) are often interchangeable. However, when choosing between things that are paired, such as hands, feet, eyes... **וועלכער** should be used.

VII. A SONG: אַ ליד:

בולבעס

1) זונטיק – בולבעס,
מאָנטיק – בולבעס,
דינסטיק און מיטוואָך – בולבעס,
דאָנערשטיק און פֿרײַטיק – בולבעס,
שבת* אין אַ נאָוועגע – אַ בולבע-קוגעלע,
זונטיק – ווײַטער בולבעס.

Broyt mit bulbes,	2) ברויט מיט בולבעס,
Fleysh mit bulbes,	פֿלייש מיט בולבעס,
Varemes un vetshere–bulbes,	וואַרעמעס און וועטשערע* – בולבעס,
Ober un vider–bulbes,	אָבער און ווידער – בולבעס,
Eyn mol in a novene –	איין מאָל אין אַ נאָוועגע –
A bulbe-kugele,	אַ בולבע-קוגעלע,
Zuntik –vayter bulbes.	זונטיק – ווײַטער בולבעס.

* Remember ש (sh) as in שבת (*Shabes*) and (טש) (tsh) as in וועטשערע (*vetshere*). If you have forgotten these words, look back to *p.* 30.

VOCABULARY

From now on, vocabulary will be listed alphabetically according to the Yiddish alphabet.

bread	*dos broyt(n)*	* דאָס ברויט(ן)
next, further	*vayter*	ווײַטער
with	*mit*	* מיט
meat	*dos fleysh(n)*	* דאָס פֿלייש

Expressions

again and again	*ober un vider*	אָבער און ווידער

ייִדיש: דאָס דריטע קאַפּיטל

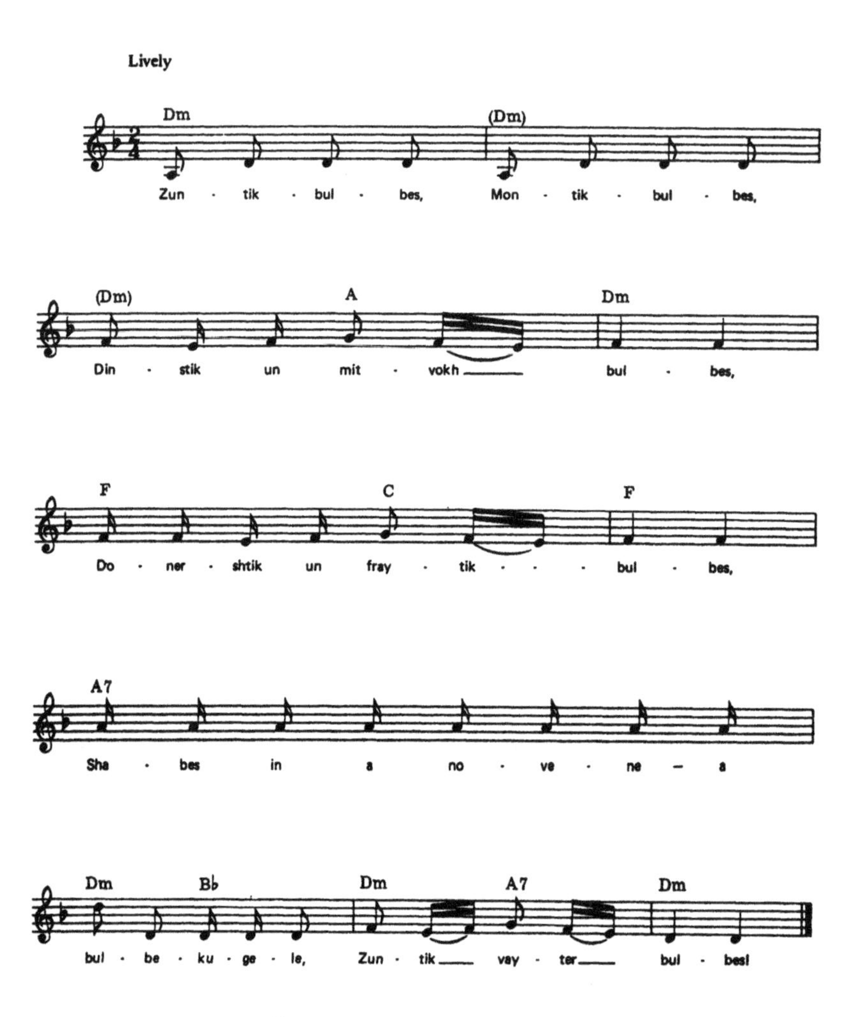

פֿון *מיר טראָגן אַ געזאַנג*

EXERCISES

I. Fill in the blanks with the correct form of the adjective and article:

1. דאָס קלוג____ קינד וווינט דאָ.
2. די גוט____ ____ קינדער לערנען זיך.
3. ד___ קראַנק___ באָבע ליגט אין בעט.
4. ד___ געזונט___ טאַטע אַרבעט.
5. ד___ קלוג___ קינד הייסט בערל.
6. קולבאַקס *מאַנטיק* איז אַ גוט___ בוך.
7. ד___ גוט___ קינדער זײַנען אין דער היים *(heym)*.
8. ד___ קלוג___ לערער זינגט דאָס ליד נאָך אַ מאָל.

9. עס טוט מיר אויך ווי ד___ רעכט ___ האַנט.

10. ד___ קראַנק___ טאַטע רוט.

II. Fill in the correct form of the verb זײַן:

1. מיר ______ קלוג.
2. איר ______ געזונט.
3. דו ______ קראַנק.
4. איך ______ קלוג.
5. עס ______ דאָ קינדער אין גאַס.
6. ווער ______ דאָ?
7. עס ______ דאָ אַ בוך לעבן (near) טיש *(tish)*.
8. ער ______ נעבעך קראַנק.
9. דינסטיק ______ זיי אין דער היים *(heym)*.
10. מיטוואָך ______ איך אין דער היים.
11. בלומעלע ______ אַ טײַער קינד.

III. Fill in the correct form of the verb in parentheses:

1. (געדענקען) איר ______ דעם אַלף-בית *(dem alefbeys)*?
2. (לערנען) ______ ער אין דער היים *(heym)* הײַנט?
3. (זינגען) וואָס ______ זיי?
4. (זינגען) ווען ______ מיר דאָס ליד?
5. (אַרבעטן) איך ______ דאָרט הײַנט (today) ווײַל הײַנט (זײַן) ______ מאָנטיק.
6. (קענען) וואָס ______ איר טאָן?
7. (האָבן) ווער ______ אַ גוטע וועטשערע?
8. (קענען) זיי ______ דאָס ליד.
9. (עסן) איך ______ אײן מאָל אין אַ [illegible] בולבעס.
10. (טאָן) יאָ, עס ______ מיר ווײ דער האַלדז.
11. (זאָגן) איר ______ "גוט-מאָרגן, גוט-יאָר."
12. (האָבן) ער ______ ליב גוטע נײַעס.
13. (עסן) ______ דו וואַרעמעס אין דער היים?
14. (רוען) דער זיידע ______ פֿרײַטיק.
15. (וווינען) איר ______ דאָרט.
16. (רעדן) מיט וועמען ______ איר?

IV. Read the following passage and make up four questions using at least three interrogative words. Then answer the questions:

דאָס קינד הייסט גיטל. זי וווינט אין ניו-יאָרק. זי האָט ליב צו (to -*tsu*) זינגען. זי זינגט גוט. זי זינגט דאָס ליד "בולבעס," אָבער הײַנט (today) זינגט זי ניט. זי איז ניט געזונט, זי איז נעבעך קראַנק און ליגט אין בעט.

V. Translate into Yiddish: (You should be able to write it all in Yiddish.)

1. What does he see there?
2. Do they need a notebook?
3. Where do they work?
4. Who has books?
5. Where is the money?
6. What are you doing this (the) week?
7. Is he smart?
8. Whom do you see?
9. What class (**קלאַס**) are you in (In what class...)?
10. Whom do you know (**קענען**) here?

VI. Translate into Yiddish:

1. There are books at home (in the home).
2. He eats potatoes Wednesday.
3. Tuesday and Thursday he works (works he) there.
4. As long as he does the (**די**) work!
5. There is a notebook here.
6. How do you *(pl.)* work?
7. When is he giving (**גיט**) the children the money?
8. I want the books because they are good.
9. We are eating kugel/(kugl) again.
10. Do you need a pencil?
11. No, I need a notebook and a pen.
12. They want books and pencils.

ORAL PRACTICE

VII. Substitute the highlighted words with those in parentheses. Make any necessary changes. Be sure to match the numbers correctly.

.1 — וואָס ווילסטו[1] טאָן די וואָך?

— איך[2] וויל טאַנצן (*tantsn*) מיטוואָך און זינגען דאָנערשטיק.

— און דינסטיק?

— דינסטיק, וויל איך[2] זיך לערנען.

א) (איר,[1] מיר[2])   ב) (זיי,[1] זיי[2])

2. — וואָס איז דער מער?
— די באָבע איז ניט געזונט.
— עס טוט איר וויי די נאָז.[1]
— עס טוען איר וויי די הענט.[2]
און (די הענט,[1] דער האַלדז[2])

VIII. Complete the dialogue:

1. — האָסטו ליב די לערערין?
— יאָ, זי איז קלוג און זי האָט ליב אַלע קינדער.
— זי קען זינגען, אָבער.....

2. — וואָס מאַכט דער זיידע?
— ער איז נעבעך ניט געזונט.
— וואָס איז דער מער?
— . . .

3. — די מענטשן *(mentshn)* ווילן זײַן געזונט.
— וואָס עסן זיי?
— וועטשערע עסן זיי .....

4. — וואָס קען איך טאָן? איך וויל עסן אַ גוטע וועטשערע אָבער
איך האָב נאָר בולבעס.
— דו קענסט .....

5. — מאָנטיק און דינסטיק בין איך אין דער היים.
— וואָס טוסטו די אַנדערע (other) טעג?
— נו, מיטוואָך .....

IX. Rearrange these sentences putting the highlighted words first. Read aloud. The VERB must always be the second sentence unit.

1. מיר עסן אין דער היים *(heym)* דינסטיק.
2. מיר ווילן דאָס מאָל בולבעס.
3. זיי זײַנען געזונט אָבער ניט קלוג.
4. די סטודענטן לערנען זיך מיטוואָך.
5. דער טאַטע וויל די ביכער פֿאַר די קינדער.
6. דער לערער טוט די אַרבעט אַלע מאָל.
7. איך געדענק דיך. דו הייסט קיילע.
8. מיר האָבן טאַקע נאָר איין בלײַער.
9. איך דאַרף אַ פֿעדער.
10. מיר קענען די לערערין.

X. Conversation Topics:

1. Your class has moved to a new classroom. Find out about the room. Does it have everything you need for the class?

2. Your parents would like to know how you spend your days at college. Tell them either by phone or in person what you do each day of the week and how you feel in general.

UNIT 4

דאָס פֿערטע קאַפּיטל

וואָס טוט אײַך וויי?

I. LETTERS

ENGLISH EQUIVALENT	YIDDISH NAME	WRITTEN FORM	PRINTED FORM

Diphthong

like ***Oy*** in ***Boy***	*Vov Yud*	וי	וי

At the beginning of a word וי is preceded by a silent **א** as are ײ, ײַ, י, ו. Thus, איי, אײַ, אי, או and אוי .

Consonants

P	*Pey*	פּ	פּ
F at the end of a word	*Lange(r) Fey*	ף	ף
Ts used at beginning and middle of a word	*Tsadek*	צ	צ
Ts at the end of a word	*Lange(r) Tsadek*	ץ	ץ
M at the end of a word	*Shlos-Mem*	ם	ם
Sh	*Shin*	ש	ש

Note: ף is the ending only for פֿ. פּ at the end of a word remains פּ.

II. VOCABULARY

MEANING	PRONUNCIATION	WRITTEN FORM	PRINTED FORM
you (pl. & obj.)	aykh	אײַך	1. * אײַך
your (pl.) book	ayer bukh	אײַער בוך	2. אײַער בוך
your (pl.) books	áyere bikher	אײַערע ביכער	3. אײַערע ביכער
also, too	oykh	אויך	4. * אויך
the ear(s)	der/dos oyer,	דער/דאָס אויער,	5. * דער/דאָס אויער,
	di óyern	די אויערן	די אויערן
the eye(s)	dos oyg, di oygn	דאָס אויג, די אויגן	6. * דאָס אויג, די אויגן
abdomen(s),	der boykh,	דער בויך,	7. * דער בויך,
stomach(s), belly(ies)	di baykher	די בײַכער	די בײַכער
the head(s)	der kop, di kep	דער קאָפּ, די קעפּ	8. * דער קאָפּ, די קעפּ
the lip(s)	di lip, di lipn	די ליפּ, די ליפּן	9. * די ליפּ, די ליפּן
the foot (feet)	der fus, di fis	דער פֿוס, די פֿיס	10. * דער פֿוס, די פֿיס
the right foot	der rekhter fus	דער רעכטער פֿוס	11. * דער רעכטער פֿוס
I have a cold	ikh bin farkílt	איך בין פֿאַרקילט	12. * איך בין פֿאַרקילט
from, of	fun	פֿון	13. * פֿון
to the	tsum = tsu dem	צום = צו דעם	14. צום = צו דעם
to come,	kumen,	קומען,	15. * קומען,
I am coming	ikh kum	איך קום	איך קום
all, everything	alts	אַלץ	16. * אַלץ
religious, pious	frum	פֿרום	17. * פֿרום
the school(s); the synagogue(s)	di shul(n)	די שול, די שולן	18. * די שול, די שולן
weak, frail	shvakh	שוואַך	19. שוואַך
to smell,	shmekn,	שמעקן,	20. * שמעקן,
she smells (trans.) (i.e. She smells the flower)	zi shmekt	זי שמעקט	זי שמעקט

English	Transliteration	Cursive	Yiddish	No.
the heart(s)	dos harts,	דאָס האַרץ,	דאָס האַרץ,	21. *
	di hertser	די הערצער	די הערצער	
the tooth,	der tson,	דער צאָן,	דער צאָן,	22.
teeth	di tseyn/er	די צײן/ער	די צײן/ער	
one, you, they, people	me/men	מע/מען	מע/מען	23. *
him	im	אים	אים	24. *
the mouth(s)	dos moyl,	דאָס מויל,	דאָס מויל,	25. *
	di mayler	די מײַלער	די מײַלער	
the shoulder(s)	der aksl,	דער אַקסל,	דער אַקסל,	26. *
	di aksl/en	די אַקסל/ען	די אַקסל/ען	
the back(s)	der rukn, di rukns	דער רוקן,	דער רוקן,	27. *
		די רוקנס	די רוקנס	
the sickness(es)	di krankayt(n)	די קראַנקײט/ן	די קראַנקייט/ן	28.
girl(s)	dos meydl	דאָס מײדל	דאָס מיידל	29. *
	di meydlekh	די מײדלעך	די מיידלעך	

Here are some words you already know:

English	Transliteration	Cursive	Yiddish	No.
Thursday	Dǒnershtik	דאָנערשטיק	דאָנערשטיק	1.
the house(s)	di shtub,	די שטוב,	די שטוב,	2.
	di shtiber	די שטיבער	די שטיבער	
on	af, oyf	אויף	אויף	3.
introduces a question	tsi	צי	צי	4.
the nose(s)	di noz, di nez(er)	די נאָז, די נעז(ער)	די נאָז, די נעז(ער)	5.
How are you?	Vos makhstu?	וואָס מאַכסטו?	וואָס מאַכסטו?	6.

III. READING PRACTICE

1. וואָס טוט אײַך ווײ? אַלץ טוט מיר ווײ.
2. עס טוט מיר ווײ דער קאָפּ.
3. די צײן טוען מיר ניט ווײ.
4. דער פֿוס טוט אים אויך ווײ.
5. צי טוען אײַך ווײ די אויגן?
6. עס טוען מיר ווײ די אַקסלען.
7. איך גײ אויך צום דאָקטער.
8. די מיידלעך זײַנען אין שול.

9. ווער איז פֿאַרקילט? די לערערין איז נעבעך פֿאַרקילט.
10. "פֿון דײַן מויל אין גאָטס אויערן," זאָגט דער פֿרומער ייִד.
11. ווער האָט שוואַרצע אויגן? דאָס מײדל האָט שוואַרצע אויגן.
12. מע הערט מיט די אויערן.
13. מע זעט מיט די אויגן.
14. מע שמעקט ניט מיט דעם בויך, מע שמעקט מיט דער נאָז.
15. מע טראַכט ניט מיט דער נאָז, מע טראַכט מיט דעם קאָפּ.
16. מען עסט מיט די ציין.

IV. MORE PRACTICE

Many people confuse the Samech (ס) and Shlos-Mem (ם). Practice identifying them in the following words.

Words with ס:

דער פּוס	די פּיס	די בולבעס	עסן
וויסן	וואָס	דאָס וואַרעמעס	

Words with ם:

דעם	צום	די היים	קום	פּרום

V. CONSONANT COMBINATIONS

There are five consonant combinations that together make one sound:

Dz as in *Gour**ds***	דז	דז
Zh as in ***Zh**ivago*	זש	זש
Tsh or ***Ch*** as in ***Ch**art*	טש	טש
Dzh or J as in ***J**azz,* ***J**ungle*	דזש	דזש

ש and טש sometimes come together.

Shch as in ***Shch**aransky*	שטש	שטש

VOCABULARY

exhausted	oysgemutshet	אויסגעמוטשעט	*
us, our	undz, undzer	אונדז, אונדזער	
that *conj.*	az	אַז	
borsht, beet soup	der borshtsh, di borshtshn	דער באָרשטש, די באָרשטשן	
Jefferson	Dzheferson	דזשעפֿערסאָן	
to buzz, to hum	zhumen	זשומען	
so, then	zhe	זשע	*
cholnt, baked dish of meat, potatoes, beans served on Sabbath	der tsholnt, di tsholnter	דער טשאָלנט, די טשאָלנטער	*
the teapot(s)	der tshaynik, di tshaynikes	דער טשײַניק, די טשײַניקעס	
to talk nonsense, to bother someone (*Lit.* "to bang a teapot")	hakn a tshaynik	האַקן אַ טשײַניק	*
the check(s)	der tshek, di tshekn	דער טשעק, די טשעקן	
the duck(s)	di katshke, di katshkes	די קאַטשקע, די קאַטשקעס	

Learn these words as well. They will appear in the paragraph below.

the soup(s)	di zup, di zupn	די זופּ, די זופּן	
to take	nemen	נעמען	*

VI. READING PRACTICE

א. סרולטשע גייט צום דאָקטער

1. סרולטשע לאָדזשער גייט צום דאָקטער אויף דזשעפֿערסאָן גאַס. דאָקטער
2. שטשופּאַק פֿרעגט, "וואָס זשע הערט זיך, סרולטשע?"
3. סרולטשע זאָגט אַז עס טוט אים וויי דער האַלדז און עס זשומעט אים אין די
4. אויערן. ער איז אויסגעמוטשעט.
5. דער דאָקטער נעמט דעם טשעק און זאָגט, "סרולטשע, עס טשאָלנט,
6. באָרשטש און קאַטשקע און האַק ניט קיין טשײַניק."

ב. צי קענט איר?

1. אַ סאָוועטישער אַגענט קומט צו אַ ייִד און זאָגט, "איך וויל אײַך פֿרעגן אַ
2. פּאָר פֿראַגעס. איר קענט דעם נאָמען "סטאַלין"?
3. "ניין", ענטפֿערט דער ייִד.
4. "איר קענט לענינען?"
5. "ניין, איך קען ניט קיין לענין."
6. "קאָסיגינען, גראָמיקאָן, ברעזשניעוון קענט איר?"
7. "ניין," ענטפֿערט דער ייִד און זאָגט, "איך וויל אײַך פֿרעגן אַ פּאָר פֿראַגעס.
8. צי קענט איר בערל זינגערן?"
9. "ניין," ענטפֿערט דער אַגענט, "איך קען ניט קיין בערל זינגער."
10. "וועלוול טשעסלערן?"
11. "ניין."
12. "זעלדע גאָלדבערגן קענט איר?"
13. "ניין, איך קען ניט קיין זעלדע גאָלדבערג."
14. "נו, אַזוי גייט עס," זאָגט דער ייִד. "איר האָט אײַערע פֿרײַנד, און איך האָב
15. מײַנע."

שפּריכוואָרט PROVERB

זאָג מיר ווער דײַן חבֿר איז, וועל איך וויסן ווער דו ביסט.	Tell me who your friend is, and I'll know who you are.

VOCABULARY

דער אַגענט(ן)	agent(n.)	agent
אײַערע	ayere	your (pl. or formal possessor + pl. possessions)
* וויסן	visn	to know (facts, information)
וועל	vel	will (v.) 1st person future
* דער חבֿר(ים)	der khaver -- khaveyrim	friend
מײַן	mayn	my
מײַנע	mayne	my (pl. possessions)
סאָוועטיש(ער)	sovetish(er)	Soviet

name	*der nomen (nemen)*	* דער נאָמען (נעמען)
to answer	*entfern*	* ענטפֿערן
pair, couple	*di por(n)*	די פּאָר(ן)
question	*di frage(s)*	* די פֿראַגע(ס)

Expressions

So it goes.	*Azoy geyt es.*	* אַזוי גייט עס.

VII. אַ שמועס

וואָס טוט אײַך וויי?

1. **דאָקטער:** וואָס הערט זיך עפּעס? וואָס מאַכט איר?
2. **קראַנקער:** וואָס זאָל זיך הערן? ניט גוט, דאָקטער, עס איז ביטער.
3. **דאָקטער:** וואָס איז דער מער?
4. **קראַנקער:** איך בין פֿאַרקילט און איך קען ניט אָטעמען און שמעקן.
5. **דאָקטער:** טוט אײַך אויך וויי דער האַלדז?
6. **קראַנקער:** יאָ, יאָ, עס טוט מיר וויי דער האַלדז. די הענט און די פֿיס זײַנען
7. אויך שוואַך.
8. **דאָקטער:** און דער קאָפּ? צי טוט אײַך וויי דער קאָפּ?
9. **קראַנקער:** יאָ, עס טוט מיר אַזוי וויי דער קאָפּ אַז איך קען אַפֿילו ניט
10. טראַכטן. איך בין אויך זייער אויסגעמוטשעט.
11. **דאָקטער:** טוט אײַך וויי דער בויך?
12. **קראַנקער:** אוי, דאָקטער, איר זאָלט ניט וויסן פֿון דעם. וואָס טוט מיר ניט
13. וויי? עס טוען מיר וויי די אויגן, די אויערן, דער רוקן, די קני
14. און אַפֿילו דער לינקער אַקסל. אַלץ טוט מיר וויי.
15. **דאָקטער:** נו, אויב אַזוי, ליגט אין בעט און רוט זיך אָפּ.
16. **קראַנקער:** ליגט אין בעט? ווער האָט צײַט צו ליגן אין בעט? איך בין,
17. דאַנקען גאָט, אַ געזונטער מענטש.

שפּריכווערטער און אידיאָמען

to want everything one sees (*Lit.* "to have big eyes")	1. האָבן גרויסע אויגן (איך האָב, דו האָסט...גרויסע אויגן.)

2. אויב מען עסט ניט קיין ביינער, טוען ניט וויי די ציינער.	Actions have consequences. (*Lit.* "If you don't eat bones your teeth won't hurt.")
3. פֿון דײַן מויל אין גאָטס אויערן.	From your mouth to God's ears.

VOCABULARY

if	*oyb*	אויב	*
so, thus	*azoy*	אַזוי	*
to breathe	*otemen*	אָטעמען	
in, into	*in*	אין	*
even *(adv.)*	*afile*	אַפֿילו	
bitter; miserable	*biter*	ביטער	
bone(s)	*der beyn(er)*	דער ביין(ער)	
big, great; *(diff. forms of adj.)*	*groys, groyse*	גרויס, גרויסע	*
your *(sg. possessor + sg. possession)*	*dayn*	דײַן	*
very	*zeyer*	זייער	
left: *(diff. forms of adj.)*	*link, linker*	לינק, לינקער	*
something; somewhat	*epes*	עפּעס	
time	*di tsayt(n)*	די צײַט(ן)	
knee	*der kni (kni/en)*	דער קני (קני/קניִען)	

Idioms and Expressions

In that case, If so	*Oyb azoy*	אויב אַזוי	*
You shouldn't know from it! May you never know of such a thing!	*Ir zolt nit visn fun dem!*	איר זאָלט ניט וויסן פֿון דעם!	
Thank God!	*Danken got!*	דאַנקען גאָט!	*
What's new? (*Epes* is not translatable here)	*Vos hert zikh epes?*	וואָס הערט זיך עפּעס?	
Rest, Relax *(imp.)*	*Ru(t) zikh op*	רו(ט) זיך אָפּ	

VIII. GRAMMAR

I. The Negative

To form the negative in a sentence with no object or predicate noun simply add **ניט** or **נישט** after the verb:

The student writes well.	דער סטודענט שרײַבט גוט.
The student does not write well.	דער סטודענט שרײַבט ניט גוט.
We are exhausted.	מיר זײַנען אױסגעמוטשעט.
We are not exhausted.	מיר זײַנען ניט אױסגעמוטשעט.

But, if the verb is followed by an object preceded by an indefinite article, the indefinite article **אַ** or **אַן** is replaced by **ניט-קײן**. This also occurs when a linking verb such as the verb "to be" **זײַן** is followed by a predicate noun preceded by an indefinite article. A predicate noun renames the subject and follows the verb *to be* or other linking verbs such as *to become* and *to look (appear)*. **קײן** is a negative article. It is used only before a noun modified or unmodified, stated or implied.

The girl has a long neck.	דאָס מײדל האָט אַ לאַנגן האַלדז.
The girl does not have a long neck.	דאָס מײדל האָט ניט קײן לאַנגן האַלדז.
My friend is a doctor.	מײַן חבֿר *(khåver)* איז אַ דאָקטער.
My friend is not a doctor.	מײַן חבֿר איז ניט קײן דאָקטער.

In the plural **ניט-קײן** is used before both an object or a predicate noun. It is used here [even though Yiddish, like English, has no indefinite plural article in a positive sentence]:

We are good friends.	מיר זײַנען גוטע פֿרײַנד.
We are not good friends.	מיר זײַנען ניט קײן גוטע פֿרײַנד.
The teacher wants books.	די לערערין װיל ביכער.
The teacher doesn't want any books.	די לערערין װיל ניט קײן ביכער.

If the object or predicate noun is preceded by a definite article, singular or plural, **דער, די, דאָס** or **דעם**, you retain the article and simply add **ניט**:

The teacher has the book.	דער לערער האָט דאָס בוך.
The teacher does not have the book.	דער לערער האָט ניט דאָס בוך.

You need the pencils. — איר דאַרפֿט די בלײַערס.

You don't need the pencils. — איר דאַרפֿט ניט די בלײַערס.

With a prepositional phrase, ניט follows the verb and קיין replaces the indefinite article and precedes the noun. In most cases, if no other words intervene, ניט–קיין sandwiches the preposition. With a prepositional phrase with a definite article, simply put ניט before the preposition.

I live in a house. — איך וווין אין אַ שטוב.

I don't live in a house, I live in an apartment. — איך וווין ניט אין קיין שטוב, איך וווין אין אַ דירה [dire].

My friend does not live in the (this) house. — מײַן חבֿר וווינט ניט אין דער שטוב.

The doctor writes in a notebook. — דער דאָקטער שרײַבט אין אַ העפֿט.

The doctor does not write in a notebook. — דער דאָקטער שרײַבט ניט אין קיין העפֿט.

The negative of עס איז דאָ is עס איז ניטאָ קיין:

There is a teacher in the classroom. — עס איז דאָ אַ לערער אין קלאַס.

There is no teacher in the classroom. — עס איז ניטאָ קיין לערער אין קלאַס.

There are books on the table. — עס זײַנען דאָ ביכער אויפֿן טיש.

There aren't any books on the table. — עס זײַנען ניטאָ קיין ביכער אויפֿן טיש.

ניט and נישט both mean "no" or "not" and are totally interchangeable.
עס איז/זײַנען ניטאָ and עס איז/זײַנען נישטאָ (there is/are not) are also interchangeable.

II. Use of מען/מע

מען/מע is an impersonal pronoun which means "one, people, you, they" in the general sense. Although both מען and מע appear in Yiddish literature, today מע is used more frequently in speech. However, מען must be used after the verb as in sentences 6 and 8. Before a vowel מע may be contracted to מ׳: מ׳אַרבעט, מ׳איז, מ׳ענטפֿערט, מ׳עסט.

Sample Sentences:

People are walking on the street.	1. מע גייט אין גאַס.
You write it like this.	2. מע שרײַבט עס אַזוי.
One cannot know.	3. מע קען ניט וויסן.
You don't answer like that.	4. מען ענטפֿערט/מ׳ענטפֿערט ניט אַזוי.
You breathe with your nose.	5. מען אָטעמט/מ׳אָטעמט מיט דער נאָז.

מע and מען are frequently used to express the passive. Sentence 2 above may also be translated as "It is written like this."

Hamentashn are eaten on Purim.	6. המן-טאַשן עסט מען פּורים.
Yiddish books are written in America.	7. מע שרײַבט ייִדישע ביכער אין אַמעריקע.
Oy, what is to be done?	8. אוי, וואָס טוט מען?

מע and מען are conjugated only with the third person singular of the verb. There is no plural form.

III. Plural of Nouns

The plural of Yiddish nouns may be formed in several different ways. Frequently, you cannot know what the plural of a noun is by looking at its singular form. You must, therefore, learn each noun separately.

Here are some of the more common endings:

Ending ן or ען: Most nouns ending in נק ,נג ,ן ,ם and syllabic ל have plurals ending in ען.

די גאַס	די גאַסן	דאָס אויג	די אויגן
דאָס אויער	די אויערן	די ליפּ	די ליפּן
דער קוגל	די קוגלען	די היים	די היימען

Ending ס or עס: Most nouns ending in ע have plurals ending in ס.

די מאַמע	די מאַמעס	די באָבע	די באָבעס
דער טאַטע	די טאַטעס	די פֿראַגע	די פֿראַגעס

דער רוקן   די רוקנס   דער רבי   די רביס

דאָס לעבן   די לעבנס   דער פּריפּעטשיק   די פּריפּעטשיקעס

Ending ער:

דאָס ליד   די לידער   דאָס קינד   די קינדער

Ending ער plus change in the vowel:

דער האַלדז   די העלדזער   דאָס מויל   די מײַלער

דאָס בוך   די ביכער   דאָס האַרץ   די הערצער

No ending, but a change in the vowel:

די האַנט   די הענט   דער פֿוס   די פֿיס

דער קאָפּ   די קעפּ   דער טאָג   די טעג

דער צאָן   די ציין

Ending ך or עך. The endings for all diminutives (small) forms is עך. The ending for all iminutives (even smaller) is ך. (Quite often, both forms are referred to as "diminutive.")

דאָס געסל   די געסלעך   דאָס געסעלע   די געסעלעך

דאָס מיידל   די מיידלעך   דאָס מיידעלע   די מיידעלעך

דאָס פּײַערל   די פּײַערלעך

Ending ים, sometimes with a shift of stress or change of vowel. For the most part, these words come from Traditional Hebrew and follow its pattern of masculine plural formation. They are, however, pronounced differently in Yiddish.

דער חסיד   די חסידים   דער גנבֿ   די גנבֿים

דער חבֿר   די חבֿרים   דער דאָקטער   די דאָקטוירים

Ending ות (pronounced עס). These words come from Traditional Hebrew and follow its pattern of feminine plural formation. The final ה of the singular is dropped.

די תּורה   Torah   די תּורות

די מזוזה   mezuzah   די מזוזות

IV. Declension of Names

In Yiddish, adjectives and articles are declined (as you will learn in the next lesson). Nouns generally are not. However, in Standard Yiddish, names of people are declined, - that is to say, an ending is added to them when they are used as direct or indirect objects, or as objects of prepositions. Names of places are not declined.

The ending for direct and indirect objects is ן. It is replaced by ען if the name ends in ם, ן, syllabic ל, or a stressed vowel.

INDIRECT OBJECT / OBJECT OF PREPOSITION	*DIRECT OBJECT*	*SUBJECT*
איך גיב מאַשען געלט.	איך קען מאַשען.	מאַשע איז אַ לערערין.
שלום־עליכם שרײַבט פֿון יאָסעלע סאָלאָווייען.	אסתּר האָט ליב יאָסעלע סאָלאָווייען.	יאָסעלע סאָלאָוויי זינגט גוט.
איך גיב וועלוולען אַ בוך.	איך האָב ליב וועלוולען.	וועלוול וויל עסן.

Note: If you are using both the first and the last name, decline only the last name. As you may have noticed in lines 5, 9, and 13 of the dialogue צי קענט איר? on page 52, names are not declined after the negative article קיין.

הערשל גאָלד איז דאָ. איך קען הערשל גאָלדן.

מאָטל לימאַן איז אַ לערער. די קינדער רעדן מיט מאָטל לימאַנען.

צי קענט איר בערל זינגערן? ניין, איך קען ניט קיין בערל זינגער.

V. Avoiding the Possessive with Body Parts

With body parts, Yiddish generally uses the definite article rather than the possessive adjective when it is clear to whom these parts belong.

My stomach hurts (me).	1. עס טוט מיר וויי דער בויך.
Does your throat hurt?	2. טוט אײַך וויי דער האַלדז?
Her hands hurt (her).	3. עס טוען איר וויי די הענט.
My hand is on your head.	4. מײַן האַנט איז אויף דײַן קאָפּ.

אַ ליד: ווּ איז דאָס געסעלע

פֿאָלקסליד

1) ווּ איז דאָס געסעלע,
ווּ איז די שטוב,[1]
ווּ איז דאָס מיידעלע
וואָס איך האָב ליב?

2) אָט איז דאָס געסעלע,
אָט איז די שטוב,
אָט איז דאָס מיידעלע
וואָס איך האָב ליב.

3) ווּ איז דאָס טײַכעלע,
ווּ איז די מיל,
ווּ איז דאָס דערפֿעלע,
ווּ איז די שיל?[2]

4) אָט איז דאָס טײַכעלע,
אָט איז די מיל,
אָט איז דאָס דערפֿעלע,
אָט איז די שיל.

5) אַרײַן אין דעם שטיבעלע,
מײַן ווייטיק איז גרויס,
אַלץ איז געבליבן
אַ חלום *(khólem)* נאָר בלויז.

6) ניטאָ מער דאָס געסעלע,
ניטאָ מער די שטוב,
ניטאָ מער דאָס מיידעלע
וואָס איך האָב ליב.

Vu iz dos ge-se-le, vu iz di shtib?
Vu iz dos mey-de-le Vos ikh hob lib?
ot iz dos ge-se-le, ot iz di shtib,

[1] The word שטוב may be pronounced *"shtub"* or *"shtib"* depending on the dialect. For the purposes of rhyme, pronounce it *"shtib"* in this song.

[2] Depending on the dialect, the word for synagogue may be pronounced and written either שיל or שול.

Ot iz dos mey-de-le Vos ikh hob lib,
Vu iz dos tay-khe-le, vu iz di mil?
Vu iz dos der-fe-le, vu iz di shil?

Notes provided by Khane Mlotek

VOCABULARY

here (in pointing)	*ot*	אָט
in, into	*arayn*	אַרײַן
only	*bloyz*	בלויז
remained	*geblibn: past part. of blaybn*	געבליבן: בלײַבן
street *(imin.)*	*dos gesele(kh):*	* דאָס געסעלע(ך):
	imin. of di gas(n)	די גאַס(ן)
village *(imin.)*	*dos derfele(kh):*	דאָס דערפֿעלע(ך):
	imin. of dos dorf (derfer)	דאָס דאָרף (דערפֿער)

pain, ache	*der veytik(n)*	דער ווייטיק(ן)
dream	*der kholem (khaloymes)*	דער חלום(ות)
river *(imin.)*,	*dos taykhele(kh):*	דאָס טײַכעלע(ך):
stream, brook	*imin. of der taykh(n)*	דער טײַך(ן)
girl *(imin.)*	*dos meydele(kh):*	* דאָס מיידעלע(ך):
	imin. of di moyd(n)	די מויד(ן)
mill	*di mil(n)*	די מיל(ן)
but, only	*nor*	נאָר
there is/are no longer	*nito mer*	ניטאָ מער
synagogue	*di shul(n)/shil(n)*	* די שול(ן)/שיל(ן)
house	*di shtub (shtiber)*	* די שטוב (שטיבער)
house *(imin.)*	*dos shtibele(kh):*	* דאָס שטיבעלע(ך):
	imin. of di shtub (shtiber)	די שטוב (שטיבער)

EXERCISES

I. Fill in the correct word by choosing one of the words at the bottom:

1. חיים איז ניט __________. עס טוט אים ווי דער קאָפּ. ער קען ניט __________. עס טוען אים ווי די אויגן און ער קען ניט __________. עס טוען אים אויך ווי די ______ און ער קען ניט גיין. עס טוען אים ווי די ______ און ער קען ניט הערן.

טראַכטן   אויערן   געזונט   פֿיס   זען

II. Fill in the appropriate form of the article דער, די or דאָס:

1. ______ טאַטע זאָגט אַז עס טוט אים ווי ______ קאָפּ.
2. ______ הענט און ______ פֿיס טוען אים אויך ווי, אָבער עס איז גוט וואָס ______ בויך און ______ האַלדז טוען ניט ווי.
3. ______ באָבע איז אויך ניט געזונט.
4. עס טוט איר ווי ______ רוקן און ______ לינקע האַנט.

III. Match the words in column A with the appropriate words in B:

A	B
די אויגן	הערן
די אויערן	שרײַבן
דאָס מויל	עסט
די הענט	שמעקט
די פֿיס	גייען
די נאָז	זעען
די ליפּן	קושן (kiss)
דער בויך	רעדט

IV. Answer these questions using מען:

1. וואָס טוט מען מיט דער נאָז?
2. האָט מען ליב צו שרײַבן מיט אַ פֿעדער אָדער (or) מיט אַ בלײַער?
3. רעדט מען ייִדיש אין דער היים?
4. טראַכט מען מיט דעם קאָפּ?
5. צי לערנט מען ייִדיש אין טאָראָנטע?
6. עסט מען בולבעס וואַרעמעס און וועטשערע?
7. צי קען מען וועלוול דזשייקאָבן דאָ?

V. Write the correct form of the proper noun given in parentheses:

1. איך קען (פּערל).
2. דו זעסט (בערל גאָלדבערג).
3. ער וווינט אין (וואַשינגטאָן).
4. מיט וועמען רעדט (סענדער)?
5. דאָס פֿרומע מיידל רעדט מיט (איטע).
6. זיסל וווינט מיט (פֿרומע).
7. זיי שרײַבן צו (מישאַ).
8. אַלע מיידלעך האָבן ליב (חיים - יאַנקל).
9. אַמעריקאַנער האָבן ליב (דזשאָרדזש וואַשינגטאָן).

VI. Finish the story by adding the appropriate proverb or expression:

1. מינדל זעט אַ טשאָלנט. זי וויל דאָס אַלץ אויפֿעסן (eat up). די מאַמע לאַכט און זאָגט, "........

2. ביניש גייט צום דאָקטער. ער זאָגט, "אוי דאָקטער, עס טוט מיר וויי דער בויך. די ציין טוען מיר וויי און איך קען ניט עסן. עס טוט מיר אויך וויי די נאָז און איך קען ניט אָטעמען און ניט שמעקן."

ייִדיש: דאָס פֿערטע קאַפּיטל

דער דאָקטער זאָגט, "בײניש, עס איז גאָרניט (nothing). גײ, נעם אַן אַספּירין און ליג אין בעט."
"אוי דאָקטער, טאַקע?" ענטפֿערט בייניש...........

VII. Translate into Yiddish:

1. The teacher is very clever. 2. The thief doesn't remember. 3. They like the work *(fem.)*. 4. This (The) time we are eating at home (in the home). 5. My (the) head hurts me and my (the) feet also hurt. 6. With whom are they speaking? 7. With what does a person breathe? 8. People eat meat with their (the) teeth. 9. What are you taking? Everything. 10. I answer, "I am taking only my book." 11. We are going Thursday. 12. Here is the street where you live. 13. I'm so exhausted, I can't even think. 14. The children want everything.

VIII. Make the following sentences negative:

1. דו האָסט אַ בוך.
2. דער פֿרומער זיידע האָט די ביכער.
3. עס טוען מיר וויי די קני.
4. איר שרײַבט מיט אַ פֿעדער.
5. זיי עסן וועטשערע און וואַרעמעס.
6. איך קען דעם נאַמען.
7. ער עסט מיט די ציין.
8. די באָבע מאַכט אַ קוגל.
9. די קינדער וווינען אין אַ גרויסער שטוב.
10. דער דאָקטער ווייסט אַלץ.
11. דער קראַנקער האַקט אַ טשײַנק.
12. זיי מאַכן אַ טשאָלנט.
13. מיר דאַרפֿן פֿעדערס.
14. עס איז דאָ אַ טיש אין שטוב.
15. עס זײַנען דאָ גוטע מיידלעך אין קלאַס.
16. איר קענט ייִדיש.
17. זי הייסט רעכל.
18. דו האָסט גוטע אויגן.

IX. Put the highlighted words in the plural and make all necessary corresponding changes. Rewrite the whole sentence:

1. די סטודענטקע האָט אַ בוך.
2. דער זיידע שרײַבט מיט אַ פֿעדער.
3. דאָס אויג טוט מיר וויי.
4. דער חבֿר איז פֿאַרקילט.
5. דער טאָג איז לאַנג.
6. דאָס פֿייגל ברענט אין דער שטוב.
7. דער חסיד איז קלוג.
8. דאָס קינד האָט אַ פֿראַגע.
9. דער זיידע און די באָבע גייען צו דעם דאָקטער.
10. דער לערער איז פֿאַרקילט.
11. די לערערין שרײַבט אַלץ אין דער העפֿט.
12. דער אַקסל טוט מיר וויי.
13. דער פֿרײַנד וווינט דאָרט.

ORAL PRACTICE

X. Substitute the highlighted words with those in parentheses and make any necessary changes. Be sure to match the numbers correctly.

.1 — וואָס טוט אײַך ווײ?

— עס טוט מיר ווײ דער קאָפּ[1] און עס טוען מיר אויך ווײ די פֿיס.[2]

א) (הענט,[1] בויך[2]) ב) (נאָז,[1] רוקן[2])

.2 — וואָס ווילסטו?

— איך וויל אַ[1] בלײַער און אַ[1] פֿעדער, איך דאַרף אויך ___[1] ביכער און ___[1] פּאַפּיר.

א) (ניט-קיין[1])

.3 — צי געדענקסטו וועלוועלען?[1]

— יאָ, איך געדענק וועלוועלען.[1] איך קען וועלוועלען[1] און איך האָב וועלוועלען[1] אויך ליב. וועלוועל[1] איז מײַן פֿרײַנד.

א) (ליבע[1]) ב) (הערשל זינגער[1])

.4 — וואָס טוט מען מיט דעם מויל?

— מען עסט[1] מיט דעם מויל.

— וואָס טוט מען מיט דער נאָז?

— מע שמעקט[2] מיט דער נאָז.

א) (רעדן,[1] אָטעמען[2])

XI. Complete the dialogue:

.1 — וואָס מאַכסטו, שיינדל?

— איך בין, דאַנקען גאָט, געזונט אָבער........

.2 — גוט-מאָרגן, טײַבל.

— גוט-יאָר, מאָטל, איך האָב ניט קיין צײַט צו רעדן.

— איך האָב אויך ניט קיין צײַט. איך........

3. — ווען אַרבעטסטו, לייבל?
— איך אַרבעט מאָנטיק, דינסטיק, און דאָנערשטיק.
— וואָס טוסטו מיטוואָך און פֿרײַטיק?
— מיטוואָך........

XII. Rearrange these sentences putting the highlighted words first. Read aloud. Remember, the verb must always be the second sentence unit.

1. ער עסט בולבעס.
2. מיר עסן וואַרעמעס מיט אים דינסטיק.
3. דו גייסט מיטוואָך.
4. זיי זינגען לידער פֿרײַטיק.
5. איר קענט דעם אַלף-בית *(alefbeyz)*.
6. דער מענטש וויל דאָס געלט דאָנערשטיק.
7. איך אַרבעט פֿרײַטיק און זונטיק.
8. דער חבֿר *(khaver)* טוט אַלץ.
9. די באָבע איז, דאַנקען גאָט, געזונט.
10. דער סטודענט פֿרעגט גוטע פֿראַגעס.

XIII. Conversation Topics:

1. You are a doctor and your patient is a terrible hypochondriac. Try to determine what, if anything, is wrong with him or her.

2. You meet someone who comes from the same city or town as you. You play "Jewish geography" to try to figure out if you have any friends or acquaintances in common.

UNIT 5

דאָס פֿיפֿטע קאַפּיטל

דאָס אויסזען

I. LETTERS

There are a number of consonants that appear *only* in words derived from traditional Hebrew and Hebrew-Aramaic. The words formed with these letters are often referred to as the לשון־קודש (*Loshn-Koydesh* - Holy Tongue) component of Yiddish. They are:

ENGLISH EQUIVALENT	*YIDDISH NAME*	*WRITTEN FORM*	*PRINTED FORM*
V	*Veyz*	בֿ	בֿ
Kh as in ***Kh***anukah	*Khes*	ח	ח
K	*Kof*	כּ	כּ
S	*Sin*	שׂ	שׂ
T	*Tof*	תּ	תּ
S	*Sof*	ת	ת

These letters sound the same as other letters you have already learned. Their sound equivalents may be found in words of both Hebrew-Aramaic and other origins:

בֿ	sounds the same as	וו
ח	sounds the same as	כ
כּ	sounds the same as	ק
שׂ	sounds the same as	ס
ת	sounds the same as	ס
תּ	sounds the same as	ט

If you know Hebrew, note that the same letter may signify different sounds in Yiddish and in Hebrew. For example, in words of non-Hebrew origin:

אַ	is pronounced short "***a.***"
אָ	is pronounced "***o***" and never short "***a***" as it is in Modern Hebrew.
ו	One *Vov* is pronounced as "***oo***" and not as "***v.***"
וו	Two *Vovs* are pronounced as the consonant "***v.***"
ע	*Ayin* is always short "***e***" and never short "***a.***"

Words derived from Hebrew-Aramaic or *Loshn-Koydesh* should not be referred to as "Hebrew" words in Yiddish. Once they have entered the language they become *Yiddish* words. Words from the *Loshn-Koydesh* component may have different pronunciations, meanings, and grammatical forms than they have in contemporary Hebrew.

For example, in Hebrew, the plural of שַׁבָּת *Shabat* is שַׁבָּתוֹת *Shabbatot*. In Yiddish, the plural of שבת *Shabes* is שבתים *Shabosim*. In Hebrew, the plural of טַלִּית *talit* (prayer shawl) is טַלִּיתוֹת *talitot*. In Yiddish, the plural of טלית *tales* is טליתים *taleysim*. In Hebrew, the word סֵפֶר *sefer* refers to any book, but in Yiddish, ספר *seyfer* refers only to a book with Jewish religious content.

In Hebrew, the word בִּטָּחוֹן *bitakhon* most commonly means security, while in Yiddish בטחון *bitokhn* means faith or confidence. The following anecdote told about David Ben-Gurion, the first Prime Minister of the State of Israel, illustrates the difference.

In describing life in Israel during the 1948 War of Independence, Ben-Gurion said, "בטחון *(bitokhn)* איז דאָ, אָבער קיין בטחון*(bitakhon)* איז ניטאָ". (There is faith, but not security).

II. VOCABULARY

There are many words in Yiddish derived from לשון־קודש *Loshn-Koydesh* that you may already know, such as the names of Jewish holidays:

MEANING	PRONUNCIATION	WRITTEN FORM	PRINTED FORM
Hanukkah	*Khanike*	חנוכה	1. * חנוכה
Purim	*Purim*	פּורים	2. * פּורים
Passover	*Peysekh*	פּסח	3. * פּסח

Sabbath, Saturday	*Shabes*	שבת	שבת * .4
Jewish New Year	*Rosheshone*	ראָש־השנה	ראָש־השנה * .5
Day of Atonement	*Yomkiper/Yonkiper*	יום־כּיפּור	יום־כּיפּור * .6
Simkhat-Torah	*Simkhes-toyre*	שימחת־תּורה	שימחת־תּורה * .7
Feast of Tabernacles	*Sukes*	סוכּות	סוכּות * .8
the holiday(s)	*der yontev,*	דער יום־טובֿ,	דער יום־טובֿ, * .9
	di yontoyvim	די יום־טובֿים	די יום־טובֿים

Many Yiddish names are also derived from Hebrew:

Dvoyre	דבֿורה	.1 דבֿורה
Khaye	חיה	.2 חיה
Rokhl	רחל	.3 רחל
Leye	לאה	.4 לאה
Shmuel	שמואל	.5 שמואל
Yisroyel or *Srul*	ישׂראל	.6 ישׂראל
Yishaye or *Shaye*	ישעיה	.7 ישעיה
Moyshe	משה	.8 משה
Shimen	שמעון	.9 שמעון
Yoyne	יונה	.10 יונה
Meylekh	מלך	.11 מלך
Dovid	דוד	.12 דוד
Shloyme	שלמה	.13 שלמה
Lemekh	למך (לעמעך)	.14 למך (לעמעך)

III. READING PRACTICE

Note: The adjectives in each sentence come in pairs of opposites.

1. חיה איז שיין און רחל איז אויך ניט מיאוס.
2. שמעון האָט ברייטע אַקסלען און לאה האָט שמאָלע אַקסלען.
3. שמואל האָט אַ גלײַכן רוקן און יונה האָט אַ קרומען רוקן.

4. מלך איז אַ קלוג ייִנגל אָבער למך איז אַ נאַריש ייִנגל.
5. דוד האָט אַ לאַנג פּנים און שלמה האָט אַ רונד פּנים.
6. ישעיה איז הויך און ישׂראל איז נידעריק.
7. משה איז אַ גוטער תּלמיד און דבֿורה איז אַ שלעכטע תּלמידה.
8. שלמה האָט אַן אַלטע פּעדער און ישׂראל האָט אַ נײַעם בלײַער.
9. חנוכּה איז אַ לאַנגער יום־טובֿ און פּורים איז אַ קורצער.

לאָמיר לאַכן

אַזאַ געזונטער מענטש

1. *דבֿורה:* זײַט מוחל, איר קענט אפֿשר דוד שמולעוויטשן?
2. *שלמה:* איר מיינט דעם דוד שמולעוויטש וואָס האָט אַ שוואַך האַרץ און אַ קראַנקע לעבער?
3. *דבֿורה:* יאָ.
4. *שלמה:* דעם דוד שמולעוויטש וועמען עס טוט אַלע מאָל וויי דער בויך? דעם דוד וואָס האָט אַ געל פּנים און קען ניט גוט אָטעמען?
5. *דבֿורה:* יאָ, איך מיין טאַקע דעם דוד שמולעוויטש.
6. *שלמה:* וואָס איז דער מער?
7. *דבֿורה:* ער איז געשטאָרבן.
8. *שלמה:* טע־טע־טע, אַזאַ געזונטער מענטש!

איר האָט זיך געביטן

1. צוויי כּלעמער ייִדן זעען זיך אין גאַס. זאָגט יונה דער שוחט, "ר׳ משה,
2. גוט אײַך צו זען נאָך אַזאַ לאַנגער צײַט. אָבער איר האָט זיך זייער געביטן."
3. "אָבער, איך בין....." זאָגט דער צווייטער ייִד.
4. "עס מאַכט ניט אויס. איר זעט אויס אַזוי אַנדערש. איך געדענק אײַך ווי אַ
5. הויכער, אַ גלײַכער מיט ברייטע אַקסל. איצט זעט איר אויס אַזוי נידעריק."

6. „אָבער איך.....‟ זאָגט דער צווייטער ייִד.
7. „עס מאַכט ניט אויס. איך געדענק אײַך מיט אַ רונד פּנים און איצט איז
8. אײַער פּנים אַזוי דאַר און לאַנג. און אײַערע שיינע שוואַרצע האָר?! איצט
9. האָט איר אַפֿילו ניט קיין האָר. פֿאַר וואָס האָט איר זיך אַזוי געביטן? איר זײַט
10. חלילה ניט קראַנק?‟
11. „איך וויל אײַך זאָגן,‟ ענטפֿערט דער צווייטער ייִד. „איך בין ניט
12. משה.‟
13. „אוי, זעט נאָר. אײַער נאָמען האָט איר אויך געביטן!‟

PROVERBS שפּריכווערטער

In one ear and out the other.	1. אין איין אויער אַרײַן, פֿון דעם צווייטן אַרויס.
Walls have ears and streets have eyes.	2. ווענט האָבן אויערן און גאַסן האָבן אויגן.
The sick are pampered, the healthy are not. (*Lit.* "You ask the sick, you give to the healthy.")	3. אַ קראַנקן פֿרעגט מען, אַ געזונטן גיט מען.

VOCABULARY

high, tall	הויך *	to look, to appear	אויסזען
wall	די וואַנט (ווענט)	old	אַלט
as	ווי	all the time	אַלע מאָל *
very	זייער *	different	אַנדערש
oneself; each other	זיך	even *(adv.)*	*[afile]* אַפֿילו *
to see each other	זיך זען	maybe, perhaps	*[efsher]* אפֿשר
	זען אויס ← אויסזען	out	אַרויס *
God forbid	*[kholile]* חלילה	in	אַרײַן *
boy	דאָס ייִנגל(עך) *	broad, wide	ברייט *
person from the town Chelm, a city of fools in Jew. folklore *(adj.)*	כעלעמער *	straight	גלײַך *
		changed: *past part. of* to change	געביטן: בײַטן
long	לאַנג *		
liver	די לעבער(ס)	yellow	געל
to excuse, to pardon *[moykhl]*	מוחל זײַן	died: *past part. of* to die	געשטאָרבן: שטאַרבן
ugly *[mies/mis]*	מיאוס *		
silly, foolish	נאַריש *	skinny, thin	דאַר
low, short	נידעריק *	hair *(pl.)*	די האָר *

* נײַ — new

* דאָס פּנים(ער) — face [ponem-penimer]

צווייט — second, other

* קורץ — short

קרום — crooked

ר׳ = רב [reb] — (Jew.) Mister — traditional title before a man's first name

* רונד — round

שוואַך — weak

* שוואַרץ — black

דער שוחט(ים) [shoykhet-shokhtim] — ritual slaughterer

* שיין — pretty, beautiful

* שלעכט — bad

* שמאָל — narrow

* דער תּלמיד(ים) [talmid- talmidim] — student (masc.)

* די תּלמידה (תּלמידות) [talmide(s)] — student (fem.)

Idioms and Expressions

זײַ(ט) מוחל [moykhl] — Excuse / Pardon (me)

* זע(ט) נאָר — Just look; How do you like that!?

* עס מאַכט ניט אויס — It doesn't matter

IV. אַ וויגליד: שלאָף, שלאָף, שלאָף

פֿאָלקסליד

1) שלאָף, שלאָף, שלאָף,
דער טאַטע וועט פֿאָרן אין דאָרף,
וועט ער ברענגען אַ העזעלע
וועט זײַן אַ געזונט אין נעזעלע.

2) וועט ער ברענגען אַן עפּעלע
וועט זײַן אַ געזונט אין קעפּעלע.

3) וועט ער ברענגען אַן ענטעלע
וועט זײַן אַ געזונט אין הענטעלע.

4) וועט ער ברענגען אַ ניסעלע
וועט זײַן אַ געזונט אין פּיסעלע.

Can you make up more verses?

5) וועט ער ברענגען אַ מאַכלע *(maykhele)*
וועט זײַן אַ געזונט אין.................................

6) וועט ער ברענגען אַ בײגעלע
וועט זײַן אַ געזונט אין.................................

7) וועט ער ברענגען אַ פּערעלע
וועט זײַן אַ געזונט אין.................................

Andantino
p Bm
Shlof, shlof, shlof! Der ta - te vet fo - rn in dorf,
mf G E7 Bm p D Bm
vet er bren - gen an e - pe - le, vet zayn ge - zunt dos ke - pe - le.

אַנטאָלאָגיע פֿון ייִדישע פֿאָלקסלידער באַנד א', אַ. ווינקאָוועצקי, אַ. קאָוונער, ס. לײַכטער,
פרסומי הר הצופים באמצעות הוצאת ספרים ע"ש י"ל מאגנס, 1984
Anthology of Yiddish Folksongs, Vol. 1, edited by A. Vinkovetzky, A. Kovner, S. Leichter, Magnes Press, 1984

VOCABULARY

* דאָס בייגעלע(ך):	bagel: *dim. of* דער בייגל (בייגל)
* ברענגען	to bring
דאָס העזעלע(ך):	hare: *imin. of* די האָז(ן)
* דאָס הענטעלע(ך):	hand: *imin. of* די האַנט (הענט)
דאָס הערעלע(ך):	hair: *imin. of* די האָר
* דאָס וויגליד(ער)	lullaby
וועט	will: *future aux.* (s/he, it, one, you *pl.*)
דאָס מאכלע(ך) :[maykhele(kh)]	treat, tasty dish:
דער/דאָס מאכל(ים)	*dim. of* [maykhl-maykholim]
דאָס ניסעלע(ך):	nut: *imin. of* דער נוס (ניס)
* דאָס נעזעלע(ך):	nose: *imin. of* די נאָז (נעז)
דאָס ענטעלע(ך):	duck: *dim. of* דאָס ענטל(עך)
* דאָס עפּעלע(ך):	apple: *dim. of* דער עפּל (עפּל)
* דאָס פּערעלע(ך):	pearl: *dim. of* דער פּערל (פּערל)
* דאָס פֿיסעלע(ך):	foot: *imin. of* דער פֿוס (פֿיס)
* דאָס קעפּעלע(ך):	head: *imin. of* דער קאָפּ (קעפּ)

V. GRAMMAR

I. The Accusative Case (Direct Object Case)

When a noun is used as the direct object of a verb it is in the ***accusative*** case as are the article and adjective(s) that precede it. Nouns are generally not declined. Exceptions include names of people and a small number of common nouns. These exceptions are explained in Lesson 11A.

In the following sentences the highlighted words are the direct object and are in the ***accusative*** case.

Sample Sentences

.1 מיר קענען **דאָס** קלײנ**ע** קינד.	We know *the small child.*
.2 די קינדער האָבן ליב **דעם** גוטן לערער.	The children like *the good teacher.*
.3 ער גיט דעם חבֿר אַ שײנ**עם** עפּל.	He gives his friend *a nice apple.*

The girl has *a pretty, short nose.*	4. דאָס מיידל האָט אַ **שיינע** קורצע נאָז.
The students do not know *the new teacher.*	5. די סטודענטן קענען ניט די **נײַע** לערערין.
You are singing *a new song.*	6. דו זינגסט אַ נײַ ליד.
He needs *the big notebooks.*	7. ער דאַרף די גרויסע העפֿטן.

In the accusative case, the masculine article **דער** changes to **דעם**.

The adjective ends in **ן** whether it is preceded by the definite or indefinite article.

	ACCUSATIVE	*NOMINATIVE*
We like the good teacher.	מיר האָבן ליב דעם גוטן לערער.	דער גוטער לערער
We like a good teacher.	מיר האָבן ליב אַ גוטן לערער.	אַ גוטער לערער

If the base form of the adjective ends in **ם** as in **קרום** then the adjective will end in **ען** as in קרומען.

He has a crooked back. — ער האָט אַ קרומען רוקן.

If the base form of the adjective ends in a **ן**, the adjective will end in **עם** as in שיינעם, גרינעם, קליינעם.

We like the handsome teacher.	מיר האָבן ליב דעם שיינעם לערער.
I need a green pencil.	איך דאַרף אַ גרינעם בלײַער.
She wants a small table.	זי וויל אַ קליינעם טיש.

If the base form of the adjective ends in a vowel or diphthong the adjective will end in **ען** as in **פֿרײַען, בלויען** (free).

We like the free person.	מיר האָבן ליב דעם פֿרײַען מענטש.
They need the blue table.	זיי דאַרפֿן דעם בלויען טיש.

The adjective **נײַ** (new) is an exception. The masculine accusative form is **נײַעם** (not **נײַען**) as you might have expected.

The boy needs a new pencil.	דאָס ייִנגל דאַרף אַ נײַעם בלײַער.
The students love the new teacher.	די סטודענטן האָבן ליב דעם נײַעם לערער.
We want the new table.	מיר ווילן דעם נײַעם טיש.

Feminine Accusative: The ending for the feminine accusative is the same as for the feminine nominative. The definite article remains **די** and the adjective ends in **ע**.

	ACCUSATIVE	NOMINATIVE
We love the good mother.	מיר האָבן ליב די גוטע מאַמע.	די גוטע מאַמע
Children love a good mother.	קינדער האָבן ליב אַ גוטע מאַמע.	אַ גוטע מאַמע

Neuter Accusative: The endings for the neuter accusative are exactly the same as for the neuter nominative. The definite article remains **דאָס**, and the adjective, when it is used with a definite article, ends in **ע**. With the indefinite article the adjective remains in its base form (no ending).

	ACCUSATIVE	NOMINATIVE
We like the good child.	מיר האָבן ליב דאָס גוטע קינד.	דאָס גוטע קינד
We like a good child.	מיר האָבן ליב אַ גוט קינד.	אַ גוט קינד

Plural Accusative: The ending for the accusative plural is the same as for the nominative plural. The article is always **די** and the adjective always ends in **ע** regardless of gender.

	ACCUSATIVE	NOMINATIVE
We love the good people.	מיר האָבן ליב די גוטע מענטשן.	די גוטע מענטשן
We like good people.	מיר האָבן ליב גוטע מענטשן.	גוטע מענטשן

Sample Sentences

They want *a good teacher.*	1. זיי ווילן אַ גוטן לערער.
You have *the blue table.*	2. דעם בלויען טיש האָט איר.
Father wants *a new table.*	3. דער טאַטע וויל אַ נייַעם טיש.
The girl does not have *a long nose.*	4. דאָס מיידל האָט ניט קיין לאַנגע נאָז.
The boy has *a crooked back.*	5. דאָס ייִנגל האָט אַ קרומען רוקן.
The patients like *the fine doctor.*	6. די קראַנקע האָבן ליב דעם פֿייַנעם דאָקטער.
I need *the yellow book.*	7. דאָס געלע בוך דאַרף איך.
The teacher needs *a new book.*	8. די לערערין דאַרף אַ נייַ בוך.
Who knows *the ugly people?*	9. ווער קען די מיאוסע מענטשן?
People like *smart people.*	10. מע האָט ליב קלוגע מענטשן.

See the table of case endings in Lesson 9B, p. 171.

II. The Diminutive

Yiddish makes great use of the *diminutive* and *iminutive* (even smaller) forms. Theoretically, every Yiddish noun may be made diminutive and iminutive. A hand is a **אַ האַנט**, a smaller one **אַ הענטל**, and an even smaller one **אַ הענטעלע**. The boundaries between standard size and smaller still are subjective so that one man's **בויך** is another man's **בײַכל**.

These forms may also be used to express affection. Thus a man who is six feet tall may be called "Moishele" **"משהלע"** if the speaker is fond of him. In some contexts, the diminutive and iminutive may also be used ironically or sarcastically. For example **!אוי, איז דאָס אַ משהלע** - Some Moishele!

Nouns in the diminutive and iminutive are always neuter, regardless of their gender in the base form. There is frequently a vowel change when the noun changes to diminutive or iminutive. This is usually the same vowel change that occurs in forming the plural. For example: **.דער קאָפּ, די קעפּ, דאָס קעפּל**

hand	דאָס הענטעלע־ך	דאָס הענטל־עך	די הענט	די האַנט
foot	דאָס פֿיסעלע־ך	דאָס פֿיסל־עך	די פֿיס	דער פֿוס
head	דאָס קעפּעלע־ך	דאָס קעפּל־עך	די קעפּ	דער קאָפּ
eye	דאָס אייגעלע־ך	דאָס אייגל־עך	די אויגן	דאָס אויג
nose	דאָס נעזעלע־ך	דאָס נעזל־עך	די נעז	די נאָז
ear		דאָס אויערל־עך	די אויערן	דאָס אויער
tooth	דאָס ציינדעלע־ך	דאָס ציינדל־עך	די ציין	דער צאָן
belly (tummy)	דאָס בײַכעלע־ך	דאָס בײַכל־עך	די בײַכער	דער בויך
(strand of) hair	דאָס הערעלע־ך	דאָס הערל־עך	די האָר	די האָר

Note: The plural of diminutive and iminutive forms always ends in **עך** and **ך** respectively.

דאָס הענטל – די הענטלעך　　　דאָס הענטעלע – די הענטעלעך

דאָס פֿיסל – די פֿיסלעך　　　דאָס פֿיסעלע – די פֿיסעלעך

Other endings may also be added to **names** to connote endearment:

ניו	as in	לאהניו, פּייגעניו, חוהניו, ליובעניו
קע	as in	חייקע, לאהקע, אַבֿרהמקע, שרהקע, הערשקע
שי	as in	בלומעשי, טויבעשי, חנהשי, פּייגעשי, שרהשי
טשע	as in	שרטשע, לאהטשע, בערטשע, איטשע, חנטשע

Different endings are used in different dialects. A very abbreviated explanation:

Polish Yiddish uses **(ע)לע, (ע)שי,** and **טשע**:

חנהלע, חנהשי, חנטשע, בלומעלע, בלומעשי, בלומטשע, טאַטעשי, מאַמעשי

Litvish (Lithuanian) Yiddish uses **קע** and **קעלע**:

לאהקע, לאה קעלע, הערשקע, שרקעלע

The Volin (Ukrainian) dialect uses **(ע)לע** and **(ע)ניו**:

הערשעלע, פּייגעניו, מאַמעלע, מאַמעניו, חוהניו

There are more dialects. Feel free to use whichever endings you like no matter where your family comes from.

EXERCISES

I. Fill in the correct form of the article or adjective:

1. דער גוט___ טאַטע האָט אַ קליינ____ קינד.
2. דו עסט דעם גרויס___ עפּל. 3. מיר ווילן אַ שיינ___ עפּל.
4. ער האָט אַ גרויס___ בויך. 5. ד___ קלוג___ קינדערלעך לערנען זיך גוט.
6. ד___ קראַנק___ פֿרוי פֿרעגט פֿראַגעס. 7. דו האָסט קרומ___ ציין.
8. ער האָט ליב דאָס הויכ___ מיידל ווײַל ער האָט ליב הויכ____ מיידלעך.
9. זי האָט אַ רונד___ פּנים. 10. איר ווילט דעם ברייט___ טיש.
11. דאָס גוט___ קינד וויל ד____ בלוי____ בלײַער.
12. די קלוג____ תּלמידה דאַרף ד____ אַלט____ ביכער.

II. Answer the questions in full sentences. Make any necessary changes in the articles or adjectives:

Example: וואָס ווילסטו? (אַ גוט בוך)

איך וויל אַ גוט בוך.

1. וואָס זעען זיי? (די הויכע וואַנט)
2. וואָס האָט ער? (אַ ברייטע נאָז)
3. וואָס קענען זיי גוט? (דאָס קליינע דאָרף)
4. וואָס האָט זי ליב? (אַ קליין דאָרף)
5. וועמען דאַרף מען פֿרעגן? (דער קראַנקער מענטש)
6. וועמען ווילן די חסידים זען? (דער גוטער־ייִד) (hasidic rebbe)
7. וואָס לייענט איר? (דאָס גרויסע בוך)
8. וועמען ווילן די קינדער? (דער פֿײַנער לערער)
9. וואָס האָט דער קראַנקער מענטש? (אַ קרומער אַקסל)
10. וואָס ברענגען זיי? (דער נײַער טיש)
11. מיט וואָס הערט מען? (גוטע אויערן)
12. וועמען האָט דאָס קינד ליב? (דער נײַער חבֿר)
13. וואָס האָט דאָס ייִנגל? (זייער שמאָלע אַקסל)
14. וואָס ווילן מיר? (אַ שיינער טאָג)
15. וועמען זעען מיר? (דאָס נאַרישע ייִנגל)

III. Rewrite the paragraph using the diminutive form of the highlighted word. Be sure to make any necessary changes:

דאָס קליינע קינד וווינט אין אַ שטוב אויף מײַן גאַס. זי האָט צוויי שיינע אויגן, און ציין ווי פּערעלעך. איר נאָז איז קורץ און שיין און אַפֿילו די אויערן זײַנען שיין. זי האָט אַ רונדן בויך און פֿיס וואָס ווילן טאַנצן. אַ געזונט אויף איר קאָפּ!

IV. Rewrite the above paragraph using the iminutive form of the highlighted words wherever possible.

V. Write a paragraph describing the most beautiful or interesting-looking person you know.

VI. Write a paragraph describing the way you look.

VII. Make up five questions based on this paragraph and then answer the questions.

חנה און רבֿקה וווינען אין אײן שטוב. זײ זײַנען קלוגע שײנע אײדלעך. זײ זײַנען פֿרײַנד. חנה איז הויך און האָט אַ גלײַכן רוקן. זי האָט אַ לאַנגן האַלדז און ברײטע אַקסלען. זי האָט רונדע שוואַרצע אויגן און קורצע שוואַרצע האָר. זי האָט ליב צו טאַנצן. רבֿקה האָט ניט קײן שוואַרצע האָר. זי האָט לאַנגע בלאָנדע (blond) האָר, אַ קורץ נעזל און גרינע (green) אויגן. זי האָט ליב צו טאַנצן אָבער זי האָט, נעבעך, צוויי לינקע פֿיס.

VIII. Translate into Yiddish:

1. The teacher brings the books. 2. The boy goes to the villages and sees the people. 3. He is such (**אַזאַ**) [a] healthy man. 4. I have a cold. 5. The good children eat the meat. 6. What's the matter? My (the) stomach hurts me. 7. The smart girl has a straight back. 8. You *(pl.)* do not have to lie in bed. 9. We are not asking the old man any questions. 10. Excuse [me], where is Rifka with the long black hair? 11. My friend has crooked teeth and broad shoulders. 12. We are coming from (the) work. 13. The sick people lie in bed. 14. They are walking on (in) [the] street. 15. How can I know what he wants?!

ORAL PRACTICE

IX. Substitute the highlighted words with those in parentheses. Make any necessary changes. Be sure to match the numbers correctly.

1. – קענסטו שׂרהן?

– יאָ, זי האָט לאַנגע האָר[1] און אַ קורצע נאָז.[2] זי האָט אויך אַ לאַנגן[1] האַלדז.

א) (פֿיס,[1] (דער) האַלדז,[2] שײן[1])

2. – פֿאַר וואָס האָסטו ליב װעלװלען?

– איך האָב ליב װעלװלען װײַל ער איז שײן.[1] ער האָט שײנע[1] אויגן און אויך ברײטע[2] אַקסלען.

א) (קלײן,[1] שמאָל[2])

ב) (קלוג,[1] גלײַך[2])

3. דאָס קינד האָט אַ שיינע' נאָז און שיינע' אויגן, און אַ שיין' פּנים. אוי, איז דאָס אַ שיין' ייִנגעלע (little boy)!
   אַ) (מיאוס')
   ב) (גרויס')

X. Complete the dialogue:

1. – טראַכטסטו אַז מרים איז שיין?
   – יאָ, זי איז שיין ווײַל זי האָט ....

2. – פֿאַר וואָס האָבן די קינדער אַזוי ליב דעם לערער?
   – זיי האָבן ליב דעם לערער ווײַל ....

3. – סערל, איך האָב אַ ייִנגל פֿאַר דיר!
   – איז ער קלוג?
   – קיין אײַנשטיין איז ער ניט אָבער ....

XI. Conversation Topics:

1a. Pretend you are in a fraternity or sorority and you are trying to interest your friend in going out with another friend of yours. Have a conversation in which you answer your friend's questions on this person's appearance and anything else s/he wants to know.

b. Pretend you are a member of a Hasidic community in Crown Heights, Williamsburg, or Meah She'arim and adjust the conversation accordingly.

2a. You plan to place a personal ad in the Yiddish newspaper. Write the ad or discuss what you should write with your friend.

b. Write a personal ad to which you would be motivated to respond.

SUPPLEMENTARY READING

Any of the new words introduced here will not be used in the exercises of this lesson. Should they reappear later, they will be reintroduced. This applies to new words in all **Supplementary Readings**.

This very sad and beautiful poem deals with the Holocaust. Your teacher may study it with you now since it makes use of diminutives and is not difficult, or s/he may decide to teach it around the time of the Holocaust Commemoration.

קינדער פֿון מײַדאַנעק

אַהרן צייטלין

1. בלימעשי.¹ טויבעשי. ריוועלע.
לאָהניו. פֿײגעניו. פֿערעלע.
כאַצקעלע. מאָטעלע. קיוועלע.
הערשעלע. לייבעלע. בעֿרעלע.

2. שעֿיהשי. חיהשי. גאָֿלדעשי.
מעֿנדעלעך. גנעֿנדעלעך. מיֿנדעלעך.
כ׳צייל אין דער נאַכט אין דער שלאָֿפֿלאָזער
נעמען פֿון ייִדישע קיֿנדערלעך.

3. נעמען פֿון ייִדישע קיֿנדערלעך,
רחלעך, רייֿכעלעך, נעֿכעלעך,
געֿצעלעך, וועֿלוועלעך, בּיֿגדורלעך,
יאַֿנקעלעך, יונהלעך, מעֿכעלעך.

4. קאָֿפּעלע, ווו איז דײַן קעֿפּעלע?
ווו איז דאָס ליכט פֿון דײַן אײֿגעלע?
ווו איז דײַן העֿנטעלע, יעֿנטעלע?
ווו איז דײַן פֿיֿסעלע, פֿיֿגעלע?

5. נעמען – אָט דאָס איז געבליבן נאָר:
דבֿוֹֿרהלע – דוואָֿשעלע – חיהלע,
שמעֿרעלע – פֿעֿרעלע – סעֿרעלע,
שיֿמעלע – שיֿעלע – שעֿיהלע.

---

¹ In diminutives the accent falls on the same syllable that was accented in the base form.
Generally, this is no longer the penultimate syllable. For example: קיֿנדערלעך, בעֿרעלעך,
יאַֿנקעלעך.

6. ווער קען געפֿינען איצט משהלען,
שאוליקן, שמואליקן, סרוליקן?
גאָט האָט אויף זיי נישט דערבאַרעמט זיך,
האָט זיי געשאָנקען עמלקן.

7. בלימעשי – טויבעשי – ריוועלע.
לאהניו – פֿייגעניו – פּערעלע.
כאַצקעלע – מאָטעלע – קיוועלע.
הערשעלע – לייבעלע – בערעלע.

8. אויס און נישטאָ מער די העשעלעך,
העשעלעך, פּעשעלעך, הינדעלעך.
קלאַנגען, בלויז קלאַנגען, בלויז לידקלאַנגען –
נעמען פֿון ייִדישע קינדערלעך.

9. ווו איז דײַן פֿיסעלע, זיסעלע?
ציפּעלע, ווו איז דײַן צעפּעלע?
רויך ביסטו, יענטעלעס הענטעלע!
אַש ביסטו, קאָפּעלעס קעפּעלע!

1946

VOCABULARY

no more, over!	אויס
ash, ashes	דאָס אַש
remained: *past participle of* בלײַבן	געבליבן:
to find	געפֿינען
give (as a gift): *past participle of* שענקען	געשאָנקען:
took pity/ had mercy on: *past participle of* זיך דערבאַרעמען	דערבאַרעמט זיך:
light	דאָס/ די ליכט (ליכט)
more *(adv.)*	מער

די נאַכט (נעכט)	night
נישטאָ מער	no longer here
עמלק *[Amolek]*	Amolek, nation in the Bible that tried to destroy the Jews
ציילן	to count
דאָס צעפּעלע(ך):	braid: *dim. of* דער צאָפּ (צעפּ)
דער קלאַנג(ען)	sound
דער רויך(עס)	smoke
שלאָפֿלאָז	sleepless

EXERCISES

1. Choose the correct word and fill in the blanks:

1. דער פּאָעט (poet) ______ די נעמען פֿון ייִדישע קינדערלעך ________.
2. די קינדער זײַנען ________ , מע קען זיי ניט________.
3. ________ בלײַבט פֿון זיי__________ אַש.

אין דער נאַכט   נאָר   איצט   ציילט   נישטאָ מער   געפֿינען

2. Answer the following questions:

1. וואָס טוט דער פּאָעט (poet) ?
2. וואָס איז געבליבן פֿון די ייִדישע קינדערלעך?
3. וועלכע נעמען פֿון די ייִדישע קינדערלעך קענסטו?
4. קענסטו אַנדערע דימינוטיווע (diminutive) ייִדישע נעמען?

UNIT 6

דאָס זעקסטע קאַפּיטל

דער וועטער

ווי איז אין דרויסן?

1. יונה: זײַ מוחל, משה, אפֿשר ווייסטו ווי איז אין דרויסן הײַנט? מיינסטו אַז עס איז הײַנט זייער אַ קאַלטער טאָג?
2. משה: גאָט זאָל אָפּהיטן! הײַנט איז זייער שיין אין דרויסן, אַ מחיה! די זון שײַנט און עס גייט ניט קיין רעגן. עס איז וואַרעם און עס בלאָזט ניט קיין ווינט, דער הימל איז בלוי און קלאָר און עס זײַנען ניטאָ קיין וואָלקנס.
3. יונה: טאַקע אַ מחיה נאָך אַזאַ מיאוסן וועטער.

שפּריכווערטער PROVERBS

1. די זון שײַנט גלײַך אויף אָרעם און רײַך. The sun shines equally on rich and poor.
2. עס גייט מיך אָן ווי דער פֿאַראַיאָריקער שניי. I don't care. (*Lit*. "It concerns me as much as last year's snow.")

דאָס וועטער[1]

רייזל זשיכלינסקי

1) פֿײַערלעך קלינגט דאָס קול
פֿון ראַדיאָ-אַנאָנסער[2]

---

[1] Although Standard Yiddish is דער וועטער, Reyzl Zhikhlinsky uses the dialectical variation דאָס וועטער. We have remained faithful to the text.

[2] The word אָנזאָגער is actually preferable for "announcer," although the poem uses אַנאָנסער.

ווען ער גיט איבער דעם רעפּאָרט
פֿון וועלטוועטער.

2) פּאַריז 63 (דרײַ און זעכציק), קלאָר,
לאָנדאָן 63 (דרײַ און זעכציק), וואָלקנדיק,
מעקסיקאָ 61 (איין און זעכציק), טיילווײַז פּאַרוואָלקנט,
פּאָרטאָריקאָ 79 (נײַן און זיבעציק), רעגן–

3) אַפּעלירט צו מיר מער
דער קלאָרער הימל אין פּאַריז,
ווי די זון דאָ אין ניו-יאָרק?
בענק איך אַרומצוגיין אין רעגן
ערגעץ ווו אין פּאָרטאָריקאָ?

4) איך וואַרט דער רעפּאָרטער זאָל מיר נאָך זאָגן
דאָס וועטער פֿון דעם לאַנד,
וואָס איז נישטאָ אויף דער מאַפּע,
נאָר וואָס וואַרט אויף מיר שוין לאַנג.

VOCABULARY

איבערגעבן	to report	בענקען	to miss, to long
איין און זעכציק	sixty-one	גיין אָן ← אָנגיין	
* אין דרויסן	outside, outdoors	גיין אַרום ← אַרומגיין	
אָנגיין	to concern, to matter	* גלײַך	equally
אַפּעלירן	to appeal	געבן איבער ← איבערגעבן	
אַרומגיין	to go/walk around	דרײַ און זעכציק	sixty-three
בלאָזן	to blow	הײַנט	today
* בלוי	blue	דער הימל(ען)	sky

* דער וואָלקן(ס)	cloud
וואָלקנדיק	cloudy
* וואַרטן	to wait
* וואַרעם	warm
ווי	than
* דער ווינט(ן)	wind
* דער/דאָס וועטער(ן)	weather
* די זון(ען)	sun
טיילווײַז	partly
* (דער/דאָס) לאָנדאָן	London
* די מאַפּע(ס)	map
מחיה	pleasure, delight *(fem.)* *[mekhaye]*
(דער/די) מעקסיקאָ=מעקסיקע	Mexico
* מיינען	to think, to believe
* מער	more *adv.*
נאָך	yet, still
נאָר	but
* (דאָס) ניו-יאָרק	New York
נײַן און זיבעציק	seventy-nine
* ערגעץ ווו	somewhere
(דאָס) פּאָרטאָריקאָ	Puerto Rico
* (דאָס) פּאַריז	Paris
פֿאַראַיאָריק	last year's
פֿאַרוואָלקנט	cloudy
פֿײַערלעך	solemn
* קאַלט	cold
* דאָס קול (קעלער) *[kol-keler]*	voice
קלינגען	to ring, to sound
דער ראַדיאָ-אַנאָנסער(ס)	radio announcer
* דער רעגן(ס)	rain
דער רעפּאָרט(ן)	report
שוין	already
* שײַנען	to shine, to beam
* דער שניי(ען)	snow

Idioms and Expressions

* אין דרויסן	outside
גאָט זאָל אָפּהיטן!	God forbid!
* ווי איז אין דרויסן?	How's the weather? What's it like outside?
* זײַ(ט) מוחל *[moykhl]*	Excuse me
* עס בלאָזט (ניט) אַ (קיין) ווינט.	A wind is (not) blowing.
* עס גייט (ניט) אַ (קיין) רעגן.	It is (not) raining.
* עס שײַנט (ניט) די זון.	The sun is (not) shining.

אַ רעגן אין כעלעם

1. צוויי כעלעמער ייִדן גייען אַ מאָל שפּאַצירן אויף
2. דער פֿרישער לופֿט. עס איז אַ שיינער און וואַרעמער טאָג.
3. עס שײַנט די זון און עס בלאָזט ניט קיין ווינט. עס זײַנען

4. ניטאָ קיין וואָלקנס אין הימל. מיט אַ מאָל, הייבט אָן צו
5. רעגענען. "גיך," זאָגט איין כעלעמער צום צווייטן, "עפֿן
6. גיך אויף דײַן שירעם."
7. "עס וועט גאָר ניט העלפֿן," ענטפֿערט דער צווייטער, "מײַן
8. שירעם איז פֿול מיט לעכער."
9. "נו, אויב אַזוי," פֿרעגט אים דער ערשטער כעלעמער,
10. "פֿאַר וואָס טראָגסטו דעם שירעם?"
11. "איך האָב ניט געמיינט אַז עס וועט הײַנט רעגענען,"
12. ענטפֿערט אים דער צווייטער.

פֿאַרמאַך דעם פֿענצטער!

1. איין כעלעמער זאָגט צו אַ צווייטן, "פֿאַרמאַך דעם פֿענצטער, עס איז
2. קאַלט אין דרויסן."
3. ענטפֿערט אים זײַן חבֿר, "און אַז איך פֿאַרמאַך דעם פֿענצטער וועט זײַן
4. וואַרעם אין דרויסן?"

VOCABULARY

אויפֿעפֿענען	to open up
* אַ מאָל	once
אָנהייבן	start, begin
* גאָרניט	(not) at all
* גיך	fast, quick
הייבן אָן ← אָנהייבן	
* העלפֿן	to help
זײַן	his
(דאָס) כעלעם	Chelm, a city in Poland; in Jewish folklore, a town inhabited by fools
* דער כעלעמער (כעלעמער)	a resident of Chelm

דער/די לאָך (לעכער)	hole
* די לופֿט	air
מיט אַ מאָל	suddenly, all at once
עפֿענען אויף ← אויפֿעפֿענען	
* פֿאַרמאַכן	to close
* פֿול	full
* דער/דאָס פֿענצטער	window
* פֿריש	fresh
* צו	to
דער שירעם (ס)	umbrella
שפּאַצירן	to walk, to take a walk

וועל, וועסט, וועט, וועלן — shall, will *aux. v.* (used in forming the future tense)

Idioms and Expressions

in the fresh air	* אויף דער פֿרישער לופֿט
to go for a walk	גיין שפּאַציר̀ן
It won't help at all, It's no use	* עס וועט גאָרניט העלפֿן

GRAMMAR

I. Imperative (Command Form)

The singular of the imperative is identical to the base of the verb. Simply subtract ן or ען from the infinitive.

Sing a song.	זינג אַ ליד.
Eat the potatoes.	עס די בולבעס.
Be a decent human being./Behave well.	זײַ אַ מענטש.

The plural or singular formal of the imperative is identical to the second person plural form of the verb in the present tense.

זינגט אַ ליד.
עסט די בולבעס.
זײַט מענטשן.

In Yiddish, as in English, the pronouns are omitted in the imperative.

There is also a first person plural imperative as in "Let's go, let's see," etc. This is formed by using לאָמיר meaning "let us/let's" plus the infinitive.

Let's sing a song.	לאָמיר זינגען אַ ליד.
Let's eat the potatoes.	לאָמיר עסן די בולבעס.
Let's behave well.	לאָמיר זײַן מענטשן.

To form the negative imperative simply add ניט after the verb:

זינג ניט, זינגט ניט, לאָמיר ניט זינגען

1st Person Plural	Plural/Singular Formal	Singular
לאָמיר ניט זינגען קיין לידער.	זינגט ניט קיין ליד.	זינג ניט קיין ליד.
לאָמיר ניט עסן די בולבעס.	עסט ניט די בולבעס.	עס ניט די בולבעס.
לאָמיר ניט זײַן קיין קינדער.	זײַט ניט קיין קינדער.	זײַ ניט קיין קינד.

II. Use of עס as a Subject

You may have noticed the use of the word עס in sentences like:

It is nice outside.	עס איז שיין אין דרויסן.
Yes, it is warm today.	יאָ, עס איז הײַנט וואַרעם.

Here the עס (it) is used much like "it" would be used in English. In these sentences there is no logical subject; that is to say, the עס does not refer back to any concrete or definable "it." The pronoun עס serves as the formal impersonal subject. If, however, the sentence begins with another sentence unit (other than an interjection), the עס disappears. Observe how the sentences above are transformed when this is done.

אין דרויסן איז שיין.
יאָ, הײַנט איז וואַרעם.

However, there is a logical subject in sentences like:

It is snowing.	1. עס גייט אַ שניי.
It is raining.	2. עס גייט אַ רעגן.
My back hurts.	3. עס טוט מיר וויי דער רוקן.
My eyes hurt.	4. עס טוען מיר וויי די אויגן.
Yes, the sun is shining.	5. יאָ,עס שײַנט די זון.
Is it snowing?	6. אַ שניי גייט?

The logical subjects are respectively, אַ שניי, אַ רעגן, דער רוקן, די אויגן, די זון. The logical subject is placed after the verb if עס takes its place before the verb as the formal subject. In this function עס is called *expletive* because it fills the place normally occupied by the subject.

There is no difference in meaning between עס שײַנט די זון and די זון שײַנט. They are merely alternative ways of saying the same thing. Here again, if the sentence does not begin with עס, it must disappear. עס is used only at the beginning of a sentence or clause.

1. אַ שניי גייט.
2. אַ רעגן גייט.
3. דער רוקן טוט מיר וויי.
4. די אויגן טוען מיר וויי.
5. יאָ, די זון שײַנט.

There will be more about עס as a subject in Lesson 10B.

III. Adverbs Formed from Adjectives

Many adverbs describing how something is done are formed from adjectives. The process is simple. The adverb is identical to the base form of the adjective.

Yosl walks quickly.	יאָסל גייט גיך.
The children sleep calmly.	די קינדער שלאָפֿן רויִק.
Mirl writes beautifully.	מירל שרײַבט שיין.
Khayim does not speak clearly.	חיים רעדט ניט קלאָר.

IV. More about the Present Tense

A. Modal Verbs

You now know just about everything there is to know about Yiddish verbs in the present tense. There are, however, a few exceptions to the rules you have learned.

The third person singular of modal (pertaining to mood or manner) verbs such as מוזן (must), דאַרפֿן, זאָלן (should), קענען and װעלן does not end in ט as you would expect. It is identical to the first person singular of the verb.

he/she/it/one wants	ער/זי/עס/מע וויל
he/she/it/one has to	ער/זי/עס/מע דאַרף
he/she/it/one should	ער/זי/עס/מע זאָל
he/she/it/one can	ער/זי/עס/מע קען
he/she/it/one must	ער/זי/עס/מע מוז

When these modal verbs are followed by an infinitive, you do not use צו before the infinitive. For example:

We want to walk in the fresh air. מיר ווילן שפּאַצירן אויף דער פֿרישער לופֿט.

For more about verbs plus infinitive see Lesson 10B.

B. Specific Endings

If the base of the verb (in most cases, this is also the first person singular) ends in **נק, נג, ן, ם**, or syllabic **ל**, the infinitive ends in **ען** as do the first person plural and third person plural.

Infinitive	*1st &3rd Pers. Pl. + Inf.*	*1st Pers. Sg.*
to live	מיר/זיי וווינען	איך וווין
to come	מיר/זיי קומען	איך קום
to sing	מיר/זיי זינגען	איך זינג
to drink	מיר/זיי טרינקען	איך טרינק
to smile	מיר/זיי שמייכלען	איך שמייכל

C. Irregular Infinitives

Although the infinitive is usually identical to the first and third person plural (which are always identical to each other), this is not the case for some verbs that have irregular infinitives. Some of the most common are:

to see	מיר זעען, זיי זעען	זען,
to go	מיר גייען, זיי גייען	גיין,
to want	איך וויל, דו ווילסט, ער/זי וויל, מיר ווילן, איר ווילט, זיי ווילן	*וועלן,
to be	איך בין, דו ביסט, ער/זי איז, מיר זײַנען, איר זײַט, זיי זײַנען	זײַן,
to give	איך גיב, דו גיסט, ער/זי גיט, מיר גיבן, איר גיט, זיי גיבן	*געבן,
to do	איך טו, דו טוסט, ער/זי טוט, מיר טוען, איר טוט, זיי טוען	*טאָן,
to know	איך ווייס, דו ווייסט, ער/זי ווייסט, מיר ווייסן, איר ווייסט, זיי ווייסן	*וויסן,

* Note the vowel change in the verbs **וועלן, געבן, טאָן** and **וויסן** which have been conjugated in full.

Learn the imperative of these verbs:

Imper. Pl.	*Imper. Sg.*	*Infinitive*	*Imper. Pl.*	*Imper. Sg.*	*Infinitive*
גיט	גיב	געבן	זעט	זע	זען
טוט	טו	טאָן	גייט	גיי	גיין
ווייסט	ווייס	וויסן	ווילט	וויל	וועלן
זײַט וויסן	זײַ וויסן		זײַט	זײַ	זײַן

(You should know, make note.)

אַ ליד: אַבי געזונט

מאַלי פּיקאָן

מוזיק: אַבֿרהם עלשטיין

1) אַ ביסל זון, אַ ביסל רעגן,
אַ רויִק אָרט דעם קאָפּ צו לייגן,
אַבי געזונט
קען מען גליקלעך זײַן.

2) אַ שוך, אַ זאָק,
אַ קלייד אָן לאַטעס,
אין קעשענע, אַ דרײַ-פּיר זלאָטעס,
אַבי געזונט
קען מען גליקלעך זײַן.

3) די לופֿט איז פֿרײַ
פֿאַר יעדן גלײַך,
די זון זי שײַנט פֿאַר יעדן איינעם
אָרעם אָדער רײַך,
רײַך, רײַך, רײַך.

4) אַ ביסל פֿרייד, אַ ביסל לאַכן,
אַ מאָל מיט פֿרײַנד אַ שנעפּסל מאַכן,
אַבי געזונט
קען מען גליקלעך זײַן.

The following verses may be beyond your level. You may stop here, or attempt to learn the whole song.

5) איינער זוכט עשירות,
איינער זוכט גבֿירות,
אײַנעמען די גאַנצע וועלט,
איינער מיינט דאָס גאַנצע גליק
הענגט נאָר אָפּ אין געלט.

6) זאָלן אַלע זוכן,
זאָלן אַלע קריכן,
נאָר איך טראַכט בײַ מיר,
איך דאַרף עס אויף כּפּרות
ווײַל דאָס גליק שטייט בײַ מײַן טיר.

7) אַ ביסל זון, אַ ביסל רעגן
אַ רויִק אָרט דעם קאָפּ צו לייגן,
אַבי געזונט
קען מען גליקלעך זײַן.

ייִדיש: דאָס זעקסטע קאַפּיטל

ייִדיש: דאָס זעקסטע קאַפּיטל

VOCABULARY

אַ	some, about, approximately
* **אַ ביסל**	a little, a bit
אײַנעמען	to conquer
איינעם	one, one person: *(masc. acc. & masc. & neut. dat. of* **איינער***)*
איינער	one, one person *(masc. pron.)*
אָן	without
אָפּהענגען	to depend on
דאָס/דער אָרט (ערטער)	space, spot
אָרעם	poor
* **דאָס ביסל(עך)**	bit
גאַנץ	whole, entire
דאָס גבֿירות *[gvires]*	wealth, riches
דאָס גליק(ן)	good fortune, good luck
* **גליקלעך**	happy, fortunate
דאָס געלט	money
הענגען אָפּ ← אָפּהענגען	
די זאָק(ן)	sock

זוכן	to look for, to seek
די טיר(ן)	door
יעדן:	each: *masc. acc. & masc. & neut. dat.* of יעדער
יעדער	each
די כּפּרה (כּפּרות)	*[kapore(s)]* a penitential offering representing scapegoat in pre-Yom Kippur atonement ceremony. May be fowl, fish, or money.
די לאַטע(ס)	patch
לייגן	to lay
נאָר	but, only
דאָס עשירות *[ashires]*	wealth, riches, fortune
פֿיר	four
פֿרײַ	free
די פֿרייד(ן)	joy, delight
די קעשענע(ס)	pocket
* קריכן	to crawl
רויִק	quiet, calm
דער שוך (שיך)	shoe
שטיין	to stand
דאָס שנעפּסל(עך):	a shot of liquor or whisky: *dim. of*
דער שנאַפּס(ן)	

Idioms and Expressions

(דאַרפֿן) אויף כּפּרות *[kapores]*	to have no use for
מאַכן אַ שנעפּסל	to take a drink

EXERCISES

I. Fill in the imperative form of the verb in parentheses:

1. די מאַמע זאָגט דודן, "(האַקן) ______ ניט קיין טשײַניק. (נעמען) _____ אַן עפּל און (גיין) _____ שלאָפֿן."
2. דער טאַטע זאָגט די קינדער, "(לערנען) _________ זיך גוט. (רעדן) ______ ייִדיש און (געדענקען) ______ דעם אַלף-בית."
3. "פֿרײַנד גיל, (זײַן)_______ אַזוי גוט, (ברענגען) _______ מיר אַן עפּעלע און אַ ניסעלע. (געבן) _____ מיר אויף אַ בייגל," זאָגט דאָס ייִנגל.
4. דער לערער און די סטודענטן זאָגן, "(וואַרטן) __________ און (הערן) ______ די נײַעס; (וויסן) _______ ווי עס איז אין דרויסן איידער מיר גייען. (נעמען) ______ אַלץ וואָס מיר דאַרפֿן."

II. Rewrite these sentences using עס:

1. די זון שײַנט.
2. אַ רעגן גייט.
3. אין דרויסן איז שיין.
4. אין דרויסן בלאָזט אַ ווינט.
5. דער לינקער אַקסל טוט מיר וויי.
6. די אויערן טוען מיר אויך וויי.
7. וואָלקנס זײַנען דאָ אין הימל.
8. קיין ווינט בלאָזט ניט.
9. הײַנט איז אַ קאַלטער טאָג אין פּאַריז.
10. אַ שניי גייט.
11. ערגעץ ווו איז וואַרעם אין דרויסן.

III. Rewrite this paragraph correcting all the mistakes. There are 14 mistakes.

דאָס קלוגער ייִנגל און קלוגע מיידל רעדטן וועגן וועטער. זיי ווילן אַ שיינער קלאָרער טאָג. איצט עס שײַנט די זון אָבער איצט עס איז קאַלט אין דרויסן. זיי זען גרויסער וואָלקנס אין הימל. אַ רעגן עס גייט. זיי האָבן ניט קיין ליב דער רעגן. זיי ווילן זעען אַ קלאָרער בלויער הימל.

IV. Fill in the correct form of the verb in parentheses:

1. זײַ מוחל, מיר (וועלן)_____ פֿרעגן אַ פֿראַגע.
2. זײַט מוחל, מע (דאַרפֿן) _____ גיין.
3. זיי (גיין) _____ אין דאָרף.
4. דער טאַטע (קענען)_____ זינגען און די מאַמע (קענען) ______ טאַנצן.
5. זי (וועלן) ___ עסן וואַרעמעס אָדער וועטשערע מיט זיי.
6. מע (דאַרפֿן) ______ אַ נײַעם שירעם.
7. זיי (זען) ______ די שיינע לערערין.
8. מע (מוזן) _____ האָבן אַ נײַעם טיש.
9. מײַנע קינדער (קענען) ______ ניט געדענקען דעם אַלף-בית.
10. די כעלעמער (זײַן) ________ ניט קלוג.
11. מיר (וועלן) _____ וויסן.
12. מיר (זען) _____ די שטוב.
13. ער (געבן) _____ זיי די געלע ביכער.
14. דו (געבן) _________ אים אַ פֿעדער.
15. זיי (געבן) _____ די קינדער געלט.

16. איר (זײַן) _____ קראַנק.
17. דאָס קינד (דאַרפֿן) _________ טראַכטן.
18. איך (טאָן) _____ וואָס איך דאַרף טאָן.
19. ווער (וויסן) _____ וואָס צו טאָן?
20. איר (וויסן) _____ ניט ווּ צו פֿאָרן.
21. דער קראַנקער מענטש (וועלן) _______ אַ רויִק אָרט דעם קאָפּ צו לייגן.

V. Translate into Yiddish:

1. Take the umbrella. It (he) is on the table.
2. I long for (after) my child.
3. Two men from Chelm are taking a walk.
4. There are no clouds in [the] sky.
5. Good-bye (Be well), Dr. Gold.
6. Good-bye, Reyzl.
7. There is a window in [the] door.
8. The sky is blue and clear.
9. Open the window and close the door.
10. I love the fresh air. A pleasure!
11. Please take the children to the doctor.
12. Wait for (on) the little girls.
13. I need a quiet place to lay my (the) head.

VI. Replace the dashes by the proper article and adjective endings:

1. מיר זעען ד _____ בלוי ______ הימל.
2. עס זײַנען דאָ גרויס___ וואָלקנס אין הימל.
3. מיר האָבן ליב ד ___ שיינ ___ זון.
4. דער אַנאָנסער האָט אַ הויכ ___ קול.
5. זיי ווילן אַ גוט___ רעגן.
6. די קינדער האָבן ניט ליב דאָס נאַריש___ ייִנגל.
7. מיר זעען ד___ נײַ___ שיינ___ שניי.
8. איך בענק נאָך ד___ זוניק___ טעג.
9. איר זוכט אַ רויִק___ אָרט.
10. ער האָט אַ גוט___ קאָפּ.
11. דער אָרעמ___ מענטש האָט אַ קליינ___ קעשענע מיט גרויס___ לעכער.
12. מיר הערן ד___ קלוג ____ חבֿר.

VII. Translate into Yiddish:

1. The student does not think clearly.
2. The teacher can sing high.
3. The rebbe must speak loudly (high).
4. The boy speaks Yiddish well.
5. I am waiting long (on) for my friend.
6. The girls sing low.
7. The rich brother writes beautifully.
8. We eat well.
9. You have to eat supper quickly.
10. I cannot walk straight.
11. The old person does not stand straight.
12. The child sleeps quietly.
13. The teacher speaks briefly (short).
14. The students do not learn well.

ORAL PRACTICE

VIII. Substitute the highlighted words with those in parentheses. Make any necessary changes. Be sure to match the numbers correctly.

1. — האָסטו אַ גרינעם[1] שירעם?
— ניין, איך האָב ניט קיין גרינעם[1] שירעם אָבער איך האָב אַ בלויען.[2]

א) (נײַ,[1] אַלט[2]) ב) (גרויס,[1] קליין[2])

2. — פֿאַרמאַך דעם קליינעם פֿענצטער.[1]
— אָבער דער פֿענצטער[1] איז שוין פֿאַרמאַכט.

א) (פֿענצטערל[1]) ב) (די טיר[1])

3. — עס איז דאָ אַ וואָלקן[1] אין הימל.
— יאָ, און עס בלאָזט אַ קאַלטער ווינט.[2]

אַ) (וואָלקנס,[1] ווינטן[2])

4. – זעסטו חײמען[1] אין דרויסן?
– יאָ, איך זע חײמען.[1] ער רעדט מיט דודן.[2] ער גייט שפּאַצירן מיט דודן[2] אויף דער פֿרישער לופֿט.

א) (בערל,[1] יאָסל קאָלאָמײ[2]) ב) (סענדער,[1] רחל[2])

IX. Complete the dialogue:

1. – ווי איז אין דרויסן הײַנט, חנה?
– ס'איז זייער אַ שיינער טאָג.
– אָבער איך זע ניט די זון.
– יאָ, אָבער.....

2. – האָסטו ליב אַז עס גייט אַ שניי?
– יאָ, איך האָב ליב אַז עס גייט אַ שניי.
– אָבער עס איז קאַלט אַז עס גייט אַ שניי.
– יאָ, אָבער איך האָב ליב אַז עס גייט אַ שניי.
ווײַל.......

3. – זײַ מיר מוחל, וואָס זאָגט דער ראַדיאָ-אַנאָנסער וועגן דעם וועטער הײַנט?
– ער זאָגט אַז .....

X. Weather Report:

Pretend you are a weather forecaster. Give the weather report for:

a) a winter day in Moscow.
b) a summer day in Jerusalem.
c) a fall day in New York.

XI. Conversation Topics:

1. You are a parent getting your child(ren) ready for school. Tell him/her (using the imperative form as much as possible) what s/he must do before leaving for school, what s/he must take, how to go to school, and how to behave in class.

2. You and your friend(s) are planning a wind-up activity for your club. The program you choose is very much contingent on the weather. You prefer an outdoor activity but are concerned that the weather may not co-operate. Discuss.

די לערערין שבֿע צוקער(לינקס) און די סטודענטקע אַניאַ שטערנשיס אויף אַ חנוכּה-שׂימחה פֿון דער פּראָגראַם פֿאַר ייִדישע לימודים בײַ דעם רוסישן מלוכה-אוניווערסיטעט פֿאַר הומאַניסטיק, מאָסקווע 1992

Yiddish teacher Sheva Zucker (left) and student Anya Shternshis at a Hanukkah party for the students of Project Judaica at Russian State Humanities University, Moscow 1992

UNIT 7

דאָס זיבעטע קאַפּיטל

די מעשׂה פֿון חנוכּה[1]

אַ מאָל האָבן ייִדן געוווינט אין זייער לאַנד ארץ-ישׂראל, אָבער אין דעם
לאַנד האָבן אַ צײַט געהערשט די גריכן. די גריכן האָבן געהאַט אַ שלעכטן
מלך וואָס האָט געהייסן אַנטיוכוס עפּיפֿאַנעס. ער האָט געוואָלט אַז אַלע
פֿעלקער אין זײַן אימפּעריע זאָלן ווערן גריכן און דינען גריכישע געטער.
5. אַלע פֿעלקער האָבן געטאָן ווי ער האָט געזאָגט אָבער ניט די ייִדן. זיי האָבן
געוואָלט לעבן אַזוי ווי זייערע אָבֿות האָבן געלעבט און געוואָלט היטן די
געזעצן פֿון דער תּורה און דינען דעם ייִדישן גאָט.
דער שלעכטער מלך איז געוואָרן אין כּעס און האָט געשיקט סאָלדאַטן
קיין ארץ-ישׂראל. די גריכן האָבן אַרײַנגעשטעלט אַ געץ אין בית-המיקדש און
10. געהייסן די ייִדן דינען גריכישע געטער.
האָבן ייִדן געמאַכט אַן אויפֿשטאַנד. אין שטעטל מודיעין האָט געוווינט אַ
ייִד וואָס האָט געהייסן מתּתיהו דער חשמונאָי. ער האָט געהאַט פֿינף שטאַרקע
העלדישע זין. זײַן זון יהודה איז געוואָרן דער פֿירער. מע האָט אים גערופֿן
יהודה המכּבי (דער האַמער) ווײַל ער האָט געשלאָגן די גריכן ווי אַ האַמער.
15. ער האָט געשאַפֿן אַ ייִדישע אַרמיי. עס איז געווען אַ קליינע אַרמיי אָבער אַ
העלדישע.

---

[1] If you get to this reading and it is nowhere near Hanukkah, you may want to move ahead and come back to it at a more appropriate time. Before you go on to the next lesson, make sure to cover the grammar on p. 111 – The Past Tense. You may also want to do the Review Exercises.

יהודה המכּבי און זײַן אַרמײ האָבן פֿאַרטריבן דעם מלכּס סאָלדאַטן פֿון ירושלים.

זיי האָבן אַרויסגעוואָרפֿן די געצן פֿון בית-המיקדש און ריין געמאַכט דעם בית-המיקדש אַזוי ווי פֿריִער. דערנאָך האָבן זיי געמאַכט אַ יום-טובֿ. דאָס איז דער יום-טובֿ חנוכּה. חנוכּה מיינט באַנײַונג.

אין בית-המיקדש איז געווען אַ מנורה. האָט מען געזוכט בוימל אָנצוצינדן די מנורה. מע האָט געפֿונען נאָר איין קריגעלע מיט ריינעם בוימל וואָס איז געווען גענוג אויף איין טאָג. אָבער עס האָט געטראָפֿן אַ נס. דער בוימל האָט געברענט אַכט טעג, דערפֿאַר איז חנוכּה אַ יום-טובֿ פֿון אַכט טעג.

מיר צינדן ליכט יעדע נאַכט. מען עסט לאַטקעס, מע שפּילט אין דריידל, קינדער קריגן חנוכּה-געלט, און מע ווינטשט זיך "אַ פֿריילעכן חנוכּה!"

פֿראַגעס

1. ווו האָבן ייִדן אַ מאָל געוווינט? 2. ווער האָט געהערשט אין ארץ-ישׂראל? 3. ווי האָט געהייסן דער שלעכטער מלך? 4. וואָס האָט אַנטיוכוס געוואָלט? 5. פֿאַר וואָס האָבן די ייִדן ניט געטאָן וואָס ער האָט געוואָלט? 6. וואָס האָט דער מלך געטאָן? 7. ווער האָט געוווינט אין מודיעין? 8. פֿאַר וואָס האָט מען גערופֿן יהודהן "יהודה המכּבי"? 9. וואָס האָבן יהודה און זײַן אַרמײ געטאָן? 10. וואָס מיינט "חנוכּה"? 11. פֿאַר וואָס איז חנוכּה אַ יום-טובֿ פֿון אַכט טעג?

VOCABULARY

די אָבֿות *[oves]*	ancestors, forefathers
אויף	for
דער אויפֿשטאַנד	rebellion, uprising
* אַזוי ווי	like, how
די אימפּעריע(ס)	empire
* אין כּעס *[ka(a)s]*	angry
דער כּעס *[ka(a)s]*	anger

אַ מאָל	formerly, once (upon a time)
אַנטיוכוס עפּיפֿאַנעס [Antiokhes Epifanes]	Antiochus Epiphanes
* אָנצינדן (אָנגעצונדן)	to light, to kindle
אַרויסגעוואָרפֿן	*past part. of* **אַרויסוואַרפֿן** to throw out
אַרײַנגעשטעלט	*past part. of* **אַרײַנשטעלן** to put in
די אַרמײ(ען)	army
(דאָס) ארץ-ישׂראל [Erets-Yisroel]	Land of Israel, Palestine
די באַנײַונג(ען)	renewal
* דער בוימל(ען)	oil (edible)
* דער/דאָס בית-המיקדש [beysamigdesh]	the Temple built by King Solomon
* דער גאָט (געטער)	god (gods)
* געברענט	*past part. of* **ברענען** to burn
* געהאַט	*past part. of* **האָבן** to have
געהערשט	*past part. of* **הערשן** to rule
* געוואָלט	*past part. of* **וועלן** to want
געוואָרפֿן אַרויס ← אַרויסגעוואָרפֿן	
געוווינט	*past part. of* **וווינען** to live, to dwell
* געווען	*past part. of* **זײַן** to be
* געזאָגט	*past part. of* **זאָגן** to say
געזוכט	*past part. of* **זוכן** to look for, to seek
דאָס געזעץ(ן)	law
* געטאָן	*past part. of* **טאָן** to do
געטראָפֿן	*past part. of* **טרעפֿן** to happen
* געמאַכט	*past part. of* **מאַכן** to make
גענוג	enough
דער געץ(ן)	idol
גערופֿן	*past part. of* **רופֿן** to call
געשאַפֿן	*past part. of* **שאַפֿן** to create, to raise (an army)
געשטעלט אַרײַן ← אַרײַנגעשטעלט	
* געשיקט	*past part. of* **שיקן** to send
געשלאָגן	*past part. of* **שלאָגן** to hit, to fight

דער גריך(ן)	Greek person
דינען (געדינט)	to worship, to serve
* דערנאָך	afterwards
דערפֿאַר	therefore
דאָס דריידל(עך)	*dreydl*, Hanukkah top
דער האַמער(ס)	hammer
היטן (געהיט)	to keep, to observe
העלדיש	heroic
ווינטשן (געווונטשן)	to wish (someone)
* ווערן (געוואָרן)	to become
* זאָלן (געזאָלט)	should
* דער זון (זין)	son
זײַן	his
זייערע	their (pl. possessions)
* דאָס חנוכה־געלט *[Khanike-gelt]*	Hanukkah money (gift)
* דער חשמונאָי(ם) *[Khashmenoyi(m)]*	a member of the Hasmonean family
* יהודה המכּבי *[Yuda Hamakabi]*	Judah the Maccabbee
* (דאָס) ירושלים *[Yerusholayim]*	Jerusalem
דער כּעס *[kas]*	anger
* די לאַטקע(ס)	potato pancake
* דאָס לאַנד (לענדער)	country, land
* דאָס ליכט (ליכט)	candle
* לעבן (געלעבט)	to live (exist)
(דאָס) מודיעין *[Modien]*	Modin
דער מלך(ים) *[meylekh-m(e)lokhim]*	king
* די מנורה (מנורות) *[menoyre(s)]*	the seven-branched lamp which stood in the Temple
* די מעשה (מעשיות) *[mayse(s)]*	story
* מתתיהו דער חשמונאָי *[Matesyohu der Khashmenoyi]*	Mattathias the Hasmonean

* דער נס(ים) [nes-nísim]	miracle
דער סאָלדאַט(ן)	soldier
* דאָס פֿאָלק (פֿעלקער)	folk, nation, people
פֿאַרטריבן	*past part. of* פֿאַרטרײַבן to drive out
* דער פֿירער(ס)	leader
פֿריִער	earlier, before, prior
* צינדן (געצונדן)	to light, to kindle
קיין	to *(prep.* before name of a place)
* קריגן (געקראָגן)	to get, to receive
דאָס קריגעלע(ך)	pitcher: *dim. of* דער קרוג(ן) pitcher
ריין	clean, pure
* שטאַרק	strong
* דאָס שטעטל(עך)	town
* שפּילן (געשפּילט)	to play
* די תּורה [tóyre]	Torah, the Jewish law; Pentateuch

Idioms and Expressions

ווערן אין כּעס [kas] to become angry * שפּילן אין דריידל to play *dreydl*

אַ ליד: חנוכּה, אוי חנוכּה

מ. ריוועסמאַן

מוזיק: סאָלאָמאָן גאָלוב

1) אוי חנוכּה, אוי חנוכּה,
אַ יום־טובֿ אַ שיינער,
אַ לוסטיקער, אַ פֿריילעכער,
ניטאָ נאָך אַזוינער.

2) אַלע נאַכט אין דריידל
שפּילן מיר,
פֿרישע הייסע לאַטקעס
עסן מיר.

3) געשווינדער, צינדט קינדער,
די חנוכּה־ליכטעלעך אָן,
לאָמיר אַלע אין איינעם
צום יום־טובֿ דעם שיינעם
זינגען און טאַנצן אין קאָן.
(2)

Vocabulary

אַזוינער	such *(pron.)*	לוסטיק	merry
אין איינעם	in one, together	* די נאַכט (נעכט)	night
געשווינד(ער)	quick(er)	* פֿריילעך	happy, gay
* הייס	hot	דער קאָן (קען/קענער)	round dance

יום-טובֿדיקע טעג: לידערבוך פֿאַר די ייִדישע יום-טובֿים, מלכּה גאָטליב און חנה מלאָטעק, אַרבעטער-רינג, 1985.

Songbook for the Jewish Holidays, Malke Gottlieb and Eleanor Gordon Mlotek, New York: Workmen's Circle, 1985.

Supplementary Song

ברוך אַתּה, זינגט דער טאַטע

אַבֿרהם רייזען

מוזיק: סאָלאָמאָן גאָלוב

1) ברוך אַתּה, זינגט דער טאַטע
און ער צינדט די ליכט.
און די שטראַלן, מילדע פֿאַלן
אויף זײַן בלאַס געזיכט.

2) און אַ פֿײַער, הייליק, טײַער
אין די אויגן לײַכט.
און דער מידער מיט די גלידער
האָט זיך אויסגעגלײַכט.

3) און עס דאַכט זיך און עס טראַכט זיך:
ס'איז נאָך עפּעס דאָ.
ס'איז פֿאַרבליבן וואָס צו ליבן
הייליק איז די שעה.

4) אַלטע קלאַנגען, לאַנג פֿאַרגאַנגען,
ניין, ס'קלינגט נאָך אַצינד.
זינג זשע, טאַטע, ברוך אַתּה,
און איך בלײַב דײַן קינד.

VOCABULARY

- אויסגלײַכן (אויסגעגלײַכט) — to straighten out
- אַצינד — now
- בלאַס — pale
- בלײַבן (איז געבליבן) — to stay, to remain
- ברוך אַתּה *[borekh ate]* — Blessed are you *(Heb.)* (first words of blessing)
- דאָס גליד(ער) — limb
- דאָס געזיכט(ער) — face
- דאַכטן זיך (זיך געדאַכט) — to seem (to)
- הייליק — holy
- ליבן (געליבט) — to love
- לײַכטן (געלויכטן/געלײַכט) — to shine, to give light
- דער מידער (מידע) — weary/tired person
- מילד — mild(ly), gentle (gently)
- נאָך — yet, still
- ס'קלינגט = עס קלינגט ← קלינגען
- עפּעס — something
- פֿאַלן (איז געפֿאַלן) — to fall
- פֿאַרגיין (איז פֿאַרגאַנגען) — to pass away; to disappear
- דער קלאַנג(ען) — sound
- קלינגען (געקלונגען) — to ring, to sound
- דער שטראַל(ן) — ray, beam
- די שעה(ען) *[sho(en)]* — hour

Idioms and Expressions

it seems — עס דאַכט זיך

יום-טובֿדיקע טעג: לידערבוך פֿאַר די יִידישע יום-טובֿים, מלכּה גאָטליב און חנה מלאָטעק, אַרבעטער-רינג, 1985.

GRAMMAR

The Past Tense

The past tense in Yiddish is quite simple. In English, we can express the past in a number of ways. For example: I sang, I did sing, I was singing, I have sung. In Yiddish, these are all rendered one way: איך האָב געזונגען.

To form the past tense, you need an auxiliary or helping verb, which, in most cases, is the verb "to have" האָבן. (Some verbs are conjugated with the verb זײַן (to be) and will be discussed in Lesson 9A.) This helping verb is conjugated.

You then add the past participle to the conjugated helping verb. The past participle is sometimes derived from the base of the verb. The prefix גע and the suffix ט are added to the base. It may be easier to think of this, in most cases, as prefixing גע to the third person singular present tense. With these verbs, figuring out the participle is simple, as in:

לאַכן	געלאַכט
מאַכן	געמאַכט

Other times changes occur in the base as in:

זינגען	געזונגען
שרײַבן	געשריבן

All participles end in ט or in ן. It is impossible to tell for certain what the participle will be by looking at the verb.

Past Tense Conjugation

זינגען

איך האָב	געזונגען	מיר האָבן	געזונגען
דו האָסט	געזונגען	איר האָט	געזונגען
ער האָט	געזונגען	זיי האָבן	געזונגען
זי האָט	געזונגען		

Negative Past Tense Conjugation

איך האָב ניט געזונגען קיין ליד.
דו האָסט ניט געזונגען דאָס ליד.
ער האָט ניט געזונגען קיין לידער.
זי האָט ניט געזונגען די לידער.

מיר האָבן ניט געזונגען קיין ליד.
איר האָט ניט געזונגען דאָס ליד.
זיי האָבן ניט געזונגען קיין לידער.
די לידער.

Here are the past participles of some verbs you know. The following are completely predictable - they end in ט and there is no vowel change.

אַרבעטן	געאַרבעט	to work	טראַכטן	געטראַכט	to think
ברענגען	געברענגט, געבראַכט	to bring	לאַכן	געלאַכט	to laugh
ברענען	געברענט	to burn	לייענען	געלייענט	to read
דאַרפֿן	געדאַרפֿט, געדאַרפֿן	to need	מאַכן	געמאַכט	to make
הערן	געהערט	to hear	מיינען	געמיינט	to mean, to think
וווינען	געוווינט	to live	פֿרעגן	געפֿרעגט	to ask
זאָגן	געזאָגט	to say	קענען	געקענט	to know, can
זאָלן	געזאָלט	should	רעדן	גערעדט	to talk
טאַנצן	געטאַנצט	to dance	שמעקן	געשמעקט	to smell

The following past participles are less predictable:

געבן	געגעבן	to give	זען	געזען	to see
האָבן	געהאַט	to have	טאָן	געטאָן	to do
הייסן	געהייסן	to be called, to order	נעמען	גענומען	to take
וויסן	געוווּסט	to know	עסן	געגעסן	to eat
ווערן	געוואָלט	to want	צינדן	געצונדן	to light
זינגען	געזונגען	to sing	שרײַבן	געשריבן	to write

Sample Sentences:

Jews lived in their country, the Land of Israel.	1. ייִדן האָבן געוווינט אין זייער לאַנד ארץ-ישׂראל.
They wanted to live as their ancestors had lived.	2. זיי האָבן געוואָלט לעבן ווי זייערע אָבֿות האָבן געלעבט.
You didn't eat any potato pancakes.	3. איר האָט ניט געגעסן קיין לאַטקעס.
Why did you take the pitcher of oil?	4. פֿאַר וואָס האָסטו גענומען דאָס קריגעלע בויאל?
I saw the river in the town.	5. אין שטעטל האָב איך געזען דעם טײַך.
Father did not give [us] any Hanukkah money.	6. קיין חנוכּה-געלט האָט דער טאַטע ניט געגעבן.
When did you play dreydl?	7. ווען האָסטו געשפּילט אין דריידל?
Who was singing Hanukkah songs?	8. ווער האָט געזונגען חנוכּה-לידער?

Supplementary Reading

פֿון: חנוכּה-געלט

לויט שלום-עליכמען

נו! קינדער, וואָסער יום-טובֿ איז דער בעסטער פֿון אַלע יום-טובֿים? חנוכּה!

אַכט טעג ניט גיין אין חדר, עסן לאַטקעס, שפּילן אין דריידל און קריגן פֿון אַלע זײַטן חנוכּה-געלט. נו, דאַרף מען אַ בעסערן יום-טובֿ?

5 ווינטער. אין דרויסן איז קאַלט. דער פֿראָסט ברענט. די פֿענצטער זײַנען

באַדעקט מיט שניי, און אין שטוב איז וואַרעם. דאָס זילבערנע חנוכּה-לעמפּל
איז גרייט. דער טאַטע גייט אום איבער דער שטוב און דאַוונט מעריבֿ. ער
ענדיקט דאַוונען, נעמט אַ ליכטל (דעם שמש) און זאָגט צו אונדז, צו מיר
און מײַן ייִנגערן ברודער מאָטל, "רופֿט אַרײַן די מאַמע צו הערן בענטשן
10. חנוכּה-ליכטלעך."

איך און מײַן ברודער מאָטל לויפֿן, "מאַמע! גיכער, חנוכּה-ליכטלעך!"
די מאַמע לויפֿט אַרײַן און נאָך איר – ברײַנגע די קעכין.
דער טאַטע גייט צו צו דעם חנוכּה-לעמפּל מיט דעם שמש און מאַכט די ברכות.

15. די מאַמע ענטפֿערט "אָמן" און ברײַנגע שאָקלט מיטן קאָפּ. זי מאַכט אַזאַ פּנים אַז איך און מײַן ברודער מיינען אַז מיר וועלן לאַכן.

"הנרות הללו," זינגט דער טאַטע און גייט אַרום איבער דער שטוב, קוקט אויפֿן חנוכּה-לעמפּל, זאָגט און זאָגט.... מיר ווילן ער זאָל שוין גיין צו דער קעשענע.

20. "מאָטל," זאָג איך, "גיי צו, זאָג אים חנוכּה-געלט."
"וואָס עפּעס איך זאָל זאָגן חנוכּה-געלט?"
"אַזוי, ווײַל דו ביסט ייִנגער, דאַרפֿסטו בעטן חנוכּה-געלט."
"אפֿשר פֿאַרקערט, דו ביסט עלטער, דאַרפֿסטו בעטן חנוכּה-געלט."

VOCABULARY

אומגיין (איז אומגעגאַנגען)	to walk around
אונדז	us
אַזוי	because; so
איבער	over
איר	her *(dat.)*
אַרומגיין (איז אַרומגעגאַנגען)	to walk around
אַרײַנלויפֿן (איז אַרײַנגעלאָפֿן)	to run in
אַרײַנרופֿן (אַרײַנגערופֿן)	to call in
באַדעקט	covered *(adj.)*

בענטשן (געבענטשט)	to bless	לויפֿן (איז געלאָפֿן)	to run
בעסט	best	לויפֿן אַרײַן ← אַרײַנלויפֿן	
בעסער	better	דער מעריבֿ *[mayrev]*	*Maariv*, Jewish evening prayer
די ברכה (ברכות) *[brokhe(s)]*	blessing	עלטער	older
גיין אום ← אומגיין		ענדיקן (געענדיקט)	to finish
גיין אַרום ← אַרומגיין		פֿאַרקערט	on the contrary
גיין צו ← צוגיין		דער פֿראָסט (פֿרעסט)	freezing weather
גיכער	quicker	צוגיין (איז צוגעגאַנגען)	to go up to, to approach
גרייט	ready	קוקן (געקוקט)	to look
הנרות הללו *[haneyros halolu]*	These lights, first words of Hanukkah liturgy recited just after lighting the candles	די קעכין(ס)	cook
דערווינטער(ן)	winter	רופֿן אַרײַן ← אַרײַנרופֿן	
די זײַט(ן)	side	שאָקלען (געשאָקלט)	to shake, to sway
זילבערן	silver *(adj.)*	דער שמש(ים) *[shames-shamosim]*	candle used to light the candles but not counted as one of the eight candles
דער חדר(ים) *[kheyder-khedorim]*	traditional Hebrew school for boys		
דאָס חנוכּה-לעמפּל(עך) *[khanike]*	Hanukkah lamp for lighting candles or oil wicks.		
ייִנגער	younger		
לויט	according to		

Idioms And Expressions

וואָס עפּעס?	Why in the world?	מאַכן אַ פּנים *[ponem]*	to make a face

EXERCISES

I. Rewrite these sentences in the past tense:

1. ייִדן וווינען אין זייער לאַנד.
2. אין דעם לאַנד הערשן די גריכן.
3. די גריכן האָבן אַ שלעכטן מלך.
4. דער מלך הייסט אַנטיוכוס.
5. די פֿעלקער טוען ווי דער מלך זאָגט.
6. ער שיקט סאָלדאַטן קיין ישראל.
7. די ייִדן מאַכן אַן אויפֿשטאַנד.
8. מען מאַכט אַ ייִדישע אַרמיי.
9. איר צינדט חנוכּה-ליכט יעדע נאַכט.
10. דו עסט לאַטקעס.
11. איך שפּיל אין דריידל.
12. איר מאַכט אַ יום-טובֿ.
13. מיר קריגן חנוכּה-געלט.
14. מע רופֿט איך יהודה המכבי.
15. איך וויל לעבן ווי מײַנע אָבֿות האָבן געלעבט.

II. Conjugate in the past:

וווינען, מאַכן, ניט קריגן, ניט וועלן

REVIEW

I. Make the following sentences negative:

1. עס איז קאַלט אין דרויסן.
2. די זון שײַנט.
3. עס בלאָזט אַ ווינט.
4. די לערערין איז פֿאַרקילט.
5. עס טוט מיר וויי דער האַלדז.
6. חיים איז מײַן פֿרײַנד.
7. איר האָט אײַערע (your) פֿרײַנד.
8. איך האָב אַ פֿראַגע פֿאַר אײַך(you).
9. איר האָט פֿראַגעס פֿאַר מיר.
10. זי איז אַ געזונטער מענטש.
11. די ייִדן ווילן דעם מלך.
12. זי הייסט זעלדע גאָלד.
13. די סטודענטן נעמען די ביכער.
14. שמעון האָט ברייטע אַקסל.
15. מיר דאַרפֿן די נײַע העפֿטן.

II. Fill in the blanks using the correct adjective and article endings:

1. ד___ גוט___ בוך ליגט אויפֿן טיש. 2. עס טוט מיר וויי ד______ רעכט___ פֿוס. 3. ד___ שיינ_____מאַמע האָט שלעכט____ אויגן. 4. איך זע ד___ גרויס___ גרוי___ וואָלקן אין הימל 5. מיר עסן די

גוט ___ וועטשערע אין ד___ היים. 6. ד___ ערשט____ כעלעמער זאָגט, "פֿאַרמאַך ד___ קליינ___ פֿענצטער." 7. דער לערער האָט אַ ני______ שײַנ___ קלייד. 8. ד___ קליינ____ קינדער האָבן ליב דעם שיינ____ ווײַס___ שניי. 9. מירל האָט ברייט___ אַקסלען און אַ גלײַכ____ רוקן.

10. ד ____ ייִדן ווילן ניט ד___ שלעכט____ מלך. 11. איר זײַנען אַ קליינ___ פֿאָלק אָבער אַ שטאַרק____ פֿאָלק. 12. ד____ קלוג ____ סטודענטן קענען ד___ נײַ___ לערערין. 13. דאָס קינד וויל ד___ רויט____ עפּעלע. 14. ד____אַלט____ מתתיהו האָט פֿינף שטאַרק____ העלדיש___זין. 15. איך וויל אַ נײַ____ בלוי____ ביכל.

III. Put the highlighted words in the plural and make all necessary corresponding changes. Rewrite the whole sentence:

1. איך זינג אַ שיין ליד. 2. די באָבע עסט אַ בולבע. 3. דער לערער האָט אַן אָרט. 4. עס טוט מיר וויי די האַנט. 5. דער סטודענט וויל אַ נײַע העפֿט און פּעדער. 6. דאָס קינד דאַרף אַ נײַ בוך. 7. איך **האָב** אַ גוטן זון. 8. עס איז דאָ אַ גרויסער וואָלקן אין הימל. 9. דאָס הויז איז שיין. 10. דער טאָג איז לאַנג. 11. דער לערער האָט אַ שלעכטן תּלמיד און אַ שלעכטע תּלמידה.

IV. Fill in the blanks with the correct form of the verb in parentheses:

1. (האָבן) דו _____ נײַע ביכער. 2. (זינגען) מיר _____ ייִדישע לידער. 3. (טראַכטן) ער ____ וועגן (about) וועטשערע. 4. (זײַן) איך ______ געזונט, אַ דאַנק. 5. (האָבן) ער ____ ברייטע אַקסלען. 6. (זײַן) ווו ________ דאָס געסעלע, ווו _____ די שטוב? 7. (קענען) ער _____ ניט דודן. 8. (געבן) מיר _____ דעם לערער אַ נײַע פּעדער. 9. (טאָן) עס _____ מיר וויי דער קאָפּ. 10. (טאָן) די אויגן _____ מיר וויי. 11. (דאַרפֿן) זי ______ עסן וואַרעמעס. 12. (הייסן) ווי ______ דו? דו ______ פּערל. (זײַן) דאָס ____ זייער אַ שיינער נאָמען. 13. (וועלן) איר ______ חנוכּה-געלט? נו, וואָדען? 14. (לערנען) איך ____ זיך ייִדיש. 15. (זײַן) עס _____ ניטאָ קיין וואָלקנס אין הימל. 16. (וווינען) איך _____ אויף דער גאַס. 17. (וועלן) דאָס קינד _____ צינדן דאָס ליכט. 18. (פֿאַרמאַכן) איר _____ דעם פֿענצטער. 19. (זען) מיר ____ חיימען דאָנערשטיק. 20. (גיין) זיי _____ אין שול.

V. Complete the proverb:

1. אַ מענטש טראַכט	גנבֿעט נאַר ביכער.
2. אַ וועלט מיט	קיין טשײַניק.
3. אין איין אויער אַרײַן	אויף אָרעם און רײַך.
4. האַק מיר ניט	און גאָט לאַכט.
5. פֿון דײַן מויל	פֿרעג דעם קראַנקן.
6. זאָג מיר ווער דײַן חבֿר איז	וועל איך וויסן ווער דו ביסט.
7. אַ ייִדישער גנבֿ	פֿון דעם צווייטן אַרויס.
8. פֿרעג ניט דעם דאָקטער	אין גאָטס אויערן.
9. די זון שײַנט גלײַך	וועלטלעך.
10. ווענט האָבן אויערן	און גאַסן האָבן אויגן.

VI. Rewrite these sentences in the past tense. You may have to look up some of the participles in the dictionary or glossary.

1. די לערערין האָט אַ נײַ בוך. 2. די ייִדן זוכן בוימל. 3. דער שלעכטער מלך שיקט סאָלדאַטן קיין ארץ-ישׂראל. 4. איך לערן די קינדער דאָס ליד. 5. אַ פֿײַערל ברענט אויפֿן פּריפּעטשיק. 6. די קינדער זאָגן, "קמץ-אַלף-אָ." 7. דער פֿוס טוט איר וויי. 8. דו זעסט דעם דאָקטער. 9. אַ מענטש טראַכט און גאָט לאַכט. 10. מיר וווינען אין דעם הויז. 11. איך הייס סערל גאָלד. 12. איר עסט לאַטקעס. 13. די ייִדן מאַכן אַן אויפֿשטאַנד. 14. זיי עפֿענען דעם פֿענצטער. 15. איר זינגט שיינע לידער. 16. איך קען וועלוולען. בערלען קען איך ניט. 17. דער טאַטע ברענגט אַן עפּעלע. 18. מיר ווילן אַרבעטן. 19. דו האַקסט אַ טשײַניק. 20. איך שרײַב אַ בוך. 21. מיר האָבן אַ גרוס פֿאַר אײַך.

VII. Make up five questions based on each of the paragraphs below. Use at least four interrogative words each time. Answer the questions:

1. צירל און מירל גייען אין גאַס. עס איז הײַנט אַ יום-טובֿ. עס איז חנוכּה. עס איז קאַלט אין דרויסן אָבער די זון שײַנט. עס בלאָזט ניט קיין ווינט און עס גייט ניט קיין שניי. די מיידלעך גייען צו דער באָבען. דאָרטן קריגן זיי גוטע הייסע לאַטקעס און חנוכּה-געלט. זיי לאַכן און זײַנען פֿריילעך. זיי האָבן ליב דעם יום-טובֿ.

2. חיים ווייל אַ בריוו-חבֿר (pen-pal). ער שרײַבט אין צײַטונג (newspaper), "איך הייס חיים לעדערמאַן. איך וווין אין ניו-יאָרק. איך האָב איין ברודער. ער הייסט אַרעלע. איך האָב בלויע אויגן און שוואַרצע האָר. איך האָב ליב צו לייענען, צו זינגען, און צו עסן. איך לערן זיך יידיש און וויל שרײַבן יידישע בריוו (letters). ווילט איר מיר שרײַבן?"

VIII. Translate into Yiddish:

1. The bad king was called Antiochus. He ruled over the Jews.
2. The king wanted the Jews to become (should become) Greeks.
3. There was no menorah in the Holy Temple. They (One) had [to] search [for] oil.
4. The Jews wanted [to] live in their country.
5. The king was angry (in anger). He sent soldiers to (in) Israel.
6. The heroic soldiers wanted [to] see Yehuda the Maccabee.
7. Yehuda said (to) the Jews, "Let's raise a Jewish army. The soldiers must be strong. They can fight bravely."
8. Hanukkah one lights candles, eats latkes, and plays (in) *dreydl*.
9. There is a story about a little pitcher of oil. They say it burned [for] eight days. Really?
10. When it is cold outside we want to eat hot latkes.

ORAL PRACTICE

IX. Reform these sentences putting the highlighted words first:

1. זיי האָבן דערנאָך געמאַכט אַ יום-טובֿ. 2. עס האָט געטראָפֿן אַ נס. 3. דער בוימל האָט געברענט אַכט טעג. 4. עס זײַנען ניטאָ קיין וואָלקנס אין הימל. 5. די גריכן האָבן געהאַסט אַ שלעכטן מלך. 6. עס איז דאָ שניי אין דרויסן. 7. אַ ייִד האָט געוווינט אין שטעטל מודיעין. 8. איך טראָג ניט דאָס קרינגעלע. 9. דו האָסט אויך געביטן (change) דײַן נאָמען. 10. ער לייענט ניט גוט.

X. Conversation Topics:

1. You meet someone who knows nothing about Hanukkah. Have a conversation with him/her about why Jews celebrate this holiday. Explain some of the customs connected with it.

2. You and your friend(s) are on the cultural committee of your organization. You are trying to choose a speaker or entertainer for an upcoming event. Discuss the virtues and faults of the suggested people using as many adverbs as possible.

3. You have left your child(ren) with a Yiddish speaking babysitter. When you come home the two of you discuss what your child(ren) did all day long.

די משפחה נעכאַמקין-ראָזענבערג, דעטרויט, מישיגאַן, 1920

The Nichamin-Rosenberg family, Detroit, Michigan, 1920

UNIT 8

דאָס אַכטע קאַפּיטל

לעקציע אַכט א' LESSON 8A

משפּחה

1. לייבל: האָסטו אַ גרויסע משפּחה?
2. מאַשע: יאָ, מיר האָבן, קיין עין-הרע, זייער אַ גרויסע משפּחה. אונדזער
3. משפּחה וווינט ניט נאָר אין אַמעריקע, נאָר אומעטום.
4. לייבל: האָסטו אַ באָבע און אַ זיידן?[1]
5. מאַשע: איך האָב פֿון דער מאַמעס זײַט, ברוך-השם, אַ זיידן און אַ באָבע.
6. זיידע-באָבע פֿון דעם טאַטנס צד זײַנען, צום באַדויערן, געשטאָרבן.
7. לייבל: צי האָט דײַן זיידע געהאַט ברידער און שוועסטער?
8. מאַשע: קיין שוועסטער האָט ער ניט געהאַט אָבער ער האָט געהאַט צוויי
9. ברידער. דער עלטערער האָט געוווינט אין רוסלאַנד, איך האָב אַ סך
10. שוועסטערקינדער אין רוסלאַנד. דער ייִנגערער ברודער האָט
11. געוווינט אין אַ שטעטל לעבן ניו-יאָרק.
12. לייבל: דו האָסט מומעס אויך?
13. מאַשע: יאָ, איך האָב עטלעכע מומעס פֿון דעם טאַטנס צד. איין מומע, די
14. מומע כאַסיע, איז זייער אַ קלוגע און די אַנדערע צוויי זײַנען
15. זייער רײַך. די ערשטע, די קלוגע, וווינט אין פּאַריז.
16. לייבל: אויב זי איז אַזוי קלוג, פֿאַר וואָס איז זי ניט רײַך?
17. מאַשע: ווײַל זי האָט ניט געוואָלט. זי איז אַ סאָציאַליסטקע. איינע פֿון די
18. אַנדערע מומעס וווינט אין ישׂראל און די אַנדערע אין דרום-אַפֿריקע.
19. לייבל: אײַער משפּחה איז אַן אמתע ייִדישע משפּחה וואָס וווינט טאַקע
20. אומעטום. די מומעס זײַנען חתונה-געהאַטע?

---

[1] זיידע and טאַטע are among the few masculine nouns that are declined in the accusative and the dative. See Lesson 11A for a detailed explanation.

21. מאַשע: איין מומע איז ניט קיין חתונה־געהאַטע אָבער די אַנדערע צוויי,
22. יאָ. איך קען ניט דעם פֿעטער אין דרום־אַפֿריקע. דעם פֿעטער
23. אין פּאַריז, דער מומע כאַסיעס מאַן, קען איך יאָ. איר מאַן איז
24. דער מאַמעס אַ שוועסטערקינד. און איך אַליין בין אויך אַ מומע.
25. לייבל: טאַקע?
26. מאַשע: יאָ, מײַן ברודער האָט צוויי זין און אַ טאָכטער, האָב איך, הייסט
27. עס, צוויי פּלימעניקעס און אַ פּלימעניצע. און דו?
28. לייבל: איך האָב אויך אַ פּלימעניק אָבער ניט קיין פּלימעניצע. איך
29. האָב, קיין עין־הרע, אַ ווײַב און צוויי קלוגע שיינע טעכטער.
30. דעם ווײַבס עלטערן, דאָס הייסט, שווער־און־שוויגער, לעבן
31. נאָך און וווינען לעבן אונדז.
32. מאַשע: ביסטו אַ גוטער איידעם?
33. לייבל: נו, וואָדען? שווער־און־שוויגער זאָגן אַז איך בין ניט קיין איידעם
34. נאָר אַ גן־איידעם!

Here are four more family members you may want to know:

דער/דאָס אייניקל(עך)	grandchild; grandson or granddaughter
די מחותּנתטע(ס) *[mekhuteneste(s)]*	mother of son-/daughter-in-law; relation by marriage *fem.*
דער שוואָגער(ס)	brother-in-law
די שוועגערין(ס)	sister-in-law

שפּריכווערטער

1. מע זאָגט דער טאָכטער, מע מיינט די שנור. — To tell something to someone when it is really meant for someone else. (*Lit.* "You tell your daughter, you mean your daughter-in-law.")

2. איינס מיטן דריטן איז ניט קיין מחותּן.[2] — To bear no relationship. (*Lit.* "One person is no in-law to the third person.")

3. קליינע קינדער, קליינע צרות, גרויסע קינדער, גרויסע צרות. — Little children, little problems, big children, big problems.

[2] In some dialects מחותּן is pronounced *"mekhitn"* and the proverb rhymes.

VOCABULARY

אַ סך [sakh]	many, a lot
אומעטום	everywhere
* אונדזער	our
* דער איידעם(ס)	son-in-law
* איינס, איינע	forms of the number one
* אײַער	your (sg. form. & pl.) (sg. possession)
* איר	her (poss. adj.)
* אַליין	alone, oneself, myself, yourself, himself, herself, ourselves, etc.
* (די) אַמעריקע	America
אמת [emes]	true, real
* אַנדערע	other (fem.), others
(דאָס/די) אַפֿריקע	Africa
* דער ברודער (ברידער)	brother
* ברוך-השם [borkhashem]	Thank God, Blessed be the Name
דער גן-איידעם [ganeydem]	iron. term for son-in-law; pun on the word גן-עדן (paradise) and איידעם (son-in-law)
* (דאָס/די) דרום-אַפֿריקע [Dorem]	South Africa
* דריט	third
* דאָס ווײַב(ער)	wife
* וועגן	about
* זיידע-באָבע	grandparents (pl.)
די זײַט(ן)	side
* זייערע	their (thing owned is pl.)
חתונה-געהאַט [khasene]	married (adj.)
חתונה האָבן (ח' געהאַט)	to get married, to marry
* די טאָכטער (טעכטער)	daughter
* ייִנגער	younger
לעבן	near, beside, by
* דער מאַן(ען)/מענער	husband
* די מומע(ס)	aunt
* דער מחותּן(ים) [mekhutn-mekhutonim]	father of son/daughter-in-law; in pl. relative by marriage
* די משפּחה (משפּחות [mishpokhe(s)]	family
נאָר	but
* די סאָציאַליסטקע(ס)	socialist (fem.)
* עטלעכע	several
* עלטער	older
די עלטערן	parents
* די פּלימעניצע(ס)	niece
* דער פּלימעניק(עס)	nephew
* דער פֿעטער(ס)	uncle
דער צד (צדדים) [tsad-tsdodim]	side (of a family)
* די צרה (צרות) [tsore(s)]	problem, trouble
* (דאָס) רוסלאַנד	Russia
* רײַך	rich
* די שוויגער(ס)	mother-in-law
* די שוועסטער (שוועסטער)	sister
* דאָס שוועסטערקינד(ער)	cousin
* דער שווער(ן)	father-in-law
* שווער-און-שוויגער	parents-in-law, mother-in-law and father-in-law
* די שנור(ן/שניר)	daughter-in-law

Idioms and Expressions

that is, that means	הייסט עס/דאָס הייסט
unfortunately	* צום באַדויערן
No evil eye (used like "knock wood" to fight off evil when mentioning stg. positive)	*[kin ayn-(h)ore]* * קיין עין-הרע

GRAMMAR

I. Possessive Adjectives

Possessive adjectives modifying a singular noun are not declined. The adjective remains the same whether the noun modified is masculine, feminine, or neuter, and whether the possessor is masculine or feminine. These forms apply only when the possessive adjective precedes the noun.

our book	אונדזער בוך	my book	מײַן בוך
your book	אײַער בוך	your book	דײַן בוך
their book	זייער בוך	his book	זײַן בוך
		her book	איר בוך

When the thing or person possessed is plural, add an ע to the possessive adjective. Again, the adjective remains the same whether the objects owned are masculine, feminine, or neuter, and whether the possessor is masculine or feminine.

our books	אונדזערע ביכער	my books	מײַנע ביכער
your books	אײַערע ביכער	your books	דײַנע ביכער
their books	זייערע ביכער	his books	זײַנע ביכער
		her books	אירע ביכער

Sometimes the singular and plural forms of the noun are identical as in:

the finger, the fingers	דער פֿינגער, די פֿינגער
the sister, the sisters	די שוועסטער, די שוועסטער

The possessive adjective, when used, indicates clearly whether the noun is singular or plural.

my finger, my fingers	מײַן פֿינגער, מײַנע פֿינגער
my sister, my sisters	מײַן שוועסטער, מײַנע שוועסטער

This form is, however, not used that often with parts of the body and family members. (See Unit 4, V., p. 59). It is preferable to use the definite article: דער פֿינגער, די פֿינגער ,די שוועסטער ,די שוועסטער.

My fingers hurt.	עס טוען מיר וויי די פֿינגער.
I have a brother and two sisters.	איך האָב אַ ברודער און צוויי שוועסטער.
My sisters live in Israel.	די שוועסטער וווינען אין ישׂראל.
My brother lives in England.	דער ברודער וווינט אין ענגלאַנד.

When the possessive adjective modifies a neuter noun, any other adjectives remain in the base form. מײַן גוט קינד, מײַן רײַך שוועסטערקינד

II. One of Someone's

You may have noticed the construction דער מאַמעס אַ שוועסטערקינד in line 24 of the Conversation. This means "one of mother's cousins," or "a cousin of mother." This construction implies that the possessor, i.e., די מאַמע, has more than one of the thing or person possessed, e.g., שוועסטערקינד. If you say דער מאַמעס שוועסטערקינד (mother's cousin), it is not clear whether she has just this one cousin or more than one. The pattern is:

	Thing or Person Possessed	Indefinite Article	Possessor
	שוועסטערקינד	אַ	דער מאַמעס
She is one of Leah's nieces/a niece of Leah.	פּלימעניצע.	אַ	זי איז לאהס
He is one of Mr. Gold's students/a student of Mr. Gold.	תּלמיד.	אַ	ער איז לערער[3] גאָלדס
My cousin is one of Berl's friends/a friend of Berl.	חבֿר.	אַ	מײַן שוועסטערקינד איז בערלס

It is דער מאַמעס and not די מאַמעס because the possessor is in the dative case which you will learn in Lesson 9 B, p. 167. For now, learn to recognize the form. With names, the possessive is simply formed as it is in English: Name & ס (no apostrophe in most cases).

---

[3] In the non-Orthodox Yiddish world, teachers are often called לערערין, לערער, חבֿר or חבֿרטע. חבֿר and חבֿרטע actually mean friend or comrade.

III. To Live: To Dwell and To Exist: לעבן and וווינען

Yiddish distinguishes between the various usages of the English verb "to live." "To live" in the sense of to be alive, to exist, is **לעבן**. "To live" in the sense of "to dwell" is **וווינען**.

1. שמואל וווינט אין אַ הויז.	Shmuel lives in a house.
2. זײַן מאַמע לעבט און זי וווינט אין תּל-אָבֿיבֿ.	His mother is alive and she lives in Tel-Aviv.
3. זאָלסט לעבן ביז הונדערט און צוואַנציק!	May you live until [you are] 120!
4. מיר האָבן געוווינט אין אַ דאָרף.	We lived in a village.
5. די באָבע האָט געלעבט ביז זיבעציק.	Grandmother lived until 70.

ליד: אונדזער ניגונדל

ווערטער און מוזיק: נחום שטערנהײַם

רעפרען

1) האָבן מיר אַ ניגונדל
אין נחת און אין פֿריידן, (2)
זינגען מיר עס, זינגען מיר עס,
קלינגט עס אַזוי שיין;
דאָס האָט נאָך געזונגען
די באָבע מיטן זיידן
ווען זיי זײַנען קינדער נאָך געווען.

אוי-אוי-אוי, אָט אַזוי זשע
ווי דער ניגון קלינגט אַצינדער,
אַזאַ פֿריילעכס, אַזאַ פֿריילעכס
זינגט זשע קינדער.
אָט אַזוי זשע
ווי דער ניגון קלינגט אַצינדער
אַזאַ פֿריילעכס, לאָמיר אַלע גיין.

2) האָבן מיר אַ ניגונדל
זינגען מיר צוזאַמען, (2)
זינגען מיר עס, זינגען מיר עס,
קלינגט עס אַזוי שיין;
דאָס האָט נאָך געזונגען
דער טאַטע מיט דער מאַמען[4]
ווען זיי זײַנען קינדער נאָך געווען.

3) האָבן מיר אַ ניגונדל
אין מזל און אין ברכה, (2)
זינגען מיר עס, זינגען מיר עס,
קלינגט עס אַזוי שיין;
דאָס האָט נאָך געזונגען
די גאַנצע משפּחה.
ווען זיי זײַנען קינדער נאָך געווען.

---

[4] **די מאַמע** and **די באָבע** are among the few feminine nouns that are declined in the dative. See Lesson 11A for a detailed explanation.

With Spirit
Dm A
Ho - bn mir a ni - gn - dl In na - khes un in frey - dn, In
(A) (A)
na - khes un in frey - dn, Zin - gen mir es, zin - gen mir es,
(A) E A7 Dm
Klingt es a - zoy sheyn. Dos hot nokh ge - zun - gen Di
(Dm) D7 Gm (Gm)
bo - be mi - tn zey - de, Ven zey zay - nen kin - der nokh ge -
Refrain:
A7 Dm
ven. Oy - oy - oy, ot a zoy zhe
B♭ A A Gm
Vi der ni - gn klingt a - tsin - der, A - za frey - lekhs,
A A7 Dm (Dm)
a - za frey - lekhs Zingt zhe, kin - der; Ot a - zoy, zhe,
B♭ A Gm A A
vi der ni - gn klingt a - tsin - der, A - za frey - lekhs lo - mir a - le geyn.

VOCABULARY

אַזאַ [אַזאַ in song]	such a
אָט אַזוי	this way, that's how
אַצינדער: אַצינד[5]	now
* די בּרכה (בּרכות) [brokhe(s)]	blessing
* גאַנץ	whole, entire
געווען: זײַן	*past part. of* to be
* דאָס מזל [mazl]	luck
נאָך	yet, still
דאָס/דער נחת [nakhes]	satisfaction, pleasure
* דאָס ניגונדל(עך)	tune [nigndl(ekh)]: dim. of [nign-nigunim] דער ניגון(ים)
די פֿריידן(ן)	joy, delight
דאָס פֿריילעכס(ן)	cheerful tune or dance
* צוזאַמען	together
* קלינגען (געקלונגען)	to sound, to ring

EXERCISES

I. Rewrite these sentences in the past tense:

1. די מומע וווינט אין שטוב. 2. דער פֿעטער קען ייִדיש. 3. די שוועסטער זינגען אַ ליד. 4. בײַ טאָג אַרבעט דער פּלימעניק. 5. איר פּלימעניצע זינגט שיין. 6. אַלץ טוט דער איידעם. 7. מע זאָגט דער טאָכטער, מע מיינט די שנור. 8. דער מחותּן האָט אַ קליינע שטוב. 9. זײַן שוועסטער שרײַבט אַ בוך. 10. אוי, האָט ער אַ שוויגער! 11. מײַן משפּחה וווינט אומעטום. 12. אומעטום האָט איר שוועסטערקינדער. 13. די מומע נעמט דאָס געלט פֿאַר דער פּלימעניצע. 14. די מאַמע וויל צוויי זין, דער טאַטע וויל אַ טאָכטער. 15. דער שווער הייסט חיים-יאַנקל. 16. די באָבע האָט, קיין עין-הרע, אַ סך אייניקלעך. 17. איר זעען שוועסטער-און-שוויגער הײַנט. 18. די מאַמע וויל אַ שנור. 19. די טעכטער דאַרפֿן אַרבעטן.
20. דער פּלימעניק הערט וועגן דעם פֿעטער. 21. די זין זעען די טעכטער איין מאָל אין אַ נאָוועמבער. 22. פֿון דער מאַמעס צד קען איך אַלע שוועסטערקינדער. 23. די שוויגער עסט דאָס פֿלייש.

---

[5] אַצינדער and אַצינד both mean "now." אַצינד is more common. Don't forget the synonyms איצט, איצטער.

II. Rewrite these sentences in the past tense - negative (except no. 10):

III. Fill in the possessive adjective that corresponds to the pronoun in parentheses:

1. איך הער (זי)____ קול.
2. מיר האָבן געוואָלט (מיר)_____ וועטשערע.
3. (דו)____ פּלימעניצע איז, קיין עין-הרע, שיין.
4. (ער)_____ שוויגער האָט געוווינט אומעטום.
5. (איך)____ שוויגער האָט געוואָלט שרײַבן אַ בוך וועגן (זי)____ משפּחה.
6. (זי)_____ זיידע איז, צום באַדויערן, קראַנק.
7. (איר)_____ פֿעדערס זײַנען אויף דעם טיש.
8. (ער)_____ טאַטע האָט צוויי ברידער.
9. די מאַמע האָט נחת פֿון (זי)_____ זין.
10. איך האָב ליב (איך)_____ צוויי שוועסטער.
11. מיר האָבן געגעסן (מיר)_____ ברויט.
12. די עלטערע מענטשן האָבן ליב (זיי)_____ דאָרף.
13. די סטודענטן האָבן גענומען (זיי)_______ ביכער.
14. איך האָב געברענגט (איך)_____ העפֿטן.
15. ער האָט געזונגען (ער)_____ נײַע לידער.
16. (מיר)_____ נחת איז גרויס.
17. (איר)_____ לידער קלינגען שיין.
18. (זיי)_____ גאַנצע משפּחה האָט געאַרבעט דאָרטן.
19. זי האָט גענומען (זי)____ עפּעלעך.
20. זײַ מוחל, איך האָב געגעסן (דו)____ בולבעס.

IV. Fill in the relative who corresponds to the description in parentheses. Use yourself as the point of reference. דער מאַמעס ברודער **means my mother's brother.**

1. (דער מאַמעס שוועסטער) __________ האָט געוווינט אין דער שטוב.
2. (דער מאַמעס ברודער) __________ האָט געברענגט די עפּל.
3. (דעם זונס ווײַב) __________ האָט געאַרבעט דאָרטן.
4. (דעם טאַטנס מאַמע) __________ האָט געקענט אַ סך ניגונים.
5. (דעם פֿעטערס טאָכטער) __________ האָט געוואָלט קומען.

6. (דעם מאַנס טאַטע) __________ האָט געזען זײַנע חבֿרים.
7. (דעם מאַנס מאַמע) __________ האָט געגעסן וועטשערע מיט דער משפּחה.
8. (דעם זונס ווײַב) __________ האָט געוואָלט וווינען לעבן שיקאַגע.
9. (דער טאָכטערס שווער) __________ האָט געהייסן יצחק.
10. דאָנערשטיק קען (דער מומעס זון) __________ ניט קומען.
11. (דעם איידעמס מאַמע) __________ און (דער טאָכטערס מאַן) __________ רעדן ניט איינער צום צווייטן (to each other).

V. Complete the story with the appropriate proverb from this lesson:

1. יונה קומט אַהיים און זאָגט, "מאַמע, וואָס איז דאָ צו עסן?"
די מאַמע ענטפֿערט, און זאָגט, "עס איז דאָ פֿלייש און עפּל."
"פֿלייש און עפּל!" זאָגט יונה. "וואָס פֿאַר אַ וועטשערע (what kind of) איז דאָס......

2. חנה טראַכט וועגן אירע זין. דער ייִנגערער זון איז אַ גוט ייִנגל אָבער ער לערנט זיך ניט גוט. דער עלטערער זון האָט שלעכטע חבֿרים און וויל וווינען אין אויסטראַליע. "אַזוי גייט עס," טראַכט זי, ...

VI. Translate into Yiddish:

1. Ask my sisters!
2. My (The) aunt is still rich.
3. Yes, my (the) uncle has grandchildren.
4. The older brother has a clever wife.
5. Take the nephew to the (דעם) doctor.
6. The whole family sang tunes together.
7. Our family has lived everywhere.
8. One of mother's sisters (The mother's a sister) lived near Brooklyn.
9. My father-in-law, poor thing, lives alone.
10. Beyle had two married sisters.

ORAL PRACTICE

VII. Substitute the highlighted words with those in parentheses. Make any necessary changes. Be sure to match the numbers correctly.

.1 ווו ווינען דײַן רײַכע מומע[1] און רײַכער פֿעטער?[2]
די רײַכע מומע[1] און דער רײַכער פֿעטער[2] וווינען אַצינד אין פּאַריז.
א) (פּלימעניצע,[1] פּלימעניק[2])
ב) (שוואָגער,[1] שוועגערין[2])

.2 איז דײַן קלוגער ברודער[1] אַ גוטער מענטש?
יאָ, ער איז זייער אַ גוטער מענטש אָבער די שוועסטער[2] איז ניט קיין גוטע.
א) (שווער,[1] שוויגער[2])
ב) (מאַמע,[1] טאַטע[2])

.3 די עלטערן האָבן ליב דעם קלײנעם[1] זון.
זיי האָבן אויך ליב דאָס קלײנע[1] טעכטערל און די קלײנע[1] פּלימעניצע.
א) (קלוג[1])
ב) (שיין[1])
ג) (גוט[1])

.4 האָבן זיי געקענט דײַן קראַנקן שוואָגער?[1]
ניין, אָבער זיי האָבן געקענט די קלוגע שוועגערין.[2]
א) (שוויגער,[1] שווער[2])
ב) (ברודער,[1] שוועסטער[2])

VIII. Complete the dialogue:

.1 — **ער ווייסט אַ סך וועגן זײַן משפּחה. ווי אַזוי האָט ער דאָס אַלץ געלערנט?**
— **נו! ער.......**

.2 — דאָ האָט אַ מאָל געוווינט מײַן באָבע.
— האָסטו געקענט דײַן באָבע?
— ....

3. — מזל-טובֿ (congratulations)! איך הער אַז דו האָסט אַ נײַע פּלימעניצע.
— יאָ, מײַן שוועסטער האָט געהאַט אַ מײדעלע, בין איך (so I am) דער פֿעטער.
— איז דאָס דײַן ערשטע פּלימעניצע אָדער ערשטער פּלימעניק?
— ....

IX. Conversation Topics:

1. You are travelling abroad and decide to call a long-lost distant relative who has never heard of you. Explain to him/her who you are, how you are related, and what you are doing in town.

2. You are travelling abroad and visit a relative. S/he wants to know about various members of the family. You discuss who is still alive and who is dead, where these various relatives live(d), and the state of their health.

UNIT 8

דאָס אַכטע קאַפּיטל

לעקציע אַכט ב׳ LESSON 8B

משפּחה

צוויי ברידער

אַן אַגדה, לויט יִדישע קינדער ג׳

אַ מאָל האָבן געלעבט צוויי ברידער. דער עלטערער האָט ניט געהאַט
קיין ווייַב און ניט קיין קינדער. דער יִינגערער ברודער האָט געהאַט אַ
ווייַב מיט קליינע קינדער. ביידע ברידער זייַנען געווען אָרעם. זיי האָבן
נאָר געהאַט אַ שטיקל ערד פֿון זייער פֿאָטער. זיי האָבן עס צוזאַמען
5. באַאַרבעט.

ווען זיי האָבן געשניטן די תּבֿואה האָבן זיי געטיילט די גאַרבן
העלפֿט אויף העלפֿט. זיי האָבן זיי געלייגט לעבן זייערע הייַזלעך.

איין נאַכט האָט דער עלטערער ברודער ניט געקענט שלאָפֿן. ער
האָט געטראַכט וועגן זייַן ברודער, "מייַן ברודער האָט אַ ווייַב מיט זין
10. און טעכטער, מייַנע פּלימעניקעס און פּלימעניצעס, און איך בין אַליין,
עס איז ניט ריכטיק וואָס איך נעם אַ העלפֿט פֿון דער תּבֿואה."

אין מיטן נאַכט האָט ער גענומען אַ פּאַק גאַרבן און האָט אים
געטראָגן צו זייַן ברודער און שוועגערינס הויז.

אין דער זעלבער נאַכט האָט דער יִינגערער ברודער אויך ניט געקענט
15. שלאָפֿן. ער האָט געטראַכט וועגן זייַן ברודער, "עס איז אַ רחמנות אויף
אים. איך האָב אַ ווייַב מיט קינדערלעך. זיי קענען מיר העלפֿן אויף דער
עלטער, אָבער ער האָט ניט קיין זין אָדער קיין טעכטער און ניט קיין
אייניקלעך. ער האָט ניט קיין אַנדערע ברידער און ניט קיין שוועסטער.
ער איז נעבעך אַליין."

קינדער און קינדסקינדער פֿון
דער משפּחה נעכאַמקין-ראָזענבערג, ניו-יאָרק, 1984

Descendants of the Nichamin-Rosenberg family, New York, 1984

20. גייט דער ייִנגערער ברודער, נעמט אַ פּאַק גאַרבן און טראָגט אים צו זײַן ברודערס הויז.

אויף מאָרגן זעען די ברידער אַז זיי האָבן די זעלבע צאָל גאַרבן. האָבן זיי זיך ביידע געוווּנדערט און גאָרניט געזאָגט.

די צווייטע נאַכט האָבן די ברידער נאָך אַ מאָל געטאָן דאָס זעלבע.

25. די דריטע נאַכט ווען די ברידער האָבן געטראָגן זייערע גאַרבן האָבן זיי זיך געזען אין מיטן וועג. מיט טרערן אין די אויגן האָבן זיי זיך איינער דעם צווייטן געקושט.

מע זאָגט אַז מע האָט געבויט דעם בית־המיקדש אויף דעם אָרט וווּ די ברידער האָבן זיך געטראָפֿן.

VOCABULARY

די אַגדה (אַגדות) *[agode(s)]*	legend
אים	him; it *(acc. + dat.)*
אָרעם	poor
באַאַרבעטן (באַאַרבעט)	to work on, to cultivate
ביידע	both
דער גאַרב(ן)	sheaf
געווען: זײַן	*past part. of* to be
* דאָס הײַזל(עך)	house *dim. of* דאָס הויז (הײַזער)
* די העלפֿט(ן)	half
* העלפֿן (געהאָלפֿן)	to help
* וואָס	that *(conj.)*
וווּנדערן זיך (זיך געוווּנדערט)	to wonder
* דער וועג(ן)	road, way
* זיי	them *(acc. + dat.)*
* זעלב	same
טיילן (געטיילט)	to divide
* טראָגן (געטראָגן)	to carry
טרעפֿן זיך (זיך געטראָפֿן)	to meet
* די טרער(ן)	tear
* לויט	according to
* לייגן (געלייגט)	to lay, to put in lying position
* לעבן	near, beside, by
* מאָרגן	tomorrow
* דער מיטן(ס)	middle
* די ערד	earth; land, soil
דער פּאַק (פּעק)	pack, bundle
* דער פֿאָטער(ס)	father
די צאָל(ן)	amount
* צוזאַמען	together
* קושן (געקושט)	to kiss
דאָס רחמנות *[rakhmones]*	pity, compassion

ריכטיק	right, correct	שנײַדן (געשניטן)	to cut; to harvest
דאָס שטיקל(עך):	piece:	די תּבֿואה (תּבֿואות)	grain *[tvue(s)]*
דאָס (שטיק(ער)	*dim. of*		

Idioms and Expressions

אויף דער עלטער — in old age

אויף מאָרגן — the next day

* איינער צום צווייטן — to each other

* אין מיטן וועג — in the middle of the road

פֿראַגעס

1. וועלכער ברודער האָט ניט געהאַט קיין ווײַב און קינדער?
2. וואָס האָבן די ברידער געהאַט פֿון דעם טאַטן?
3. וווּ האָבן די ברידער געלייגט זייערע גאַרבן?
4. פֿאַר וואָס האָט דער עלטערער ברודער ניט געקענט שלאָפֿן?
5. וואָס האָט ער געטאָן אין מיטן נאַכט?
6. פֿאַר וואָס האָט דער ייִנגערער ברודער רחמנות געהאַט אויף זײַן ברודער?
7. וואָס האָבן די ברידער געטאָן ווען זיי האָבן זיך געזען אין מיטן וועג?
8. וואָס האָט מען געבויט אויף דעם אָרט וווּ די ברידער האָבן זיך געטראָפֿן?

GRAMMAR

I. Consecutive Word Order (So)

מײַן ברודער האָט צוויי זין און אַ טאָכטער, האָב איך צוויי פּלימעניקעס און אַ פּלימעניצע.
My brother has two sons and a daughter so I have two nephews and a niece.

דער עלטערער ברודער האָט ניט געהאַט קיין ווײַב און קינדער, איז ער געווען אַליין.
The older brother did not have a wife and children, so he was alone.

You have learned that the verb is always the second sentence unit. In the sentences above the inflected verb is the first word in the second (subordinate) clause. The second clause in each of these sentences uses the *consecutive word order*. The use of this word order implies *so / thus / therefore*.... .

You may also begin a sentence with the *consecutive word order*. In this case, the *so* follows from the previous sentence.

So the younger brother goes and takes a bundle of sheaves.	גייט דער ייִנגערער ברודער און נעמט אַ פּאַק גאַרבן.

Note the difference between:

I didn't have any money.	איך האָב ניט געהאַט קיין געלט.
So I didn't have any money.	האָב איך ניט געהאַט קיין געלט.

Wherever **עס** is used as the impersonal or expletive subject of a sentence, it is dropped in the *consecutive word order*.

It's cold outside.	1. עס איז קאַלט אין דרויסן.
It's December now so it's cold outside.	2. עס איז איצט דעצעמבער, איז קאַלט אין דרויסן.
My stomach hurts.	3. עס טוט מיר וויי דער בויך.
I ate too much so my stomach hurts.	4. איך האָב געגעסן צו פֿיל, טוט מיר וויי דער בויך.

Where **עס** functions as the logical subject, i.e., where it refers to an antecedent neuter noun, **עס** is retained in the *consecutive word order* and is placed where the noun it refers to would have been placed.

It's very expensive.	עס איז זייער טײַער.
The book is new, so it's very expensive.	דאָס בוך איז נײַ, איז עס זייער טײַער.

Sample Sentences:

The brothers had a piece of land from their father, so they cultivated it together.	1. די ברידער האָבן געהאַט אַ שטיקל ערד פֿון זייער טאַטן, האָבן זיי עס צוזאַמען באַאַרבעט.

The older brother was thinking about his younger brother, so he couldn't sleep.	2. דער עלטערער ברודער האָט געטראַכט וועגן דעם ייִנגערן ברודער, האָט ער ניט געקענט שלאָפֿן.
My daughter has a son, so I'm a grandmother.	3. מייַן טאָכטער האָט אַ זון, בין איך אַ באָבע.
The sun is shining, so it's nice outside.	4. די זון שייַנט, איז שיין אין דרויסן.
This is a holy place, so the Temple was built here.	5. דאָס איז אַ הייליק (holy) אָרט, האָט מען דאָ געבויט דעם בית-המיקדש.

II. Article versus Possessive Adjective

In Unit 4 we learned that Yiddish generally uses the definite article rather than the possessive adjective with body parts when it is clear to whom these parts belong. Similarly, the definite article, rather than the possessive adjective, is used with family members when the possessive relationship is obvious.

Sample Sentences:

My head hurts me.	1. עס טוט מיר וויי דער קאָפּ.
I'm putting my hands on my stomach.	2. איך לייג די הענט אויף דעם בויך.
I have two brothers. My older brother lives in Winnipeg.	3. איך האָב צוויי ברידער. דער עלטערער ברודער וווינט אין ווינניפּעג.
How's your father? My father is well.	4. וואָס מאַכט דער טאַטע? דער טאַטע איז געזונט.
Grandmother and grandfather still sang that.	5. דאָס האָט נאָך געזונגען די באָבע מיטן זיידן.
Today I spoke to my sister.	6. איך האָב הייַנט גערעדט מיט דער שוועסטער.
I am speaking to your sister.	7. איך רעד מיט דייַן שוועסטער.

III. Adjectives used as Nouns

Sometimes adjectives may be used without nouns. The noun is implied and the adjective is inflected to agree with the implied noun.

And the tired (man) and his limbs straightened out.	1. און דער מידער מיט די גלידער האָט זיך אויסגעגלייַכט. פֿון "ברוך אַתּה," אַבֿרהם רייזען

2. עס זײַנען געווען צוויי ברידער. דער עלטערער האָט ניט געהאַט קיין ווײַב און קינדער.
   There were two brothers. The older (brother) did not have a wife and children.
3. איך האָב צוויי מומעס. די עלטערע, די קליגערע, וווינט אין פּאַריז.
   I have two aunts. The older (one), the smarter (one) lives in Paris.
4. דו ווילסט ניט זײַן קיין גאַסט צווישן אַלע טויטע.
   You don't want to be a guest among all the dead (people).

פֿון *"אויפֿן וועג שטייט אַ בוים,"* איציק מאַנגער

אַ ליד: די מחותּנים גייען

מאַרק וואַרשאַווסקי

1) די מחותּנים גייען, קינדער,
לאָמיר זיך פֿרייען - שאַט נאָר, שאַט!
דער חתן איז גאָר אַ וווּנדער,
שפּילט אַ לידעלע דעם חתנס צד.

רעפֿרען: אײַ אײַ אײַ אײַ.....

2) דעם חתנס שוועסטער פֿריידל,
זי דרייט זיך ווי אַ דריידל - שאַט נאָר שאַט.
נעמט זי אַרײַן אין רעדל,
און שפּילט אַ לידעלע דעם חתנס צד.

אײַ אײַ אײַ אײַ....

3) אָט גייט דער פֿעטער מינדיק,
וואָס האָבן מיר געזינדיקט? שאַט נאָר שאַט.
ער בלאָזט זיך ווי אַן אינדיק,
שפּילט אַ לידעלע דעם חתנס צד.

אײַ אײַ אײַ אײַ....

4) דאָרט גייט דעם חתנס פֿעטער,
דאָס בײַכל גלעט ער – שאַט נאָר שאַט.
ער איז פֿעטער פֿון אַלע פֿעטערס,
שפּילט אַ לידעלע דעם חתנס צד.
אײַ אײַ אײַ אײַ ...

VOCABULARY

* דער ווונדער(ס)	wonder, marvel
זינדיקן (געזינדיקט)	to sin
* דער חתן(ים) *[khosn-khasanim]*	bridegroom (to be)
פֿעט(ער)	fat(ter)
פֿרייען זיך (זיך געפֿרייט)	to rejoice, to be glad
דאָס רעדל(עך)	circle; round dance
די/דאָס ראָד (רעדער)	*dim. of*
* שאַ(ט)	hush! quiet! wait!
דער אינדיק(עס)	turkey
אַרײַננעמען (אַרײַנגענומען)	to take in; to include
בלאָזן זיך (זיך געבלאָזן)	to puff; to give oneself airs
גאָר	altogether, quite
גלעטן (געגלעט)	to stroke
* דרייען זיך (זיך געדרייט)	to turn, to spin

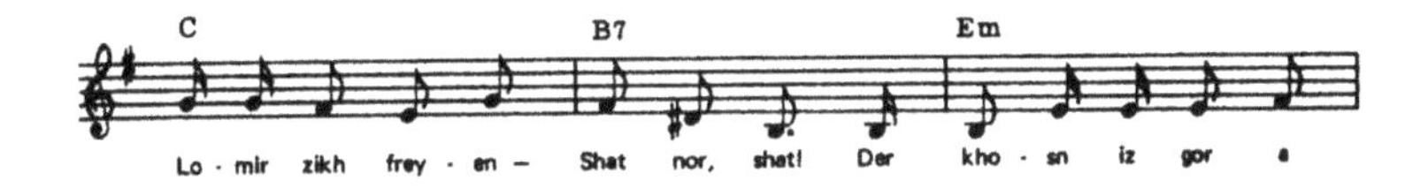

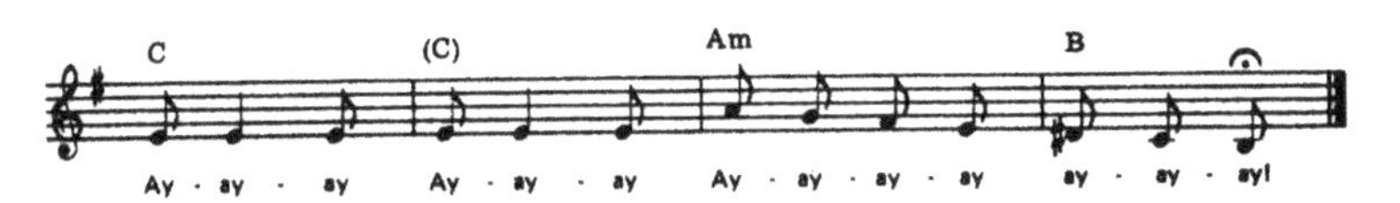

פֿון מיר טראָגן אַ געזאַנג

More Cognates

Here is a list of Yiddish words and their English cognates. Where the cognate is not synonymous with the literal translation of the word, the cognate is given in parentheses.

fourth	דאָס פֿערטל	weather	דער וועטער
(blows) to blow	בלאָזן	(will) to want	וועלן
sun	די זון	wind	דער ווינט
warm	וואַרעם	to shine	שײַנען
clear	קלאָר	blue	בלוי
daughter	די טאָכטער	brother	דער ברודער
older, elder	עלטערער	son	דער זון
pack	דער פּאַק	alone	אַליין
to help	העלפֿן	right	ריכטיק
sister	די שוועסטער	rich	רײַך
(small) narrow	שמאָל	broad	ברייט
		(rucksack) back	דער רוקן

EXERCISES

I. **Make complete sentences out of each pair of clauses; put the second clause of each pair in the consecutive word order.**

1. (עס גייט אַ רעגן) + (ער נעמט אַ שירעם (umbrella)).
2. (די זון שײַנט) + (עס איז שיין אין דרויסן).
3. (די זון שײַנט) + (דער הימל איז בלוי).
4. (דער הימל איז בלוי) + (עס זײַנען ניטאָ קיין וואָלקנס).
5. (עס איז שיין אין דרויסן) +(די כעלעמער גייען שפּאַצירן אויף דער פֿרישער לופֿט).
6. (עס איז הײַנט חנוכּה) + (איר עסן לאַטקעס).
7. (דער שלעכטער מלך האָט געוואָלט אַז יעדער פֿאָלק זאָל ווערן גריכיש) + (אַלע פֿעלקער האָבן אַזוי געטאָן).

8. (די ייִדן האָבן ניט געוואָלט דינען די גריכישע געטער) + (דער מלך איז געוואָרן אין כּעס).
9. (דער זיידע האָט געהאַט צוויי ברידער) + (איך האָב צוויי עלטער (great) - פּעטערס).
10. (מײַן ברודער האָט צוויי טעכטער) + (איך האָב צוויי פּלימעניצעס).
11. (בערלס שוועסטערקינד וווינט אין דרום-אַפֿריקע) + (ער קען אים ניט).
12. (מײַן ווײַבס עלטערן לעבן) + (איך האָב אַ שווער און אַ שוויגער).
13. (די ברידער האָבן געוויינט) + (זיי האָבן טרערן אין די אויגן).
14. (מײַן ברודער האָט אַ ווײַב און קינדער) + (עס איז ניט ריכטיק וואָס איך נעם אַ העלפֿט פֿון דער תּבֿואה).

II. Complete the sentence using the consecutive word order:

1. עס טוט מיר וויי דער קאָפּ,
2. בערל האָט געהאַקט אַ טשײַניק,
3. די מומע איז אָרעם,
4. די עלטערע טאָכטער האָט געלייענט דאָס בוך,
5. די באָבע איז קראַנק,
6. די שוועסטער איז פֿאַרקילט.
7. איך לערן זיך ייִדיש,
8. די זין האָבן געוווינט מיט די עלטערן.
9. מיר עסן בולבעס וואַרעמעס און וועטשערע,

III. Fill in the correct family member.

1. איך האָב דרײַ קינדער, אַ טאָכטער און צוויי________. איך בין אויך אַ (masc.) __________ ווײַל מײַן שוועסטער האָט אַ זון. דאָס ייִנגעלע איז מײַן __________ און מײַנע קינדער זײַנען זײַנע __________.

2. מײַן מאַמעס מאַמע, דאָס הייסט, מײַן ________, האָט געוווינט לעבן ניו-יאָרק. איצט וווינט זי אין ניו-יאָרק לעבן מײַנע טאַטע-מאַמע. אירע ________________. איר מאַן, מײַן ________, איז צום באַדויערן, געשטאָרבן. ער האָט מיך (me) ליב געהאַט ווי מײַן אייגענע (own) __________ און ניט ווי קיין ________.

3. איך בין אַ באָבע. מײַן טאָכטער און ______ האָבן צוויי קינדער, און מײַן זון און ______ האָבן דרײַ ______ און איין טאָכטער. איך האָב, קיין עין-הרע, זעקס

(6) ______ . איך בין אויך אַ מומע און אַן עלטער (grand) - מומע. דעם מאַנס ברודער, דאָס הייסט, דער ______, און זײַן ווײַב, מײַן ______, האָבן אַ סך קינדער, ייִנגלעך און מיידלעך. איך האָב אַ סך ______ און ______.

IV. Rewrite the exercise above. Wherever possible use the definite article instead of the possessive adjective.

V. Translate into Yiddish:

1. The sisters put the grain near [the] house. The older [sister] could not sleep.
2. The very poor brother-in-law cultivated the soil.
3. Both sisters divided the potatoes in two equal halves (half on half).
4. The old grandfather had tears in his (the) eyes.
5. Once [there] was a poor grandmother. She lived in a little village.
6. Speak *(sg.)* Yiddish correctly.
7. My (The) nephew took a piece of bread.
8. The two brothers wanted the same amount [of] sheaves [of] grain.
9. One wants joy from children but sometimes (אַ מאָל) one has troubles.
10. The two sisters both said nothing to each other (one to the other).
11. I pity him (It's a pity on him). He lives alone and has nothing.
12. The daughter-in-law saw her mother-in-law in [the] middle [of the] road.
13. My (The) father gave us this piece [of] land.
14. The older brother thinks about the (דעם) younger brother.
15. One must help the poor.

VI. Fill in the appropriate endings for the articles and adjectives:

1. ד___ יונג___ פלימעניק האָט ליב ד___ שײנ___ פלימעניצע.
2. מיר האָבן געזען ד___ קלוג___ שווער.
3. איך האָב געהאַט אַן עלטער___ ברודער.
4. ד___ רײַכ___ זין האָבן געפּרעגט עטלעכע גוט___ פּראַגעס.
5. ד___ אָרעמ___ שוויגער וויל ד___ נײַ___ טיש.
6. ד___ ייִנגער___ זון האָט אַ שײנ___ ווײַב.
7. ד___ רײַכ___ שוועסטערקינד האָט געוווינט אומעטום.
8. ד___ טאַטע וויל ניט קיין אָרעמ___ איידעם.
9. מיר האָבן אַן אמת___ ייִדיש___ משפּחה.
10. ד___ שנור האָט קראַנק___ עלטערן.

11. ד___ צוויי זין טיילן ד___ תּבֿואה העלפֿט אויף העלפֿט.
12. ד___ גוט___ ברידער זעען זיך אין מיטן וועג.
13. ד___ עלטערער ברודער נעמט ד___ גרויס___ גאַרבן.
14. דער עלטער___ ברודער קושט ד___ ייִנגער___.

ORAL PRACTICE

VII. Rearrange these sentences putting the highlighted words first. Read aloud:

1. צוויי ברידער האָבן אַ מאָל געוווינט אין אַ דערפֿל.
2. זיי האָבן באַאַרבעט די ערד צוזאַמען.
3. מע האָט געלייגט די גאַרבן לעבן הויז.
4. דער ייִנגערער ברודער האָט גענומען אַ פּאַק גאַרבן אין מיטן נאַכט.
5. "עס איז אַ רחמנות אויף אים," טראַכט דער ייִנגערער ברודער.
6. ער האָט געטראָגן אין האַנט אַ פּאַק גאַרבן.
7. זיי האָבן זיך געזען אין מיטן וועג.
8. מיט טרערן אין די אויגן האָבן זיי זיך איינער דעם צווייטן געקושט.
9. ער איז צום באַדויערן קראַנק.
10. איך האָב פֿון דער מאַמעס צד עטלעכע שוועסטערקינדער.
11. דער טאַטע האָט ניט קיין חתונה-געהאַטע טעכטער.
12. דער אָרעמער ברודער האָט נעבעך גרויסע צרות.
13. ער האָט געשריבן אַ בוך וועגן זײַן שטעטל.

SUPPLEMENTARY READING

This song is more advanced than the rest of the lesson. However, it is very beautiful and popular and ties in with the theme of **משפּחה**. You may want to try it now - or, perhaps, a little later.

אויפֿן וועג שטייט אַ בוים

איציק מאַנגער

1) אויפֿן וועג שטייט אַ בוים,
שטייט ער אײַנגעבויגן,
אַלע פֿייגל פֿונעם בוים
זײַנען זיך צעפֿלויגן.

2) דרײַ קיין מערבֿ, דרײַ קיין מיזרח,
און דער רעשט – קיין דרום,
און דעם בוים געלאָזט אַלײן
הפֿקר פֿאַר דעם שטורעם.

3) זאָג איך צו דער מאַמען: – הער,
זאָלסט מיר נאָר ניט שטערן,
וועל איך, מאַמע, איינס און צוויי
באַלד אַ פֿויגל ווערן...

4) איך וועל זיצן אויפֿן בוים
און וועל אים פֿאַרוויגן
איבערן ווינטער מיט אַ טרייסט,
מיט אַ שיינעם ניגון.

5) זאָגט די מאַמע: – ניטע, קינד, –
און זי וויינט מיט טרערן –
– ווערסט חלילה אויפֿן בוים
מיר פֿאַרפֿרוירן ווערן.

6) זאָג איך: – מאַמע, ס'איז אַ שאָד
דײַנע שיינע אויגן, –
און איידער וואָס און איידער ווען,
בין איך מיר אַ פֿויגל.

7) וויינט די מאַמע: – איציק, קרוין,
זע, אום גאָטעס ווילן,
נעם זיך מיט אַ שאַליקל,
קענסט זיך נאָך פֿאַרקילן.

8) – די קאַלאָשן טו זיך אָן,
ס'גייט אַ שאַרפֿער ווינטער
און די קוטשמע נעם אויך מיט –
ווײ איז מיר און ווינד מיר...

9) – און דאָס ווינטער-לײַבל נעם,
טו עס אָן, דו שוטה,
אויב דו ווילסט ניט זײַן קיין גאַסט
צווישן אַלע טויטע.

10) כ'הייב די פֿליגל, ס'איז מיר שווער,
צו פֿיל, צו פֿיל זאַכן,
האָט די מאַמע אָנגעטאָן
איר פֿייגעלע, דעם שוואַכן.

11) קוק איך טרויעריק מיר אַרײַן
אין מײַן מאַמעס אויגן,
ס'האָט איר ליבשאַפֿט ניט געלאָזט
ווערן מיר אַ פֿויגל...

12) אויפֿן וועג שטייט אַ בוים,
שטייט ער אײַנגעבויגן,
אַלע פֿייגל פֿונעם בוים
זײַנען זיך צעפֿלויגן....

Ballad Style
Oy - fn vog shteyt a boym, Shteyt er ayn - ge - boy - gn,
A - le fey - gl fu - nem boym Zay - nen zikh tse - floy - gn.
Dray keyn mey - rev, dray keyn miz - rekh, Un der resht - keyn do - rem,
Un dem boym ge - lozt a - leyn Hef - ker far dem shtu - rem.
Zog ikh tsu der ma - men: her, Zolst mir nor nit shte - rn,
Vel ikh, ma - me, eyns un tsvey Bald a foy - gl ve - rn...
Ikh vel zi - tsn oy - fn boym Un vel im far - vi - gn
I - be - rn vin - ter mit a treyst, Mit a shey - nem ni - gn.
Refrain:
Yam - ta - ri, ra - ram, Hay— ta - ri ra - ram, Hay— ta - ri ra - ram, Hay— ta - ri ram; ram.—

פֿון מיר טראָגן אַ געזאַנג

VOCABULARY

don't	ניטע
to lull (to sleep)	פֿאַרוויגן (פֿאַרוויגט)
frozen	פֿאַרפֿרוירן (דער פֿאַרפֿרוירענער)
to catch cold	פֿאַרקילן זיך (זיך פֿאַרקילט)
bird	דער פֿויגל (פֿייגל)
wing	דער פֿליגל (פֿליגל/ען)
between, among	צווישן
too many	צו פֿיל
to fly in all directions	צעפֿליִען זיך (זײַנען זיך צעפֿלויגן)
galosh, rubber *(n.)*	דער קאַלאָש(ן)
fur cap	די קוטשמע(ס)
crown *(affec.)*	(די) קרוין
rest	דער/די/דאָס רעשט(ן)
scarf	דאָס שאַליקל(עך)
sharp	שאַרף
weak	שוואַך
heavy, difficult	שווער
fool *[shoyte-shoytim]*	דער שוֹטה (שוֹטים)
storm	דער שטורעם(ס)
to stand	שטיין (איז געשטאַנען)
to bother, to hinder	שטערן (געשטערט)
over the	איבערן = איבער דעם
bent, bowed	אײַנגעבויגן
soon	באַלד
tree	דער בוים (ביימער)
guest	דער גאַסט (געסט)
south	*[dorem]* דרום
to raise, to lift	הייבן (געהויבן)
abandoned *(adj. predicative)* *[hefker]*	הפֿקר
to cry	וויינען (געוויינט)
winter	דער ווינטער(ן/ס)
winter undershirt; jacket	דאָס ווינטער-לײַבל(עך)
thing	די זאַך(ן)
to sit	זיצן (איז געזעסן)
God forbid!	*[kholile]* חלילה
dead (person)	דער טויטער (טויטע)
sadly	טרויעריק
comfort, consolation	די טרייסט
to let, to allow	לאָזן (געלאָזט)
love, affection, fondness	די ליבשאַפֿט
undershirt, jacket	דאָס לײַבל(עך)
east	*[mizrekh]* מיזרח
west	*[mayrev]* מערבֿ

Idioms and Expressions

for God's sake	*(Germ.)* אום גאָטעס ווילן
before you know it	איידער וואָס און איידער ווען
Woe is me! Alas and alack!	וויי איז מיר און ווינד מיר!

UNIT 9

דאָס נײַנטע קאַפּיטל

LESSON 9A לעקציע נײַן א׳

קליידער

1. אַהרן: ווּ ביסטו געווען נעכטן?
2. איידל: דוד און איך זײַנען געגאַנגען קויפֿן נײַע קליידער אין די געשעפֿטן
3. אויף דער פֿיר און דרײַסיקסטער גאַס. מיר זײַנען געפֿאָרן מיט
4. דער באַן אין דער פֿרי און געבליבן דאָרטן אַ גאַנצן טאָג.
5. אַהרן: וואָס פֿאַר אַ מציאות האָט איר דאָרטן געכאַפּט?
6. איידל: איך האָב געקויפֿט זיבן פּאָר וואָלענע זאָקן פֿאַר צען דאָלאַר, און
7. דוד האָט געפֿונען אַ פּאָר ברוינע וואָלענע הויזן פֿאַר אַכט דאָלאַר.
8. אַהרן: אַ ווילדע מציאה! וואָס נאָך האָט איר געקויפֿט?
9. איידל: איך האָב זיך געקויפֿט אַ גרויע בלוזקע.
10. אַהרן: מעג איך פֿרעגן וויפֿל דו האָסט באַצאָלט?
11. איידל: צו פֿיל. עס איז געווען זייער טײַער אָבער עס געפֿעלט מיר. איך
12. האָב עס געקויפֿט בײַ האַלטן.
13. אַהרן: איך האָב ניט געוווּסט אַז האַלטס פֿאַרקויפֿט בלוזקעס.
14. איידל: יאָ, מע פֿאַרקויפֿט דאָרטן בלוזקעס און העמדער פֿאַר מענער
15. אויך. דוד האָט דאָרטן געקויפֿט אַ העמד מיט אַ שוואַרץ רעקל,
16. — זייער ביליק. צוזאַמען וויניקער פֿון פֿינף און פֿערציק דאָלאַר.
17. איך האָב געקויפֿט אַ קליידל, און אַ קאָמפּלעט מיט אַ רעקל, אַ
18. וועסטל, און אַ לאַנגע ספּודניצע.
19. אַהרן: לאַנגע ספּודניצעס זײַנען איצט אין דער מאָדע.
20. איידל: איך קען זי טראָגן מיט די בלויע שטיוול אָדער מיט די שוואַרצע
21. שיך.
22. אַהרן: צערײַס געזונטערהייט! מירל וויל קויפֿן אַ נײַעם ווינטער-מאַנטל.
23. ווּ זאָלן מיר גיין?
24. איידל: גייט אויף דער צוויי און דרײַסיקסטער גאַס. איך האָב געזען
25. דאָרטן אַ סך געשעפֿטן מיט מאַנטלען.

26. אַהרן: אַ שיינעם דאַנק! אפֿשר קענסטו מיר ווײַזן ווי דו זעסט אויס אין
27. דײַנע נײַע קליידער.
28. איידל: אַוודאי. (זי גייט און טוט זיך אָן די קליידער).
29. אַהרן: זייער שיין! דאָס הייסט אויסגעפּוצט! דער קאָמפּלעט פּאַסט דיר.
30. איצט טו אָן דאָס היטל.
31. (איידל טוט אָן דאָס היטל.)
32. אַהרן: זייער עלעגאַנט! טראָג געזונטערהייט!

שפּריכווערטער און אידיאָמען

1. עס איז ניט דײַן געשעפֿט.	It's not your business.
2. אויספּוצן זיך אַזוי ווי יענטעלע צום גט, (דו האָסט זיך אויסגעפּוצט...)	to get all dressed up (*Lit.* "to deck oneself out like Yentele going to her divorce")
3. אויפֿן גנבֿ ברענט דאָס היטל.	You've got guilt written all over your face. (*Lit.* "On the thief the hat is burning.")
4. וואָס ביליק איז טײַער.	What's cheap is expensive.

VOCABULARY

* אַוודאי *[avade]*	of course, certainly
אויסגעפּוצט	dressed up *(adj.)*
* אויסזען (אויסגעזען)	to look, to appear
אויספּוצן זיך (זיך אויסגעפּוצט)	to dress up
אַכט	eight
* אָנטאָן (אָנגעטאָן)	to put on (clothes)
* אָנטאָן זיך (זיך אָנגעטאָן)	to put on clothes (alternate form)
די באַן(ען)	train
באַצאָלן (באַצאָלט)	to pay
ביליק	cheap
די בלוזקע(ס)	blouse
* בלײַבן (איז געבליבן)	to stay, to remain
* ברוין	brown
דער גט(ן) *[get(n)]*	divorce
* גיין (איז געגאַנגען)	to go, to walk

געפֿעלן (איז געפֿעלן) — to like, to please, to appeal to:
עס געפֿעלט מיר — I like this (*Lit.* "This pleases me")
דאָס געשעפֿט(ן) — business
גרוי — grey
* גרין — green
* דער דאָלאַר (-/דאָלאַרן) — dollar
* די הויזן — pants
* דאָס היטל(עך): *dim. of* דער הוט (היט) — hat
* דאָס העמד(ער) — shirt
וואָלן (דער וואָלענער) — wool *(adj.)*
* וואָס נאָך — what else
* וואָס פֿאַר אַ — what kind of
ווײַזן (געוויזן) — to show
ווייניקער — less
* דער ווינטער(ן) — winter
* וויפֿל — how much, how many
דאָס וועסטל(עך) — vest
* דער/די זאָק(ן) — sock
* זיבן — seven
* זיך — oneself (refers to *subj.*)
זען אויס ← אויסזען
טאָן אָן ← אָנטאָן
* טראָגן (געטראָגן) — to wear, to carry
כאַפּן (געכאַפּט) — to catch, to grab
דער מאַן (מענער) — man
* דער מאַנטל (ען) — coat
מיך — me
מעגן (געמעגט) — may, to be allowed

די מציאה (מציאות) — bargain *[metsie(s)]*
נעכטן — yesterday
די ספּודניצע(ס) — skirt
* עלעגאַנט — elegant
פּאַסן (געפּאַסט) — to suit, to be becoming, to match
די פּאָר (פּאָר) — pair
פֿאָרן (איז געפֿאָרן) — to go (by vehicle), to travel
פֿאַרקויפֿן (פֿאַרקויפֿט) — to sell
פֿיל — much, many
* פֿינף און פֿערציק — forty-five
פֿיר און דרײַסיק[סט] — thirty-four[th]
צו — too; to
צוויי און דרײַסיק[סט] — thirty-two [second]
* דער קאָמפּלעט(ן) — suit
* קויפֿן (געקויפֿט) — to buy
דאָס קליידל(עך): *dim. of* דאָס קלייד(ער) — dress
די קליידער — clothes
דאָס רעקל(עך) — jacket
דאָס שאַליקל(עך) — scarf
דער שוך (שיך) — shoe
דער שטיוול (שטיוול) — boot

Idioms and Expressions

אַ ווילדע מציאה *[metsie]* — a big (*Lit.* "wild") bargain
אין דער מאָדע — in style
* אין דער פֿרי — in the morning

Wear it in good health! (said when somebody gets a new article of clothing)	* טראָג(ט) געזונטערהייט!
to get a bargain	* כאַפּן אַ מציאה [metsie]
too much	צו פֿיל
Tear it in good health! (said when somebody gets a new article of clothing, especially for apparel made of fur or leather, e.g., shoes)	צערײַס(ט) געזונטערהייט!

GRAMMAR

I. Past Tense of Verbs Conjugated with the Auxiliary Verb זײַן *to be*

As you learned in Unit 7 most verbs in the past tense are conjugated with the auxiliary verb **האָבן**, some, however, are conjugated with the auxiliary verb **זײַן**.

Verbs that use **זײַן** as a helping verb in the past tense are:

- generally verbs of motion or being
- almost always intransitive
- verbs that involve the whole body. For example, although you walk only with your legs, all of you moves when you walk. The past tense of **איך גיי** is, therefore, **איך בין געגאַנגען**.

If a verb is conjugated with **זײַן**, its opposite is also conjugated with **זײַן**. Therefore, **קומען** and **גיין; שטיין, זיצן,** and **ליגן** all take the auxiliary verb **זײַן**.

If these definitions prove confusing, simply memorize the list of verbs below. It includes most of the verbs conjugated with **זײַן**.

	PAST PART.	*INFINITIVE*		*PAST PART.*	*INFINITIVE*
to be	געװען	זײַן	to stay, to remain	געבליבן	בלײַבן
to sit	געזעסן	זיצן	to go, to walk	געגאַנגען	גיין
to run	געלאָפֿן	לויפֿן	to like, to appeal	געפֿעלן	געפֿעלן
to lie	געלעגן	ליגן	to happen (*only 3rd person impers.*)	געשען	געשען
to travel, to go by vehicle	געפֿאָרן	פֿאָרן	to hang (*intrans.*)	געהאָנגען	הענגען
to fly	געפֿלויגן	פֿליִען	to grow (*intrans.*)	געוואַקסן/געוואָקסן	וואַקסן
to come	געקומען	קומען	to become	געװאָרן	ווערן
to stand	געשטאַנען	שטיין	to ride (animal)	געריטן	רײַטן
to sleep	געשלאָפֿן	שלאָפֿן	to swim	געשווּמען	שווימען
to jump	געשפּרונגען	שפּרינגען	to die	געשטאָרבן	שטאַרבן

All past participles of verbs conjugated with זײַן end in ן. The past participle of verbs conjugated with האָבן may end in ט or ן.The participle of each verb must be memorized individually. Unless איז is given in parentheses with the participle, the verbs listed in the vocabulary are conjugated with האָבן.

I went to buy new clothes.	.1 איך בין געגאַנגען קויפֿן נײַע קליידער.
Today you went by train.	.2 הײַנט ביסטו געפֿאָרן מיט דער באַן.
The blouse was a bargain.	.3 די בלוזקע איז געווען אַ מציאה.
In the city we became exhausted.	.4 אין שטאָט זײַנען מיר געוואָרן אויסגעמוטשעט.
Why did you not sleep at night?	.5 פֿאַר וואָס זײַט איר ניט געשלאָפֿן בײַ נאַכט?
They didn't come in the morning.	.6 אין דער פֿרי זײַנען זיי נישט געקומען.

II. Numbers

נול	**0**
איינס	**1**
צוויי	**2**
דרײַ	**3**
פֿיר	**4**
פֿינף / פֿינעף	**5**
זעקס	**6**
זיבן	**7**
אַכט	**8**
נײַן	**9**
צען	**10**
עלף	**11**
צוועלף	**12**
דרײַצן	**13**
פֿערצן	**14**
פֿופֿצן	**15**
זעכצן	**16**
זיבעצן	**17**

18	אַכצן
19	נײַנצן
20	צוואַנציק/צוואָנציק
21	איין און צוואַנציק
22	צוויי און צוואַנציק
30	דרײַסיק
31	איין און דרײַסיק
40	פֿערציק
50	פֿופֿציק
60	זעכציק
70	זיבעציק
80	אַכציק
90	נײַנציק
100	הונדערט
115	הונדערט (און) פֿופֿצן
200	צוויי הונדערט
1,000	טויזנט
1,000,000	אַ מיליאָן

1864	אַכצן פֿיר און זעכציק
1948	נײַנצן אַכט און פֿערציק
2018	צוויי טויזנט אַכצן

Note: The change that occurs in the base form of the number to construct the "–teen" form also occurs in the construction of the "–ty" form.

פֿיר	פֿערצן	פֿערציק
פֿינף	פֿופֿצן	פֿופֿציק
זיבן	זיבעצן	זיבעציק

III. אַ with numbers = approximately

אַ מיליאָן means "one million," but הונדערט and טויזנט mean "one hundred" and "one thousand" respectively. אַ הונדערט and אַ טויזנט mean "approximately a hundred" and "approximately a thousand." In fact, אַ before any number less than a million implies "approximately" or "about." Once you get to a million, who's counting?

Sample Sentences:

1. איך האָב געקויפֿט אַ צוויי-דרײַ פּאָר זאָקן.	I bought approximately two or three pairs of socks.
2. מײַן מאַן האָט אַ הונדערט שוועסטערקינדער.	My husband has approximately a hundred cousins.
3. דאָס מיידל האָט אָנגעטאָן אַ צען פּאָר שטיוול.	The girl tried on (put on) about ten pairs of boots.
4. דאָס געשעפֿט האָט פֿאַרקויפֿט (איין) טויזנט מאַנטלען.	The store sold one thousand coats.

IV. Mathematical Expressions

+	פּלוס, און, מיט
-	מינוס
x	מאָל
/ or ÷	געטיילט אויף
=	איז (גלײַך)
9/3=3	נײַן געטיילט אויף דרײַ איז (גלײַך) דרײַ.

V. Cardinal Number One: אײן and אײנס

When you count, you use the form **אײנס** for *one*: **אײנס, צוויי, דרײַ.......**

But when "*one*" is part of a greater number such as 21, 31, or 100 you use **אײן**.

אײן און צוואַנציק   אײן און דרײַסיק   (אײן) הונדערט   הונדערט (און) אײנס

You also use **אײן** when "*one*" modifies a noun.

אײן פּעדער, אײן שוך, אײן קינד, אײן לערער

When the pronoun ***one*** is the subject, object, or a predicate noun, it is inflected like the predicate adjective. We shall learn about this in Vol. II.

One plus one is two.	.1 אײנס פּלוס אײנס איז צוויי.
You have only one mother.	.2 מע האָט נאָר אײן מאַמע.
I bought one skirt and two blouses.	.3 איך האָב געקויפֿט אײן ספּודניצע און צוויי בלוזקעס.
There are twenty-one children in the class.	.4 עס זײַנען דאָ אײן און צוואַנציק קינדער אין קלאַס.
The pants cost $41.00.	.5 די הויזן קאָסטן אײן און פֿערציק דאָלאַר.
It must be one of the two.	.6 עס מוז זײַן אײנס פֿון די צוויי.
How many shirts did your husband buy? He bought one shirt.	.7 וויפֿל העמדער האָט דײַן מאַן געקויפֿט? ער האָט געקויפֿט אײן העמד.

VI. Plural of דאָלאַר

When the word **דאָלאַר** is modified by a number such as $2.00, $5.00, $35.00, $100.00, or when you say "a couple of dollars," the word **דאָלאַר** stays in the singular form:

צוויי דאָלאַר, פֿינף דאָלאַר, פֿינף און דרײַסיק דאָלאַר, הונדערט דאָלאַר, אַ פּאָר דאָלאַר.

However, when the plural meaning is used unmodified or modified by something other than the precise number, the plural form **דאָלאַרן** is used:

אַמעריקאַנער דאָלאַרן, אַ סך דאָלאַרן, אַלטע דאָלאַרן, נײַע דאָלאַרן, הונדערט אַמעריקאַנער דאָלאַר, צוויי קאַנאַדער דאָלאַר.

1. איך וויל דאָלאַרן און ניט קיין פֿונטן.	I want dollars and not pounds.
2. די אַלטע דאָלאַרן זײַנען איצט ניט גוט,	These old dollars are not good
מע דאַרף האָבן פֿרישע נײַע דאָלאַרן.	now, you need fresh new dollars.
3. גיב מיר צען נײַע דאָלאַרן.	Give me ten new dollars.

This rule applies to other units of money and to units of time such as יאָר and מינוט. However, this rule does not apply to all units of money and time. You will learn more about this in Vol. II Lesson 19B.

VII. אָנטאָן and זיך אָנטאָן

When transitive, the verb אָנטאָן (to put on clothes) may be used with or without זיך. When intransitive and reflexive, it is always used with זיך (*i.e.*, to get dressed) provided that the subject is dressing him/herself.

1. גיי טו זיך אָן.	Go get dressed.
2. די קאַלאָשן טו (זיך) אָן....	Put on your galoshes.
און דאָס ווינטער-לײַבל נעם,	And take your winter undershirt,
טו עס אָן, דו שוטה.	put it on, you fool.
פֿון "אויפֿן וועג שטייט אַ בוים" איציק מאַנגער	
3. מיר טוען (זיך) אָן די קליידער.	We put on our clothes.
4. די קינדער דאַרפֿן (זיך) אָנטאָן שטיוול.	The children have to put on boots.

אַ ליד: ווו ביסטו געווען?

פֿאָלקסליד

This popular song should help you with the past tense.

1) ווו ביסטו געווען,
ווען געלט איז געווען
און דער נדן
איז געלעגן אויפֿן טיש?

2) הײַנט ביסטו דאָ
און קיין געלט איז ניטאָ
און דאָס לעבן
איז געוואָרן אַזוי מיאוס.

3) ווו ביסטו געווען
ווען די יוגנט איז געווען
און דאָס לעבן
איז געווען צוקער זיס?

4) הײַנט ביסטו דאָ
אַז די האָר זײַנען גראָ,
און דאָס לעבן
איז געוואָרן אַזוי מיאוס.

5) וווּ ביסטו געווען
ווען די יוגנט איז געווען
און דאָס האַרץ
האָט מיט ליבע געברענט?

6) הײַנט ביסטו דאָ
און דער קאָפּ איז שוין גראָ,
און עס ציטערן בײַ מיר
שוין די הענט.

VOCABULARY

* גראָ = גרוי	grey	* דער נדן(ס) [nadn(s)]	dowry
* די יוגנט	youth	צוקער זיס	sweet as sugar
די ליבע(ס)	love	ציטערן	to quiver, to tremble
* ליגן (איז געלעגן)	to lie	* שוין	already
* דאָס לעבן(ס)	life		

פֿון דורות זינגען צונויפֿגעשטעלט פֿון שמואל בוגאַטש, פֿאַרבאַנד ביכער - פֿאַרלאַג, ניו-יאָרק, 1961.

From *Songs of Our People: A Collection of Hebrew and Yiddish Songs*, edited by Samuel Bugatch, Farband Book Pub. Assoc. Inc., N.Y., N.Y., 1961.

EXERCISES

I. Answer the following questions in a full sentence using the answers provided in parentheses:

Example: ווער איז געגאַנגען קויפֿן נײַע קליידער? (די מאַמע)

די מאַמע איז געגאַנגען קויפֿן נײַע קליידער.

1. ווער איז נעכטן געווען אין דער היים? (איך)
2. ווער איז געפֿאָרן צו דער דרײַ און דרײַסיקסטער גאַס? (מיר)
3. ווער איז געגאַנגען אין דעם געשעפֿט? (איר)
4. ווער איז דאָרטן געבליבן אַ גאַנצן טאָג? (זיי)
5. ווער איז געוואָרן אַ לערער? (משה)
6. ווער איז געקומען אין עלעגאַנטע קליידער? (דו)
7. ווער איז געלאָפֿן צו דעם אָרעמען שוועסטערקינד? (זי)
8. ווער איז געזעסן אויף דעם אָרט? (איר)
9. ווער איז געשלאָפֿן אין בעט? (דאָס קינד)
10. ווער איז געבליבן אין געשעפֿט? (מיר)

II. Put the following sentences in the past tense. Be careful, some of the verbs are conjugated with האָבן and some with זײַן.

1. זי איז אויסגעפּוצט. 2. אויף דעם גנבֿ ברענט דאָס היטל. 3. מיר קויפֿן דעם מאַנטל אין דעם געשעפֿט. 4. די בלויע הענטשקעס זײַנען ביליק. 5. די גרינע הויזן ליגן אויף דעם טיש. 6. זיי כאַפּן מציאות. 7. דו ווילסט אַ שוואַרץ רעקל. 8. איך זע אַ סך שיינע ספּודניצעס און וועסטלעך. 9. איר ווייסן ווי צו קויפֿן שאַליקלעך און הענטשקעס. 10. איר קומט פֿון דער פֿינף און דרײַסיקסטער גאַס. 11. די אָרעמע מענטשן גייען, זיי פֿאָרן ניט. 12. דו קויפֿסט זעקס פּאָר וואָלענע הויזן. 13. ער עסט אַלץ וואָס מע גיט אים. 14. איר בלײַבט אין דער היים מאָנטיק און דינסטיק. 15. דאָנערשטיק גייען זיי אין געשעפֿט. 16. מײַן ווײַב האָט אַן עלעגאַנטע שוואַרצע בלוזקע. 17. מענטשן שטאַרבן אומעטום. 18. אונדזער זון ווערט רײַך. 19. זײַן מאַמע זינגט אַ וויגליד.

III. Put all the sentences in Exercise II in the negative – past tense (except no. 11).

IV. Complete the story by choosing one of the proverbs introduced in this lesson.

1. פֿייגל האָט ליב צו טראָגן אַלטע קליידער אָבער הײַנט האָט זי אָנגעטאָן אַ נײַע ספּודניצע מיט אַ נײַ רעקל און וועסטל און שיינע הויכע שטיוול. ווען ברוך האָט געזען פֿייגלען אין די שיינע קליידער האָט ער געשמייכלט (smiled) און געזאָגט, ".....

2. אליהו איז ניט קיין אָרעמער מענטש נאָר ער האָט ליב צו כאַפּן מציאות. איז ער געגאַנגען און האָט געקויפֿט אַ פּאָר הויזן פֿאַר צוועלף דאָלאַר. ער האָט זיי געטראָגן צוויי וואָכן און זיי האָבן זיך צעריסן; איצט דאַרף ער נײַע הויזן. "נו, וואָס האָב איך דיר געזאָגט?" האָט זײַן ווײַב געלאַכט פֿון אים, ".....

3. די קינדער האָבן געדאַרפֿט געבן געלט צו קויפֿן אַ מתּנה (present) פֿאַר דעם לערער. כאַצקעלע האָט פֿאַרגעסן צו ברענגען דאָס געלט. ווען דער לערער האָט געלייענט (read) אַלע נעמען אויף דעם קאַרטל (card) האָט כאַצקעלע ניט געהערט זײַן נאָמען. ער איז רויט געוואָרן און האָט געזאָגט, "זײַט מוחל, לערער, איך האָב פֿאַרגעסן מײַן נאָמען." די אַנדערע קינדער האָבן געלאַכט און געזאָגט, ".......

V. Fill in the blanks with the appropriate number:

וויפֿל?

1. מינדל און ברכה האָבן געהאַט דרײַצן ביכער.
   זיי האָבן געקויפֿט צוויי נײַע ביכער.
   איצט האָבן זיי __________ ביכער.

2. די הויזן קאָסטן איין און צוואַנציק דאָלאַר.
   די בלוזקע קאָסט פֿופֿצן דאָלאַר.
   צוזאַמען קאָסטן זיי __________________ דאָלאַר.

3. דער מאַנטל קאָסט פֿינף און זעכציק דאָלאַר.
די שטיוול קאָסטן זיבן און צוואַנציק דאָלאַר.
צוזאַמען קאָסטן זיי ______ דאָלאַר.

4. דער טאַטע האָט צען ברידער.
די מאַמע האָט פֿינף ברידער און צוויי שוועסטער.
צוזאַמען האָב איך ______ מומעס און פֿעטערס.

VI. Answer the following questions in a full sentence. Write out the numbers in words.

1. וויפֿל מענטשן זײַנען דאָ אין דײַן משפּחה? 2. וויפֿל מאָל אַ טאָג עסטו? 3. וויפֿל ביכער האָסטו? 4. וויפֿל מיצוות (good deeds, commandments) האָט דער ייִד? 5. וויפֿל סענט זײַנען דאָ אין אַ דאָלאַר? 6. וויפֿל טעג זײַנען דאָ אין אַ וואָך? 7. אין וויפֿל לענדער (countries) ביסטו געווען? 8. וויפֿל געלט האָסטו אין באַנק (bank)? 9. וויפֿל געלט ווילסטו האָבן אין באַנק? 10. וויפֿל קאָסטן דײַנע שטיוול?

VII. Write the numbers out in words and do the mathematics:

1. 9+2=	2. 12x5=	3. 30-7=	4. 18+40=	5. 51+16=
6. 63+14=	7. 87+13=	8. 19+70=	9. 14+13=	10. 400+600=
11. 18/3=	12. 10x8=	13. 88/11=	14. 1+12=	15. 71x1=

VIII. Translate into Yiddish:

1.Where were you yesterday? 2. Yesterday we went [to] buy new clothes. 3. Did you walk (go to foot)? 4. No, we went (travelled) by (with the) (דער) train. 5. The teacher stayed at home. 6. My husband got many bargains but I bought expensive clothes. 7. How much did you pay for the black coat? 8. I didn't know that they sold (sell) boots and shoes here. 9. Of couse they sell boots and shoes. Unfortunately, they don't sell pants and skirts. 10. Wednesday, my (the) sister wore a beautiful new suit. 11. She looks, no evil eye, very elegant in her new skirt and jacket. 12. He bought one shirt for $21.

ORAL PRACTICE

IX. Substitute the highlighted words with those in parentheses. Make any necessary changes. Be sure to match the numbers correctly. Articles given are in the nominative case.

ייִדיש: דאָס נײַנטע קאַפּיטל

1. – וואָס טראָגט זי?

– זי טראָגט אירע שוואַרצע שיך,[1] די ברוינע ספּודניצע,[2] די געלע בלוזקע[3] און דעם גרינעם מאַנטל.[4]

א) ((די) שטיוול,[1] דאָס קליידל,[2] דאָס העמד,[3] דאָס רעקל[4])

ב) (זאָקן,[1] די הויזן,[2] דאָס רעקל,[3] דאָס היטל[4])

2. – ווּ איז ער געווען?[1]

– ער איז געווען[1] אין דעם געשעפֿט.

א) (געגאַנגען[1])

ב) (געאַרבעט[1])

ג) (געפֿאָרן[1])

3. – ווּ זײַנען זיי געווען[1] אין 1991?

– זיי זײַנען געבליבן[1] אין שטאָט.

א) (געפֿאָרן[1])

ב) (געאַרבעט[1])

ג) (געוווינט[1])

X. Complete the dialogue:

1. – מיר זײַנען הײַנט געפֿאָרן אין שטאָט.

– וואָס האָט איר געטאָן?

– מיר האָבן געקויפֿט ....

2. – ווי זעט אויס אירל?

– זי איז זייער שיין און הויך און טראָגט עלעגאַנטע קליידער.

– האָסטו ליב פֿרויען וואָס טראָגן עלעגאַנטע קליידער?

– איך.....

3. – וואָס איז דער מער?

– איך ווייס ניט וואָס צו טאָן. די ספּודניצע געפֿעלט מיר זייער אָבער זי קאָסט פֿינף און פֿערציק דאָלאַר. די ספּודניצעס זײַנען ניט אַזוי שיין אָבער זיי קאָסטן צוויי פֿאַר פֿינף און פֿערציק דאָלאַר.

– נו, איך מיין .....

XI. Conversation Topics:

1. You are shopping for clothes. Explain to the salesperson what you want to buy and approximately how much you would like to spend on each item. S/he tries to convince you to consider other alternatives.

2. You and your grandmother or grandfather go shopping together. S/he would like to buy you an article of clothing as a gift. To say the least, your ideas of where to shop and what is nice vary greatly.

SUPPLEMENTARY SONG
אַ מאָל איז געווען אַ מעשׂה

פֿאָלקסליד

1) אַ מאָל איז געווען אַ מעשׂה,
די מעשׂה איז גאָר ניט פֿריילעך,
די מעשׂה הייבט זיך אָנעט
מיט אַ ייִדישן מלך.

2) אַ מאָל איז געווען אַ מלך,
דער מלך האָט געהאַט אַ מלכּה,
די מלכּה האָט געהאַט אַ ווײַנגאָרטן,
ליוליניקע, מײַן קינד.

רעפֿרען:
ליולינקע, מײַן פֿייגעלע,
ליולינקע, מײַן קינד.
כ'האָב אָנגעווווירן אַזאַ ליבע,
וויי איז מיר און ווינד!

3) אין ווײַנגאָרטן איז געוואַקסן אַ ביימעלע,
דאָס ביימעלע האָט געהאַט אַ צווײַגעלע.
אויפֿן צווײַגעלע איז געוואַקסן אַ נעסטעלע,
אין נעסטעלע האָט געלעבט אַ פֿייגעלע.

4) דער מלך איז אָפּגעשטאָרבן,
די מלכּה איז געוואָרן פֿאַרדאָרבן,
דאָס צווײַגעלע איז אָפּגעבראָכן,
דאָס פֿייגעלע פֿון נעסט אַנטלאָפֿן.

VOCABULARY

אָנהייבן זיך (זיך אָנגעהויבן) to begin
אָנווערן (אָנגעווווירן) to lose, to forfeit
אַנטלויפֿן (איז אַנטלאָפֿן) to run away
אָפּגעבראָכן (דער אָפּגעבראָכענער) broken off *(adj.)*
אָפּגעשטאָרבן ← אָפּשטאַרבן
אָפּשטאַרבן (איז אָפּגעשטאָרבן) to die off
דאָס ביימעלע(ך): tree:
דער בוים (ביימער) *imin. of*
הייבן זיך אָן ← אָנהייבן זיך

דער ווײַנגאָרטן (גערטנער)	vineyard
ווערן אָן ← אָנווערן	
דער מלך (מלכים) *[meylekh-m(e)lokhim]*	king
די מלכּה (מלכּות) *[malke(s)]*	queen
דאָס נעסטעלע(ך): *imin. of* די נעסט(ן)	nest:
פֿאַרדאָרבן (דער פֿאַרדאָרבענער)	corrupt *(adj.)*
דאָס פֿייגעלע(ך): *dim. of* פֿויגל (פֿייגל)	bird:
דאָס צווײַגעלע(ך): *dim. of* דאָס צווײַגל(עך)	twig:
שטאַרבן אָפּ ← אָפּשטאַרבן	

Idioms and Expressions

ווײ איז מיר און ווינד! — Woe is me!; Alas and alack!

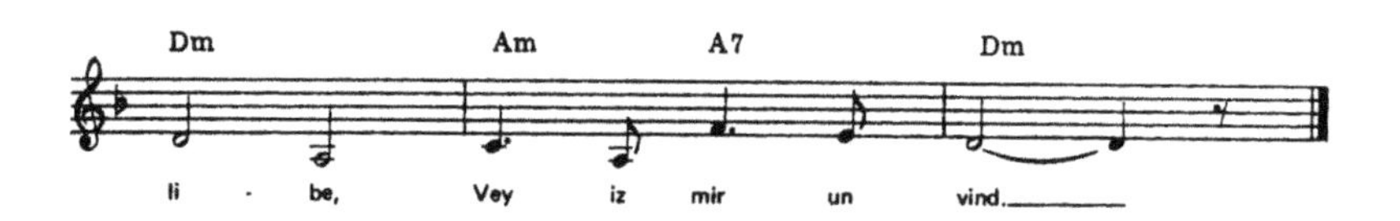

פֿון מיר טראָגן אַ געזאַנג

UNIT 9

דאָס נײַנטע קאַפּיטל

לעקציע נײַן ב׳ LESSON 9B

קליידער

הערשעלע אָסטראָפּאָליער און די גבֿירישע קליידער

פֿאָלקס־מעשׂה

הערשעלע אָסטראָפּאָליער איז געווען אַן אמתער (true) מענטש (1770?-1810?), אָבער ער איז געוואָרן אַ העלד (hero) פֿון דעם ייִדישן פֿאָלקלאָר (folklore). מע זאָגט אַז ער איז געקומען פֿון דער אוקראַיִנע (Ukraine) אָבער ער איז געוואָרן דער שוחט (ritual slaughterer) אין אָסטראָפּאָליע, פּוילן. ער האָט פֿאַרלאָרן (lost) זײַן אַרבעט ווײַל ער האָט אָפּגעלאַכט (laughed at) פֿון די רײַכע און פֿון די פֿירערס פֿון שטעטל. אין אַ סך מעשׂיות וועגן אים איז הערשעלע דער העלד פֿון די אָרעמע און שוואַכע (weak).

איין מאָל איז הערשעלע אָסטראָפּאָליער אָנגעקומען אין אַ שטעטל. דאָרטן האָט ער געהערט אַז דער גבֿיר פֿון שטעטל מאַכט חתונה זײַן טאָכטער. איז הערשעלע גלײַך געגאַנגען געבן אַ קוק, אָבער די דינערס בײַם גבֿיר האָבן נישט געוואָלט אַרײַנלאָזן אין שטוב קיין מענטש מיט אַלטע צעריסענע קליידער. 5

איז הערשעלע גיך געלאָפֿן צו אַ באַקאַנטן. "באָרגט מיר אײַערע שבתדיקע קליידער," האָט הערשעלע געבעטן מיט טרערן אין די אויגן.

און דער באַקאַנטער האָט אים געבאָרגט זײַן שבתדיקע קאַפּאָטע און אַ פֿײַן היטל און גוטע שוואַרצע שטיוול און אַ ריין העמד, ריינע הויזן און ווײַסע זאָקן. הערשעלע האָט אויסגעטאָן זײַן אַלטן מאַנטל און היטל, זײַנע 10 צעריסענע שוואַרצע שיך, זײַן שמוציק ווײַס העמד און די צעריסענע הויזן און האָט אָנגעטאָן די נײַע קליידער.

ער איז געקומען אויף דער חתונה שיין אָנגעטאָן אין די רײַכע קליידער, און מע האָט אים געזעצט אויף אַ בכּבֿודיק אָרט. ער איז געזעסן דאָרטן און אַלץ וואָס מע האָט אים געגעבן צו עסן האָט ער גלײַך געגאָסן אויף די 15

קליידער; אויף דער שבתדיקער קאַפּאָטע, אויף דעם ריינעם ווײַסן העמד און די ריינע שוואַרצע הויזן, אויף די גוטע שוואַרצע שטיוול, און אַפֿילו אויף די ריינע ווײַסע זאָקן.

„הערשעלע, וואָס טוסטו?" האָט אים עמעצער געפֿרעגט.

20. האָט הערשעלע קלוג געענטפֿערט, „ניט מיר גיט איר אָפּ כּבֿוד, נאָר די קליידער."

VOCABULARY

*אויסטאָן (אויסגעטאָן)	to take off clothing
*אַלט	old
אָנקומען (איז אָנגעקומען)	to arrive
אָפּגעבן (אָפּגעגעבן)	to give (back)
אַרײַנלאָזן (אַרײַנגעלאָזט)	to let in
דער באַקאַנטער (באַקאַנטע)	acquaintance
*באָרגן (געבאָרגט)	to borrow; to lend
*בײַם = בײַ דעם	at the, at the house of
*בכּבֿודיק	honored (adj.) [bekovedik]
*בעטן (געבעטן)	to ask, entreat, beg
* דער גבֿיר(ים)	rich man [gvir(im)]
*גיך	quickly
גיסן (געגאָסן)	to pour
*גלײַך	straight, directly, right away
געבן אָפּ ← אָפּגעבן	
*געבן אַ קוק	to take a look
*דער דינער(ס)	servant
*הונגעריק	hungry
*ווײַס	white
*זיצן (איז געזעסן)	to sit
זעצן (געזעצט)	to seat *(trans. v.)*
*די חתונה (חתונות)	wedding *[khasene(s)]*
חתונה מאַכן (האָט ח' געמאַכט)	to marry off
טאָן אויס ← אויסטאָן	
*דער כּבֿוד (כּיבודים)	honor *[koved–kibudim]*
לאָזן אַרײַן ← אַרײַנלאָזן	
*לויפֿן (איז געלאָפֿן)	to run
מאַכן חתונה ← חתונה מאַכן	
*נאָר	but
עמעצער	somebody, anyone
*דער פּלאַץ (פּלעצער)	place, seat
*פֿײַן	fine, nice
צעריסן (דער צעריסענער)	torn

clean	*ריין	long coat worn by observant Jews	די קאַפּאָטע(ס)
Sabbath *(adj.)*; festive *[shabesdik]*	*שבתדיק		קומען אָן ← אָנקומען
dirty	*שמוציק	look, glance, glimpse	*דער קוק(ן)

Expressions

to honor, to give honor to	אָפּגעבן כּבֿוד *[koved]*
to take a look	טאָן אַ קוק

Note:
The verbs אויסטאָן, אָנקומען, אָפּגעבן, אַרײַנלאָזן, אָנטאָן, אויספּוצן זיך are called complemented verbs. They will be explained in Vol. II, Lesson 12B.

פֿראַגעס

1. וואָס האָט דער גבֿיר פֿון שטעטל געטאָן?
2. פֿאַר וואָס האָבן די דינערס ניט געוואָלט אַרײַנלאָזן הערשעלען?
3. ווו איז הערשעלע געלאָפֿן?
4. וואָס האָט הערשעלע געבעטן בײַ זײַן באַקאַנטן?
5. ווּ איז הערשעלע געגאַנגען אין די נײַע קליידער?
6. ווו איז הערשעלע געזעסן?
7. וואָס האָט הערשעלע געטאָן מיטן עסן (food) ?
8. פֿאַר וואָס?

GRAMMAR

I. Dative Case

When used as an indirect object or as the object of a preposition, a noun, the article, and the adjective(s) that modify it, are in the ***dative** case*.

The person to whom something is given, told, brought, or sent is usually in the dative case. The thing given, told, brought, sent, etc. is in the ***accusative*** case. Many verbs such as גלייבן and העלפֿן require the ***dative*** case although they would not logically seem to. These verbs must be memorized individually.

In the following sentences the highlighted words are either the indirect object of the verb or the object of a preposition and are in the ***dative*** case.

Sample Sentences:

We bring *the old man* a new coat.	1. מיר ברענגען **דעם** אַלטן מאַן אַ נײַעם מאַנטל.
The student gives *the good teacher* a kiss.	2. דער תּלמיד גיט **דעם** גוטן לערער אַ קוש.
The mother gave *the good daughter* a new dress.	3. די מאַמע האָט געגעבן **דער** גוט**ער** טאָכטער אַ נײַ קליידל.
The daughter-in-law lived with *her old mother-in-law*.	4. די שנור האָט געוווינט מיט **דער** אַלט**ער** שוויגער.
The father sang a lullaby to *the small child*.	5. דער טאַטע האָט געזונגען **דעם** קליינ**עם** קינד אַ וויגליד.
The smart girl was talking to *a small child*.	6. דאָס קלוגע מיידל האָט גערעדט מיט אַ קליין קינד.
The rich people bring grain to *the poor people*.	7. די גבֿירים ברענגען די אָרעמע מענטשן תּבֿואה.

The masculine dative is exactly the same as the masculine accusative. **דער** changes to **דעם**. See Unit 5 for the rules pertaining to the masculine accusative.

The adjective ends in **ן** whether it is preceded by a definite article, an indefinite article, or no article at all.

רײַך רײַכן   קלוג קלוגן   גרויס גרויסן

We are giving *the rich man* the money.	מיר גיבן דעם רײַכן מאַן דאָס געלט.
Why are we giving money to *a rich man*?	פֿאַר וואָס גיבן מיר געלט אַ רײַכן מאַן?

Note: Avoid using **צו** before the indirect object.

Any other changes in the adjective endings which apply in the accusative will also apply in the dative.

Accusative + Dative	*Nominative*	*Base*

1. Adjectives ending in **ם** in the base form will end in **ען** in the dative.

אַ/דעם פֿרומען לערער	אַ/דער פֿרומער לערער	פֿרום
אַ/דעם קרומען וועג	אַ/דער קרומער וועג	קרום

2. Adjectives ending in **ן** in the base form will end in **עם** in the dative.

אַ/דעם שיינעם מאַנטל	אַ/דער שיינער מאַנטל	שיין
אַ/דעם קליינעם טיש	אַ/דער קליינער טיש	קליין

3. Adjectives ending in a vowel or diphthong in the base form will end in **ען** in the dative.

פֿרײַ (free)	אַ/דער פֿרײַער מענטש	אַ/דעם פֿרײַען מענטש(ן)
בלוי	אַ/דער בלויער שטיוול	אַ/דעם בלויען שטיוול

4. The masculine dative of **נײַ** is **נײַעם** as is the masculine accusative.

---

1. די תּלמידים רעדן מיט **דעם** פֿרומ**ען** לערער.	The students are speaking to *the pious teacher.*
2. די קינדער זיצן אַרום **דעם** קליינ**עם** טיש.	The children are sitting around *the little table.*
3. מיר טראַכטן פֿון **דעם** פֿרײַ**ען** מענטש(ן).	We think of *the free man.*
4. הערשעלע איז געווען אָנגעטאָן אין אַ נײַ**עם** מאַנטל.	Hershele was dressed in *a new coat.*

Feminine Dative: In the feminine dative the article **די** changes to **דער** and all adjectives end in **ער**.

Dative	*Nominative + Accusative*
אַ/דער שיינער טאָכטער	אַ/די שיינע טאָכטער
אַן/דער אָרעמער פֿרוי	אַן/די אָרעמע פֿרוי

1. די מאַמע גיט **דער** שיינ**ער** טאָכטער די שיך.	The mother gives *the pretty daughter* the shoes.
2. דער גבֿיר רעדט צו אַן אָרעמ**ער** פֿרוי.	The rich man speaks to *a poor woman.*

Neuter Dative: Endings for the neuter dative with the definite article are exactly the same as for the masculine dative and accusative. (All exceptions that apply in the masculine dative and accusative apply in the neuter.)

However, when using the indefinite article **אַ** or **אַן** with a neuter noun, the adjective remains in the base form as it does in all other cases.

Dative with Indef. Art.	*Dative with Def. Art.*	*Nom.+Acc. with Def. Art.*
אַ גוט קינד	דעם גוטן קינד	דאָס גוטע קינד
אַ פֿרום ייִנגל	דעם פֿרומען ייִנגל	דאָס פֿרומע ייִנגל
אַ קליין העמד	דעם קליינעם העמד	דאָס קליינע העמד
אַ בלוי קלייד	דעם בלויען קלייד	דאָס בלויע קלייד
אַ נײַ היטל	דעם נײַעם היטל	דאָס נײַע היטל

We give *the good child* a dollar.	1. מיר גיבן **דעם** גוט**ן** קינד אַ דאָלאַר.
We give a dollar to *a good child*.	2. מיר גיבן אַ גוט קינד אַ דאָלאַר.
They are buying *the little boy* a new coat.	3. זיי קויפֿן **דעם** קליינ**עם** ייִנגל אַ נײַעם מאַנטל.
They are buying *a little boy* a new coat.	4. זיי קויפֿן אַ קליין ייִנגל אַ נײַעם מאַנטל.

Compare the neuter and masculine dative:

Neuter: מיר גיבן **דעם** גוט**ן** קינד אַ דאָלאַר.
Masculine: מיר גיבן **דעם** גוט**ן** מאַן אַ דאָלאַר.

Neuter: מיר גיבן אַ גוט קינד אַ דאָלאַר.
Masculine: מיר גיבן **אַ** גוט**ן** מאַן אַ דאָלאַר.

Dative Plural: In the dative plural, as in all other cases with the plural, the plural definite article is **די**. The adjective always ends in **ע**.

Dative	*Nominative + Accusative*
די אָ̂רעמע מענטשן	די אָ̂רעמע מענטשן
אָ̂רעמע מענטשן	אָ̂רעמע מענטשן
די רײַכע שוועסטערקי̂נדער	די רײַכע שוועסטערקי̂נדער
רײַכע שוועסטערקי̂נדער	רײַכע שוועסטערקי̂נדער

Good people help *the poor people.*	1. גוטע מענטשן העלפֿן **די** אָ̂רעמ**ע** מענטשן.
Good people help *poor people*.	2. גוטע מענטשן העלפֿן אָ̂רעמ**ע** מענטשן.
We are going (traveling) to *our rich cousins*.	3. מיר פֿאָרן צו **די** רײַכ**ע** שוועסטערקי̂נדער.
We are going to *rich cousins*.	4. מיר פֿאָרן צו רײַכ**ע** שוועסטערקי̂נדער.

Article and Adjective Endings

	Masculine	Feminine	Neuter	Plural
Nominative				
Definite	דער ___ער	די ___ע	דאָס ___ע	די ___ע
Indefinite	אַ ___ער	אַ ___ע	אַ___	___ע
Accusative				
Definite	דעם ___ן	די ___ע	דאָס ___ע	די ___ע
Indefinite	אַ ___ן	אַ ___ע	אַ___	___ע
Variations for adjectives ending in ם, ן, and stressed vowel	דעם ___עם, ___ען אַ ___עם, ___ען	No Variation	No Variation	No Variation
Dative				
Definite	דעם ___ן	דער___ער	דעם ___ן	די ___ע
Indefinite	אַ ___ן	אַ___ ער	אַ ___	___ ע
Variations for adjectives ending in ם, ן, and stressed vowel	דעם ___עם, ___ען אַ ___עם, ___ען	No Variation	דעם ___עם דעם ___ען	No Variation

II. Clauses as Sentence Units

"Lend me your *kaftan*,"/Hershele/ begs/ with tears in his eyes.	1. „באָרג מיר דײַן קאַפֿטאַן"/ בעט/ הערשעלע / מיט טרערן אין די אויגן.
"Hershele, what are you doing?"/ somebody/ asked/ him.	2. „הערשעלע, וואָס טוסטו?"/ האָט/ עמעצער/אים/ געפֿרעגט.
Everything he was given to eat/ he/ poured/ on his clothes.	3. אַלץ וואָס מע האָט אים געגעבן צו עסן/ האָט/ ער/ געגאָסן/ אויף זײַנע קליידער.
When the brothers harvested the grain/they/divided/ the grain/ in half.	4. ווען די ברידער האָבן געשניטן די תּבֿואה/ האָבן/ זיי/ געטיילט/ די תּבֿואה/ העלפֿט אויף העלפֿט.

In a complex sentence, a subordinate clause is treated as a simple sentence unit. If it precedes the main clause, the verb of the main clause must follow it immediately in order to remain the second unit in the sentence as a whole. Within the subordinate clause, the usual rules for word order apply. Note how this differs from English.

III. Word Order

In the past tense, when a sentence begins with a word other than the subject, and the subject is a pronoun, the first sentence unit is followed by the auxiliary verb, then the pronoun subject, then the participle. In the negative, the **ניט** precedes the participle as it always does.

Negative	Positive
אַוודאי איז ער הײַנט ניט געקומען.	1. אַוודאי איז ער הײַנט געקומען.
הײַנט האָבן זיי ניט געגעסן קיין וועטשערע.	2. הײַנט האָבן זיי געגעסן וועטשערע.
אין דער פֿרי איז ער ניט געלאָפֿן.	3. אין דער פֿרי איז ער געלאָפֿן.
אין ניו-יאָרק איז זי ניט געווען אין דער היים.	4. אין ניו-יאָרק איז זי געווען אין דער היים.

If the subject is a noun, then the subject may go either between the auxiliary verb and the participle or after the participle.

אין דער פֿרי איז (ניט) געקומען דוד.	1. אין דער פֿרי איז דוד (ניט) געקומען.
איין מאָל איז געווען דער ברודער בײַ מאַשען. / איין מאָל איז בײַ מאַשען געווען דער ברודער.	2. איין מאָל איז דער ברודער געווען בײַ מאַשען.

Putting the subject after the participle sometimes yields an awkward construction. In most cases it is preferable to put the noun subject between the auxiliary verb and the participle. We recommend this until you reach a more advanced stage.

אַ ליד: יאָמע, יאָמע

פֿאָלקסליד

1) יאָמע, יאָמע, שפּיל מיר אַ לידעלע,
וואָס דאָס מיידעלע וויל: (2)
דאָס מיידעלע וויל אַ קליידעלע האָבן,
דאַרף מען גיין דעם שנײַדער זאָגן.

2) ניין, מאַמעשי, ניין,
דו קענסט מיך ניט פֿאַרשטיין.
דו ווייסט ניט וואָס איך מיין.
איך האָב אַ שלעכטע מאַמע[1]
און זי קען מיך ניט פֿאַרשטיין.

---

[1] In another version of this song, in the refrain, the line איך האָב אַ שלעכטע מאַמע is omitted and the last line is דו קענסט מיך ניט פֿאַרשטיין.

3) יאָמע, יאָמע, שפּיל מיר אַ לידעלע,
וואָס דאָס מיידעלע וויל: (2)
דאָס מיידעלע וויל אַ פּאָר שיכעלעך האָבן,
דאַרף מען גיין דעם שוסטער זאָגן.

4) ניין, מאַמעשי, ניין,
דו קענסט מיך ניט פֿאַרשטיין,
דו ווייסט ניט וואָס איך מיין.
איך האָב אַ שלעכטע מאַמע
און זי קען מיך ניט פֿאַרשטיין.

5) יאָמע, יאָמע, שפּיל מיר אַ לידעלע,
וואָס דאָס מיידעלע וויל: (2)
דאָס מיידעלע וויל אַ חתנדל האָבן
דאַרף מען גיין דעם שדכן זאָגן.

6) יאָ, מאַמעשי, יאָ,
דו קענסט מיך שוין פֿאַרשטיין.
דו ווייסט שוין וואָס איך מיין.
איך האָב אַ גוטע מאַמע
און זי קען מיך שוין פֿאַרשטיין.

VOCABULARY

דאָס חתנדל(עך)	fiancé, groom: [khosndl(ekh)]	מיך	me *(acc.)*
דער חתן(ים)	*dim. of [khosn-khasanim]*	פֿאַרשטיין (פֿאַרשטאַנען)*	to understand
יאָמע	*Yome*, a *fam.* form of "Binyomin," *Yome* is, apparently, a musician here	דער שדכן(ים)	*[shatkhn-shatkhonim]* matchmaker
די מאַמעשי	mother *(affec.)*	דער שוסטער(ס)	shoemaker
		דער שנײַדער(ס)	tailor

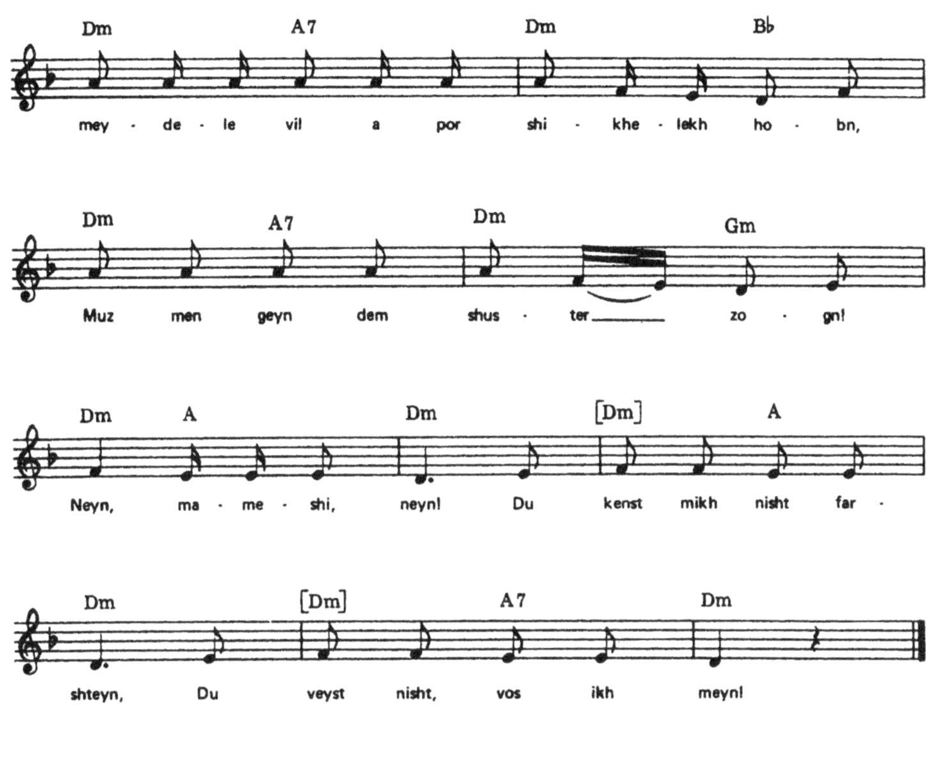

Dm A7 Dm B♭
mey - de - le vil a por shi - khe - lekh ho - bn,
Dm A7 Dm Gm
Muz men geyn dem shus - ter zo - gn!
Dm A Dm [Dm] A
Neyn, ma - me - shi, neyn! Du kenst mikh nisht far -
Dm [Dm] A7 Dm
shteyn, Du veyst nisht, vos ikh meyn!

פֿון מיר טראָגן אַ געזאַנג

EXERCISES

I. Answer the following questions using the words in parentheses. Be sure to make any necessary changes in the articles and adjectives:

Example: מיט וועמען רעדט ער? (די גוטע לערערין)
ער רעדט מיט דער גוטער לערערין.

1. וועמען גיט ער אַן עפּל? (דער אַלטער מאַן)
2. פֿון וועמען לויפֿט זי? (דאָס מיאוסע ייִנגל)
3. ווּ וווינען די אָרעמע מענטשן? (אַ קליין הײַזל)
4. אויף וואָס ליגט דער מאַנטל? (דער גרינער טיש)
5. צו וועמען פֿאָרן די פּלימעניצעס? (די טײַערע מומע)
6. וועמען העלפֿן די רײַכע מענטשן? (דאָס אָרעמע קינד)
7. אין וועמען גלייבן (believe) מיר? (אַ גרויסער גאָט)
8. וועמען קויפֿן זיי נײַע קליידער? (אָרעמע מענטשן)
9. וועמען העלפֿט די לערערין? (די שוואַכע סטודענטן)
10. מיט וועמען זײַט איר געגאַנגען? (אַ נײַער חבֿר)

II. Fill in the blanks with the proper article and adjective endings:

1. ד___ מאַמע האָט געוואָלט ד___ בלוזקע אין ד___ נײַ___ געשעפֿט.
2. זי האָט אָנגעטאָן ד___ בלויע ספּודניצע מיט ד___ געל___ העמד.
3. ער האָט זיך אויסגעפּוצט אין אַ נײַ___ מאַנטל און אַ שיינ___ גרין היטל.
4. ד___ מאַמע האָט געגעבן ד___ קליינ___ קינד דאָס שוואַרצ___ העמד.
5. איר זײַט געזעסן אויף אַ בכּבֿודיק___ אָרט מיט בכּבֿודיק___ מענטשן.
6. זיי זײַנען געקומען פֿון ד___ קליינ___ הויז.
7. פֿאַר וואָס איז דער שווער געבליבן אין דער אַלט___ היים?
8. דער קלוג___ שוואָגער מיט ד___ קלוג___ שוועגערין האָבן געכאַפּט מציאות (bargains).
9. ער האָט געטראַכט פֿון דעם שיינ___ ניגון.
10. ד___ רײַכ___ איידעם וויל אַ גרויס___ נדן.
11. מיר האָבן באַצאָלט פֿאַר ד___ ברוינ___ זאָקן און די שוואַרצ___ שיך.

III. Translate into Yiddish:

1. The next (second) day she wore a torn old dress.
2. Boots are even sold here (One even sells).
3. The rich man went to (on) the wedding and danced the whole night.
4. My acquaintance lived in a small town.
5. The servant, poor thing, wore a dirty shirt and an old brown hat.
6. He poured everything on his new coat.
7. Somebody asked him, "What are you doing?"
8. He answered, "It's none of your business."
9. One shoe lay on the table.
10. Is your husband buying the coats? Only one coat.

IV. Rewrite these sentences in the past tense:

1. אַוודאי קומט ער ניט.
2. הײַנט גייט ער צום גבֿיר.
3. איין מאָל לויפֿט ער צו אַ באַקאַנטן.
4. אויפֿן טיש ליגט דער נדן.

5. דאָרטן זיצט דער אַלטער ייִד.
6. אויף דער חתונה קומט דער דינער אין צעריסענע קליידער.
7. אין שטאָט פֿאָר איך מיט דער באַן.
8. וועטשערע עסן מיר אין דער היים.
9. עס טוט מיר וויי דער רעכטער פֿוס.
10. דאָ כאַפּט מען ניט קיין מציאות.
11. קיין שטיוול קויפֿט דער באַקאַנטער ניט.
12. דאָרטן זעט מען אַ סך געשעפֿטן מיט מאַנטלען.
13. אַ גאַנצן טאָג בלײַבט איר אין שטאָט.
14. נאָך דער לעקציע זײַנען די תּלמידים אויסגעמוטשעט.
15. שבת גייט די משפּחה, זיי פֿאָרן ניט.

V. Make a complete sentence out of each pair of clauses:

Example: ("דאָס מיידעלע דאַרף אַ חתן,") (דער שדכן זאָגט).
"דאָס מיידעלע דאַרף אַ חתן," זאָגט דער שדכן.

1. ("ניט מיר גיט איר אָפּ כּבֿוד,") + (הערשעלע האָט געענטפֿערט).
2. (ווען מע האָט אים געגעבן דאָס עסן) + (ער האָט עס גלײַך געגאָסן אויף זיך).
3. (ווען איך גיי אין דעם געשעפֿט) + (איך קויף אַ סך עלעגאַנטע קליידער).
4. (ווען מײַן מאַן דאַרף אַ נײַעם מאַנטל) + (ער גייט אין דעם געשעפֿט).
5. ("ווו האָסטו געקויפֿט די שוואַרצע הויזן?") + (מײַן חבֿר האָט געפֿרעגט).
6. (אויב עס איז שיין אין דרויסן) + (מיר קענען גיין אין פּאַרק (park)).
7. (ווען דער נדן איז געלעגן אויפֿן טיש) + (דו ביסט ניט געווען).
8. (ווען הערשעלע איז געגאַנגען צו זײַן באַקאַנטן) + (ער האָט געבאָרגט אַ נײַע קאַפּאָטע און גוטע שוואַרצע שטיוול).
9. ("דו פֿאַרשטייסט שוין וואָס איך מיין,") + (דאָס מיידעלע זאָגט).
10. (אויב דער חתן איז אַ שוסטער) + (דאָס מיידעלע וויל ניט דעם חתן).

VI. Translate into Yiddish:

1. Hershele answers cleverly.
2. Our acquaintance was beautifully dressed.
3. I ran straight to my friend.
4. The child cannot sit straight.

5. The students read well.
6. The teacher speaks too long.
7. We are walking quickly.
8. My (The) daughter can sing loudly (high).
9. Somebody here can write well.
10. She looked at him crookedly.

ORAL PRACTICE

VII. Substitute the highlighted words with those in parentheses. Make any necessary changes. Be sure to match the numbers correctly.

.1 – וואָס האָסטו געקויפֿט?
– איך האָב געקויפֿט אַ נײַ היטל[1] מיט אַ נײַ קליידל[2] און אַ פּאָר שיינע שטיוול.[3]
א) (מאַנטל,[1] ספּודניצע,[2] שיך[3])
ב) (קאַפּאָטע,[1] העמד,[2] זאָקן[3])

.2 – וואָס האָט זי געוואָלט?
– זי האָט געוואָלט דעם בלויען[1] מאַנטל און די בלויע[1] הויזן מיט דעם בלויען[1] העמד.
א) (נײַ[1]) ב) (שיין[1])
ג) (לאַנג[1]) ד) (גרוי[1])

.3 – פֿאַר וואָס איז ער[1] געווען אָרעם?
– ער[1] איז געווען אָרעם ווײַל ער[1] האָט ניט געאַרבעט.
– פֿאַר וואָס האָט ער[1] ניט געאַרבעט?
– ער[1] איז געווען צו שוואַך צו אַרבעטן.
א) (זיי[1]) ב) (דו[1] – איך[1])

VIII. Rearrange these sentences putting the highlighted words first:

1. ער איז געלאָפֿן אין דער פֿרי.
2. מיר זײַנען דאָרטן געבליבן אַ גאַנצן טאָג.
3. איר האָבן ניט געהאַט קיין געלט.
4. זיי האָבן אַוודאי געכאַפּט אַ מציאה אין דעם געשעפֿט.
5. איך בין נעכטן געפֿאָרן.
6. זי האָט מאָנטיק ניט געגעסן קיין וועטשערע.
7. דו האָסט צו פֿיל באַצאָלט.
8. זי זעט אויס שיין אין אירע נײַע קליידער.
9. הערשעלע האָט מיט טרערן אין די אויגן געבעטן געלט בײַ זײַן באַקאַנטן.
10. מע האָט אים געזעצט אויף אַ בכּבֿודיק אָרט.
11. הערשעלע איז איין מאָל געגאַנגען אויף אַ חתונה.
12. דו האָסט באַצאָלט צוואַנציק דאָלאַר פֿאַר דער ספּודניצע און דרײַסיק דאָלאַר פֿאַר דעם רעקל.

SUPPLEMENTARY READING

אַ מאַנטל פֿון אַ טונקעלן געוואַנטל

קאַדיע מאָלאָדאָווסקי

1) בײַ אַ שנײַדער אין קאָמאָרע
פֿול מיט קינדער, קיין עין-הרע,
קינדער פּיצעלעך ווי מאָן,
שטייט אַ וויגל אויבנאָן.

2) איצטער הייבט זיך אָן די מעשׂה,
נישט פֿון ציגעלעך קיין ווײַסע,
נאָר אַ מעשׂה פֿון אַ מאַנטל
פֿון אַ טונקעלן געוואַנטל.

3) האָט מען אויפֿגענייט אַ מאַנטל
פֿון אַ טונקעלן געוואַנטל
פֿאַרן עלטסטן בחור שמואל
ער זאָל קענען גיין אין שול.

4) גייט אים שמואליק יאָרן דרײַ
איז דער מאַנטל שפּאָגל נײַ,
גייט אים שמואליק נאָך אַ יאָר
איז דער מאַנטל שענער גאָר.

5) איין מאָל שמואליק טוט אים אָן
איז דער מאַנטל קורץ אין סטאָן.

6) ווערט אַ טומל אין קאָמאָרע:
—נאַ דיר גאָר אַ נײַע צָרה!
שמואליק טוט דעם מאַנטל אָן —
איז דער מאַנטל קורץ אין סטאָן.

7) נו, איז מילא —
טוט שוין אָן דעם מאַנטל ביילע.

8) גייט אים ביילע יאָרן דרײַ
איז דער מאַנטל שפּאָגל נײַ,
גייט אים ביילע נאָך אַ יאָר
איז דער מאַנטל שענער גאָר.

9) איין מאָל ביילע טוט אַ שפּײַ
פּלאַצט אין מאַנטל נעטלעך דרײַ.

10) ווערט אַ טומל אין קאָמאָרע:
נאַ דיר גאָר אַ נײַע צָרה!
טאָמער ביילע גיט אַ שפּײַ
פּלאַצט אין מאַנטל נעטלעך דרײַ?

11) וואָס זשע קען דאָ זײַן דער מער?
גייט אין מאַנטל יאָסל-בער.

12) גייט ער אין אים יאָרן דרײַ
איז דער מאַנטל שפּאָגל נײַ.
גייט ער אין אים נאָך אַ יאָר
איז דער מאַנטל שענער גאָר.

13) איין מאָל פֿאַלט ער אויף די טרעפּלעך
און אַ סוף צו אַלע קנעפּלעך.

14) ווערט אַ טומל אין קאָמאָרע:
—נאַ דיר גאָר אַ נײַע צָרה!
גיין און פֿאַלן אויף די טרעפּלעך
און פֿאַרלירן אַלע קנעפּלעך?

15) און עס פּסקנט דאָס געזינדל:
זאָל שוין גיין אין מאַנטל הינדל.

16) גייט אים הינדל יאָרן דרײַ
איז דער מאַנטל שפּאָגל נײַ,
גייט זי אין אים נאָך אַ יאָר
פֿעלט דעם מאַנטל נישט קיין האָר.

17) איין מאָל ווערט אַ גרויסער טומל,
אַלע שטייען אין אַ רומל,
הינדל כליפּעט אויפֿן בעט —
האָט אָנגעוווירן אַ מאַנקעט.

18) שרײַען אַלע, אַלע, אַלע:
—דאָס איז דאָס אַ מויד אַ כּלה,
ליגט און כליפּעט אויפֿן בעט!
ווי פֿאַרלירט מען אַ מאַנקעט?

19) האָט שוין אָנגעטאָן דעם מאַנטל
איצט דער ייִנגסטער בחור פֿאַנטל.

20) פֿאַנטל, פֿאַנטל,
אײַ איז דאָס אַ בחורעץ!
חבֿרט זיך מיט הינט און קעץ,
יאָגט זיך נאָך יעדער וואָגן,
שלאָגט זיך, ווערט אַליין געשלאָגן,
מיאַוקעט, פֿײַפֿט און שרײַט און בילט
און די מאַמע לאַכט און שילט.

21) האָט שוין אָנגעטאָן דעם מאַנטל
איצט אָט דער אָ תכשיט פֿאַנטל.

22) האָט ער באַלד דעם ערשטן טאָג
אָפּגעפּליקט אַ גאַנצן ראָג,
און אויף מאָרגן אין דער פֿרי
אויסגעהאַקט אַ לאָך אין קני.
און דעם זעלבן טאָג פֿאַר נאַכט
אָן אַ קאָלנער אים געבראַכט,
מיט צוויי לעכער גרויס ווי אויגן
אין די ביידע עלנבויגן.

23) ווערט אַ טומל אַ געשריי,
—אַך און אָך און ווינד און וויי!
אַזאַ מאַנטל, אַזאַ מאַנטל
פֿאַלט אַרײַן צום תכשיט פֿאַנטל.

24) איין מאָל פֿאַנטל איז ניט פֿויל,
קומט צו לויפֿן נאַקעט, הויל,
שרײַען אַלע פֿאַר אַ מאָל,
אַלע, אַלע אין איין קול:
—תכשיט, שגץ, פֿלעדערמויז,
ווּ דער מאַנטל, זאָג נאָר אויס!

25) ענטפֿערט זיי דער ווילער יונג
מיט אַזאַ אַ שאַרפֿער צונג:

26) —כ'האָב פֿון אים דעם רעכטן לאַץ
אָפּגעשענקט דער שוואַרצער קאַץ,
און דערנאָך דעם לינקן לאַץ
אָפּגעשענקט דער ווײַסער קאַץ,
און די רעשטע, לאָך אויף לאָך,
ט'אָנקומען די צווייטע וואָך.

27) ווערט אַ טומל, אַ געשריי:
—אַך און אָך און ווינד און וויי,
אַזאַ מאַנטל, אַזאַ מאַנטל
פֿאַלט אַרײַן צום תכשיט פֿאַנטל!

VOCABULARY

אויבנאָן at the head, place of honor
אויסהאַקן (אויסגעהאַקט) to knock out; to chisel
אויסזאָגן (אויסגעזאָגט) to tell, to reveal
אויף מאָרגן the next day
אויפֿנייען (אויפֿגענייט) to sew, to make (a garment)
אָט here, there (in pointing)

איצטער = איצט — now
אָן — without
אָנהייבן זיך (זיך אָנגעהויבן) — to begin *(intrans.)*
אָנווערן (אָנגעווירן) — to lose
אָפּפּליקן (אָפּגעפּליקט) — to tear off, to pluck off
אָפּשענקען (אָפּגעשענקט) — to give away, pay back; to give thanks *(iro.)*
באַלד — soon, right away
דער בחור(ים) — lad, *[bokher-bokhrim]* young unmarried man
דער בחורעץ(ן) — brat, *[bokherets(n)]* *hum. pej. form of* בחור
בילן (געבילט) — to bark
גאָר — extremely, fully, surprisingly
דאָס געוואַנטל(עך): — material, cloth:
דאָס געוואַנט(ן) — *dim. of*
דאָס געזינדל(עך): — household:
דאָס געזינד(ער) — *dim. of*
דאָס געשריי(ען) — cry, scream, clamor
דער אָ — this ... here *(emph.)*
האַקן אויס ← אויסהאַקן
הויל — bare
דער הונט (הינט) — dog
הייבן זיך אָן ← אָנהייבן זיך
דער וואָגן(ס)/וועגענער — cart, buggy
ווויל — good, nice
דער וווילער־יונג (וווילע־יונגען) — rascal
דאָס וויגל(עך): — cradle:
די וויג(ן) — *dim. of*

ווערן אָן ← אָנווערן
זאָגן אויס ← אויסזאָגן
חבֿרן זיך (מיט) — to be friends (with) *[khavern]*
(זיך געחבֿרט) (מיט) — to associate (with)
טאָמער — if, in the event
ט'אָנקומען = וועט אָנקומען — will arrive
דער טומל(ען) — noise, racket, stir
טונקל — dark
דאָס טרעפּל(עך) — step, stair
יאָגן זיך נאָך ← נאָכיאָגן זיך
דאָס יאָר(ן) — year
דער יונג(ען) — guy, boy
ייִנגסט — youngest
יעדער — each, every
די כּלה (כּלות) — bride (to be) *[kale(s)]*
כליפּען (געכליפּעט) — to sob
דער/די לאָך (לעכער) — hole
דער לאַץ(ן) — lapel
דער מאָן — poppyseed
דער מאַנקעט(ן) — cuff
די מויד(ן) — maid, lass, girl
מיאַוקען (געמיאַוקעט) — to meow
מילא — so be it, anyhow, never mind *[meyle]*
נאָכיאָגן זיך (זיך נאָכגעיאָגט) — to chase, to run after
נאַקעט — naked
נייען אויף ← אויפֿנייען
דאָס נעטל(עך): — seam:
די נאָט (נעט) — *dim. of*
דער סוף(ן) — end *[sof(n)]*
דער סטאָן(ען) — waist
דאָס פּיצל(עך) — tiny bit, shred, a tiny bit of a

פּלאַצן (געפּלאַצט)	to burst
פּסקענען (געפּסקנט)	to decide, to judge, to rule [paskenen-gepasknt)]
פֿאַר אַ מאָל	all at once
פֿאַרלירן (פֿאַרלאָרן/פֿאַרלוירן)	to lose
דער פֿאַרנאַכט(ן)	evening, dusk
פֿויל	lazy
פֿײַפֿן (געפֿײַפֿט)	to whistle
פֿליקן אָפּ ← אָפּפֿליקן	
די פֿלעדערמויז (פֿלעדערמײַז)	bat
פֿעלן (געפֿעלט)	to be missing, to be lacking
צום = צו דעם	to the
די צונג(ען/צינגער)	tongue
דאָס ציגעלע(ך)	kid goat
דער קאָלנער(ס)	collar
די קאָמאָרע(ס)	den, alcove
די קאַץ (קעץ)	cat
דאָס קנעפּל(עך)	button
דער ראָג(ן)	corner
דער רומל	row *(iro.)*, hubbub
די רעשטע = די רעשט(ן)	rest, remainder
שאַרף	sharp
דער שגץ(ים)	gentile lad; smart aleck *[sheygets-shkotsim]*
שילטן (געשאָלטן)	to curse, to swear, to cuss
שלאָגן (געשלאָגן)	to hit, to strike
שלאָגן זיך (זיך געשלאָגן)	to fight
דער שנײַדער(ס)	tailor
שענער	prettier, nicer
שענקען אָפּ ← אָפּשענקען	
דער שפּײַ	spit *(verbal noun)*
שרײַען (געשריגן/געשריִען)	to yell, to shout, to cry
דער תּכשיט(ים)	brat *[takhshet-takhshitim]* (*Lit.* "jewel")

Idioms and Expressions

אויף מאָרגן	the next day
אין איין קול	in one voice, in unison *[kol]*
ווינד און וויי	alack and alas
שפּאָגל נײַ	brand new

UNIT 10

דאָס צענטע קאַפּיטל

לעקציע צען א' LESSON 10A

עסן

אין אַ ייִדישן רעסטאָראַן

1. **מאַמע:** קענען מיר עסן פֿרישטיק?
2. **קעלנער:** מיסעס, ס'איז אַ פֿערטל נאָך עלף. ס'איז כּמעט פֿינצטער אין דרויסן
3. און איר ווילט עסן פֿרישטיק?! אַז איר ווילט פֿרישטיק דאַרפֿט איר
4. קומען אין דער פֿרי, פֿאַר צען דרײַסיק. וואַרט, איך דאַרף נאָך
5. גרייטן צום טיש. (ער גרייט צום טיש.) זעצט אײַך.
6. **טאַטע:** איז דאָס דער מעניו?
7. **קעלנער:** וואָדען איז עס? אַ ספֿר־תּורה?
8. **פֿייגע:** ס'איז גאַנץ היימיש דאָ.
9. **מאַמע:** אַ ביסל צו היימיש.
10. **פֿייגע:** די טעלערס זײַנען זייער שיין.
11. **מאַמע:** קעלנער, זײַט מוחל, זײַט אַזוי גוט און ברענגט אונדז גאָפּלען און
12. לעפֿל.
13. **קעלנער:** וואָס כאַפּט איר? איר מיינט אַז מען עסט דאָ חלילה מיט די הענט?
14. פֿאַר דעם זעלבן געלט קען איך אײַך געבן אַ מעסער אויך.
15. **מאַמע:** אַ שיינעם דאַנק.
16. **קעלנער:** זײַט איר גרייט צו באַשטעלן?
17. **טאַטע:** כּמעט. מיר וואַרטן אויף אונדזער זון. ער דאַרף קומען פֿינף און
18. צוואַנציק נאָך עלף. ער טראָגט אַ שוואַרצן מאַנטל, אַ בלוי היטל,
19. ברוינע הויזן און הויכע שטיוול. זײַט אַזוי גוט און ווײַזט אים וווּ
20. מיר זיצן.
21. **קעלנער:** איר ווילט וואַרטן? וואָס מיינט איר, ס'איז "גרענד צענטראַל סטיישען"

וואָלף-בער קעסלער, בעל-הבית פֿון אַ ייִדישן דעליקאַטעסן אין ספּרינג-וועלי, ניו-יאָרק

Wolf-Ber Kessler, a Jewish delicatessen owner in Spring Valley, New York

22. דאָ?

23. **טאַטע:** זײַט מוחל, לאָמיר דערווײַלע טרינקען אַ טעפּל קאַווע און פֿאַרזוכן

24. אײַערע באַרימטע בולקעס.

25. **קעלנער:** איר נעמט מילך צו דער קאַווע?

26. **טאַטע:** יאָ, איך האָב ליב צו טרינקען קאַווע מיט מילך.

27. **מאַמע:** ברענגט מיר, זײַט אַזוי גוט, אַ גלעזל טיי מיט צוקער און אַ שטיקל

28. לימענע, און זאַפּט פֿאַר מײַן טאָכטער. חיים, וואָס האָסטו געגעסן

29. דאָס לעצטע מאָל וואָס מיר זײַנען דאָ געווען?

30. **טאַטע:** דו ווילסט איך זאָל געדענקען וואָס איך האָב געגעסן וואַרעמעס

31. מיט צוויי יאָר צוריק? שאַ, כ׳געדענק שוין יאָ. כ׳האָב באַשטעלט אַ

32. שיסל גרינסנזופּ און בלינצעס. ס׳האָט געקאָסט נאָר $4.95.

33. **פּייגע:** ס׳איז געווען געשמאַק?

34. **טאַטע:** ס׳איז געווען טעם-גן-עדן!

35. **פּייגע:** מאַמע, זײַ אַזוי גוט, דערלאַנג מיר אַ שטיקל ברויט מיט פּוטער.

36. **מאַמע:** זײַט מוחל, קעלנער, מעגן מיר אײַך פֿרעגן עטלעכע פֿראַגעס?

37. **קעלנער:** פֿרעגט מיך וואָס איר ווילט. ווי איר זעט האָב איך ניט וואָס צו טאָן.

38. **טאַטע:** זײַנען די קרעפּלעך פֿעט?

39. **קעלנער:** מיסטער, איז ניו-יאָרק אַ שטאָט? איז אַבֿרהם אָבֿינו געווען אַ ייִד?

40. **מאַמע:** ווי זײַנען די געפּרעגלטע ציבעלעס?

41. **קעלנער:** כ׳האָב זיי קיין מאָל ניט פֿאַרזוכט, נאָר קיינער איז נאָך קיין מאָל

42. פֿון זיי ניט געשטאָרבן.

43. **פּייגע:** אַ שיינע רעקאָמענדאַציע! וואָס רעקאָמענדירט איר יאָ?

44. **קעלנער:** דאָס וואַסער.

45. **טאַטע:** איר האָט אַוודאי אַ רעצעפּט אויף אײַז – אַזוינס און אַזעלעכס!

46. **קעלנער:** אָט אַזאַ קונה האָב איך ליב. פֿון וואַנען איז אַ ייִד?

47. **טאַטע:** פֿון זאַמישטש, און איר?

48. **קעלנער:** פֿון טאָמעשעוו.

49. **טאַטע:** זײַנען מיר, הייסט עס, לאַנדסלײַט!

50. **קעלנער:** נו, אויב אַזוי, האָב איך פֿאַר אײַך אַ ייַיכל – טעם-גן-עדן, זיסע

51. פֿיש און קאָמפּאָט מיט דעם אמתן ייִדישן טעם, פּונקט ווי אין דער

52. היים. אַלץ פֿאַר $5.50. טעם-גן-עדן! איר וועט לעקן די פֿינגער!

שפּריכווערטער

1. דער אַפּעטיט קומט מיטן עסן. — Enthusiasm comes with involvement. (Lit. "The appetite comes with the eating.")
2. ליבע איז גוט מיט ברויט. — Love is good with bread.
3. צוזאַמענמישן קאַשע מיט באָרשט — to talk in a confusing way (Lit. "to mix together kasha and borsht")
4. אַ ביסל און אַ ביסל ווערט אַ פֿולע שיסל. — Keep at it and you'll have something. (Lit. "A little and a little until you have a full bowl.")

VOCABULARY

אַבֿרהם אָבֿינו	Abraham [Avrom Ovinu] the Patriarch
* אַזאַ	such a
* דאָס אײַז	ice
אמת [emes]	real, true
* דער אַפּעטיט(ן)	appetite
* דער באָרשט(ן)	borsht, beet soup
* באַשטעלן (באַשטעלט)	to order
* די בולקע(ס)	bun, roll
ביז	until
* די בלינצע(ס)	blintz
* גאַנץ	quite
* דער גאָפּל(ען)	fork
* דאָס גלעזל(עך): dim. of די גלאָז (גלעזער)	glass:
דער/דאָס גן־עדן(ס) [ganeydn(s)]	Garden of Eden, paradise
געפּרעגלט	fried (adj.)
* געשמאַק	tasty, delicious
גרייטן (געגרייט)	to prepare
* דאָס גרינס(ן)	vegetable
* דערווײַלע	for the time being, meanwhile
* דערלאַנגען (דערלאַנגט)	to serve, to pass
* היימיש	homey, snug, familiar
וואַנען	where (with prepositions)
וואָס	that (conj.)
דאָס וואַסער(ן)	water
וואַרטן (געוואַרט) (אויף)	to wait for
(דאָס) זאַמישטש	Zamoscz, a city in the province of Lublin, Poland
דער זאַפּט(ן)	juice
די זופּ(ן)	soup
זיס	sweet

חלילה *[kholile]*	God forbid
(דאָס) טאָמעשעוו	Tomashev, a city in the province of Lublin, Poland
* די טיי(ען)	tea
* דער טעלער (טעלער/ס)	plate
דער טעם(ען) *[tam(en)]*	taste
* דאָס טעפּל(עך)	cup
* טרינקען (געטרונקען)	to drink
* דאָס יאָר(ן)	year
* דער ייִד(ן)	Jew; person/fellow (Jewish)
דאָס ייַכל(עך): dim. of די יויך(ן)	broth, chicken soup:
כמעט *[kimat]*	almost
* כ' = איך	I
כאַפּן (געכאַפּט)	to rush, to be hasty
די לאַנדסלײַט ← לאַנדסמאַן	
* דער לאַנדסמאַן (לאַנדסלײַט)	person from the same place in the old country
די לימענע(ס)	lemon
* דער לעפּל (לעפּל)	spoon
* לעצט	last
לעקן (געלעקט)	to lick
* די מילך	milk
מישן צוזאַמען ← צוזאַמענמישן	
* דער מעניו(ען)	menu
* דער/דאָס מעסער(ס)	knife
* ס'איז = עס איז	it is
די ספר-תּורה (תּורות) *[seyfertoyre(s)]*	scroll of the Torah
דאָס עסן(ס)	food
* די פּוטער	butter
פּונקט	exactly
* פֿאַר	for; before
* פֿאַרזוכן (פֿאַרזוכט)	to taste
פֿינצטער	dark
* דער פֿיש (פֿיש)	fish
פֿעט	fat(ty), greasy
* דאָס פֿערטל(עך)	quarter
* דער פֿרישטיק(ן)	breakfast
צוזאַמענמישן	to mix /blend together
* דער צוקער	sugar
* די ציבעלע(ס)	onion
* די קאַווע(ס)	coffee
דער קאָמפּאָט(ן)	(fruit) dessert, compote
קאָסטן (געקאָסט)	to cost
* די קאַשע(ס)	kasha
* דער קונה (קונים) *[koyne-koynim]*	customer
קיינער ... ניט	nobody, no one *pron.*
דער קעלנער(ס)	waiter
* דאָס קרעפּל(עך)	*krepl,* a boiled dumpling
* דער רעסטאָראַן(ען)	restaurant
דער רעצעפּט(ן)	recipe
די רעקאָמענדאַציע(ס)	recommendation
רעקאָמענדירן (רעקאָמענדירט)	to recommend
* דאָס שטיקל(עך): *dim. of* דאָס/די שטיק(ער)	piece:
די שיסל(ען)	bowl, dish

Idioms and Expressions

* אַזוינס און אַזעלעכס	something extraordinary/wonderful
גרייטן צום טיש	to set the table
טעם-גן-עדן [tam-ganeydn]	taste of paradise, out of this world
אַ ייִדישער טעם [tam]	Jewish (i.e., very good) taste
לעקן די פֿינגער	to enjoy (Lit. "to lick one's fingers")
* מיט צוויי יאָר צוריק	two years ago
צו דער קאַווע	with the (your) coffee

לאָמיר לאַכן

עס איז אַ מאָל אַ ייִד אַרײַנגעקומען צו אַ צווייטן ייִד זעקס אַ זייגער ווען ער
און זײַן ווײַב האָבן געגעסן וועטשערע. האָט דאָס ווײַב געזאָגט צום ייִד, "ר׳ ייִד,
גוט אײַך צו זען. איר ווילט אפֿשר אַ שטיקל געפֿילטע פֿיש?"

"ניין," האָט ער געענטפֿערט, "פֿאַרעסט זיך ניט. איך בין ניט הונגעריק. איך
5. דאַרף ניט עסן."

האָט זי אים דערלאַנגט צוויי געזונטע שטיקלעך זיסע פֿיש און ער האָט אַלץ
אויפֿגעגעסן.

דערנאָך האָט די ייִדענע געפֿרעגט, "ר׳ ייִד, איר ווילט אפֿשר אַ ביסל זופּ?"

"ניין," האָט דער ייִד געענטפֿערט. "פֿאַרעסט זיך ניט. איך בין ניט הונגעריק."

10. האָט זי אים געגעבן אַ גרויסע שיסל מיט זופּ און ער האָט אויפֿגעגעסן די
גאַנצע שיסל.

דערנאָך האָט די פֿרוי געפֿרעגט, "ר׳ ייִד, איר ווילט אפֿשר אַ שטיקל פֿלייש?"

"ניין," האָט דער ייִד געענטפֿערט. "איך בין ניט הונגעריק. פֿאַרעסט זיך ניט."

האָט זי אים דערלאַנגט אַ געזונטע פֿאַרציע פֿלייש מיט בולבעס און דער ייִד
15. האָט אַלץ געגעסן.

דערנאָך האָט די ייִדענע געפֿרעגט, "ר׳ ייִד, איר ווילט אפֿשר אַ ביסל קאָמפּאָט?"

"דאָס," ענטפֿערט דער ייִד, "וואָלט איך שוין טאַקע יאָ געגעסן."

VOCABULARY

- * אויפֿעסן (אויפֿגעגעסן) — to eat up, to finish eating something
- * אפֿשר [efsher] — maybe, perhaps
- אַרײַנקומען (איז אַרײַנגעקומען) — come in; visit briefly, drop in
- * די געפֿילטע פֿיש — gefilte fish, stuffed fish
- * וואָלט — would
- וואָלט איך געגעסן — I would eat
- * די ייִדענע(ס) — married Jewish woman
- עסן אויף ← אויפֿעסן

portion	די פּאָרציע(ס)	to busy oneself, to bother, to fuss	פּאָרען זיך(זיך געפּאָרעט)
(Jew.) Mister, traditional title before a man's first name	*[reb]* ר' = רב		

GRAMMAR

I. Telling Time

What time is it?	וויפֿל איז דער זייגער?
What time are they coming?	וויפֿל אַ זייגער קומען זיי?
What time are we eating supper tonight?	וויפֿל אַ זייגער עסן מיר הײַנט וועטשערע?

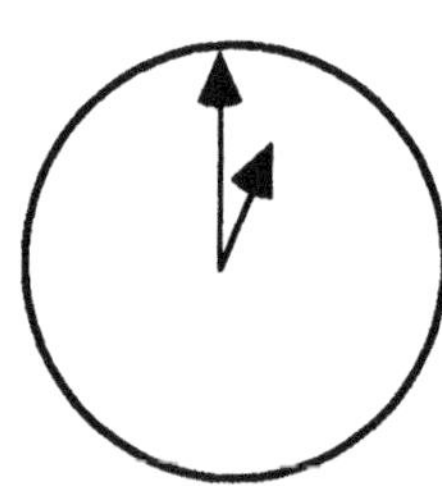

איינס אַ זייגער

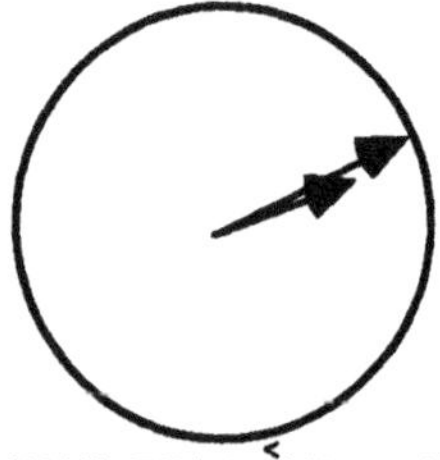

צען מינוט נאָך צוויי

צען נאָך צוויי

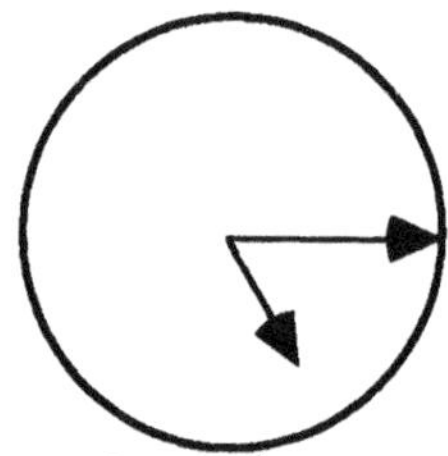

אַ פֿערטל נאָך פֿינף

זעקס דרײַסיק

or האַלב זיבן

or האַלב נאָך זעקס

צוואַנציק מינוט צו/פֿאַר צען

or צוואַנציק צו/פֿאַר צען

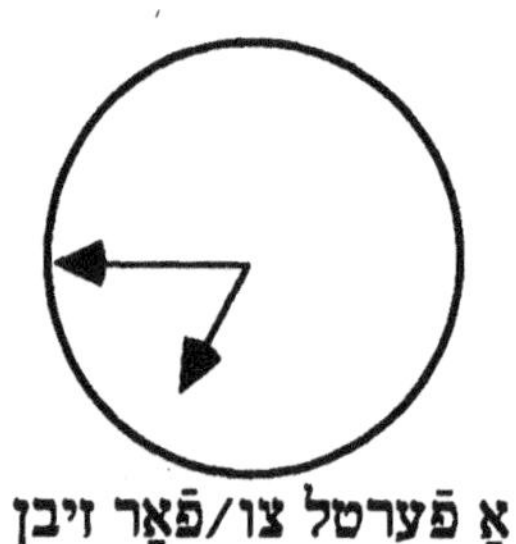

אַ פֿערטל צו/פֿאַר זיבן

Note: One o'clock is *איינס* אַ זייגער, not *אײן* אַ זייגער.

The phrase אַ זייגער is used exactly like the English word "o'clock." It is only used on the hour.

The word מינוט in phrases like צוויי צען מינוט נאָך or צען נאָך צוויי is optional.

In denoting time before the hour, both צו or פֿאַר may be used.

אַ פֿערטל פֿאַר פֿינף or אַ פֿערטל צו פֿינף

Yiddish does not have the unambiguous categories of A.M. and P.M. Instead we use words like אין דער פֿרי in the morning, בײַ טאָג in the daytime, פֿאַר מיטאָג before noon, נאָך מיטאָג in the afternoon, אין אָוונט in the evening, בײַ נאַכט at night. בײַ טאָג and בײַ נאַכט are also used in the general sense as in:

The waiter works in the daytime	דער קעלנער אַרבעט בײַ טאָג
and not at night.	און ניט בײַ נאַכט.

Sample Sentences:

It is 2 A.M.	1. עס איז צוויי אַ זייגער בײַ נאַכט.
It is 10 A.M.	2. עס איז צען אַ זייגער אין דער פֿרי.
It is 11:15 A.M.	3. עס איז אַ פֿערטל נאָך עלף פֿאַר מיטאָג. (פֿ"מ)
It is 2:30 P.M.	4. עס איז האַלב דרײַ נאָך מיטאָג. (נ"מ)
It is 4:30 P.M.	5. עס איז האַלב פֿינף נאָך מיטאָג / אין אָוונט.
They are coming at 8 P.M.	6. זיי קומען אַכט אַ זייגער אין אָוונט.
They go to sleep at 9 P.M.	7. זיי גייען שלאָפֿן נײַן אַ זייגער בײַ נאַכט.
It is 11:22 A.M.	8. עס איז צוויי און צוואַנציק מינוט נאָך עלף אין דער פֿרי/פֿאַר מיטאָג.

Certain times on the borderline between night and morning may be referred to as either אין דער פֿרי or בײַ נאַכט. For example: 1 A.M. is איינס אַ זייגער בײַ נאַכט. 4 A.M. would be פֿיר אַ זייגער אין דער פֿרי.

אין דער פֿרי or פֿאַר מיטאָג may be used for times between daybreak and noon. אין דער פֿרי is usually appropriate for times between daybreak and noon. פֿאַר מיטאָג is used only at times very close to noon such as from 11 to 12 o'clock.

Borderline times between late afternoon and early evening may be referred to as בײַ טאָג, נאָך מיטאָג or אין אָוונט. Borderline times between evening and night may be referred to as either אין אָוונט or בײַ נאַכט. In both cases, the season of the year determines which to use.

Note the phrase אין..... אַרום to denote time in the future:

(in) four weeks (from now)	אין פֿיר וואָכן אַרום
(in) two minutes (from now)	אין צוויי מינוט אַרום
(in) two hours (from now)	אין צוויי שעה *[sho]* אַרום
(in) two weeks (from now)	אין צוויי וואָכן אַרום

1. מײַן מאַמע קומט אין צוויי וואָכן אַרום. — My mother is coming in two weeks (from now).
2. מיר עסן מיטאָג אין אַ שעה אַרום. — We are eating lunch in an hour (from now).

The phrase מיט..... צוריק is used to express time in the past.

three minutes ago	מיט דרײַ מינוט צוריק
two minutes ago	מיט צוויי מינוט צוריק
four hours ago	מיט פֿיר שעה צוריק
a week ago	מיט אַ וואָך צוריק

1. חיים איז דאָ געווען מיט צען מינוט צוריק. — Khayim was here ten minutes ago.
2. איך האָב געקויפֿט די בלוזקע מיט דרײַ וואָכן צוריק. — I bought this blouse three weeks ago.

If the reference point in time is a time other than now, the phrase מיט..... שפּעטער (.... later) is used to denote a time in the future and the phrase מיט..... פֿריִער (... earlier/before) is used to denote a time in the past.

1. מיט אַ וואָך צוריק האָב איך געגעסן אין דעם רעסטאָראַן; מיט צוויי וואָכן פֿריִער האָב איך — A week ago I ate at this restaurant, two weeks earlier

I ate at another place.	געגעסן אין אַן אַנדער אָרט.
The little girl went to school;	2. דאָס מיידעלע איז געגאַנגען אין שול;
a year later she could read.	מיט אַ יאָר שפּעטער האָט זי שוין געקענט לייענען.

II. Constructions after ווערן

Whenever the subject of a sentence wants to do something himself/herself/ themselves, etc. the infinitive is used after the verb ווערן just as it is in English.

The customer wants to taste the compote.	1. דער קונה וויל פֿאַרזוכן דעם קאָמפּאָט.
The child wants to drink the juice.	2. דאָס קינד וויל טרינקען דעם זאַפֿט.
Father does not want to set the table.	3. דער טאַטע וויל ניט גרייטן צום טיש.
You want to do the work.	4. דו ווילסט טאָן די אַרבעט.

However, when the subject of the sentence wants somebody else to do something, the structure is different from the English structure. The verb ווערן is followed by a new clause consisting of a subject, the appropriate form of the verb זאָלן (should) and the infinitive. This accounts for the rather strange locutions such as, "I want you should know," "He wants I should work for nothing," you hear in the English of some native Yiddish speakers.

Don't forget that in the present ווערן is conjugated איך וויל, דו ווילסט, זי וויל, מיר ווילן, איר ווילט, זיי ווילן. The use of אַז between clauses is optional.

Sample Sentences

We want you to eat dinner with us.	1. מיר ווילן איר זאָלט עסן וועטשערע מיט אונדז.
I want you to do the work.	2. איך וויל דו זאָלסט טאָן די אַרבעט.
He wants his wife to wear expensive clothes.	3. ער וויל דאָס ווײַב זאָל טראָגן טײַערע קליידער.
I want the waiter to serve the rolls.	4. איך וויל אַז דער קעלנער זאָל דערלאַנגען די בולקעס.
The son-in-law wants the dowry to be bigger.	5. דער איידעם וויל אַז דער נדן זאָל זײַן גרעסער.
He wanted me to come.	6. ער האָט געוואָלט איך זאָל קומען.
Mother wanted the children to set the table.	7. די מאַמע האָט געוואָלט די קינדער זאָלן גרייטן צום טיש.

III. וואַרטן אויף.

The verb **וואַרטן** "to wait" is followed by the preposition **אויף**. This means "to wait for" and not "to wait on."

The students are waiting for the teacher.	די סטודענטן וואַרטן אויף דעם לערער.
The customers are waiting for the waiter.	די קונים וואַרטן אויף דעם קעלנער.

אַ ליד: אַ מאָל איז געווען אַ ייִד

בען יאָמען

1) אַ מאָל איז געווען אַ ייִד,
האָט ער געהאַט אַ ייִדענע;
האָט ער געהייסן געהייסן
זי זאָל אים קויפֿן פֿלייש אויף שבת.

רעפֿרען (2)
שבת, שבת, שבת,
זאָג ווו נעמט מען פֿלייש אויף שבת?
ס׳איז ניטאָ קיין זאַלץ
ניטאָ קיין שמאַלץ
אוי, ווו נעמט מען פֿלייש אויף שבת?
יאַדי ביי די יאַדי יאַדי באַם איי ביי (2)
יאַדי ביי די יאַדי יאַדי ביי....
יאַדי באַם
יאַדי באַם

2) אַ מאָל איז געווען אַ ייִד,
האָט ער געהאַט אַ ייִדענע;
האָט ער געהייסן געהייסן
זי זאָל אים קויפֿן פֿיש אויף שבת.

רעפֿרען (2)
שבת, שבת, שבת,
זאָג ווו נעמט מען פֿיש אויף שבת....
יאַדי ביי....

3) אַ מאָל איז געווען אַ ייִד,
האָט ער געהאַט אַ ייִדענע;
האָט ער געהייסן געהייסן
זי זאָל אים קויפֿן וויין אויף שבת.

רעפֿרען (2)
שבת, שבת, שבת,
זאָג ווו נעמט מען וויין אויף שבת....

VOCABULARY

for	אויף	salt	* די/דאָס זאַלץ
to tell, to bid, to order	הייסן (געהייסן)	animal fat (as food)	דאָס/די שמאַלץ

Moderato
Gm
Eb
D
A - mol iz ge-ven a yid, Hot er ge-hat a yi - de - ne
Gm
Eb
C
Hot er ge-hey - sn, ge - hey - sn ___ Zi zol im koy _ fn vayn _ oyf
Gm
Bb
F
Bb
F
sha - bes. Oy, Sha - bes, sha - bes, sha - bes vu ___ nemt men vayn _ oyf
Bb
Gm
Cm
Gm
Cm
sha - bes S'iz ni - to keyn zalts, S'iz ni - to keyn shmalts, Iz vu
Gm
D
Gm
nemt men vayn _ oyf sha - bes? Ya - ba - ba ba - ba - ba Ya - ba - ba - ba - ba
Eb
Gm
Ya - ba - ba ba - ba - ba ya - ba - ba - ba - ba ya - ba - ba - ba - ba Ya ba - ba.

Reprinted by permission from *Songs of Generations: New Pearls of Yiddish Song* / לידער פֿון דור צו דור: נײַע פּערל פֿון ייִדישן ליד, Eleanor and Joseph Mlotek, New York: Workmen's Circle.

EXERCISES

I. Write out the time in Yiddish:

1. 3:25 P.M.
2. 4:08 A.M.
3. 5:45 P.M.
4. 7:27 A.M.
5. 12:15 A.M.
6. 11:18 P.M.
7. 1:35 P.M.
8. 8:10 P.M.
9. 12:30 P.M.
10. 9:07 A.M.

II. Fill in the correct time in Yiddish:

1. עס איז איצט צוויי אַ זייגער נאָך מיטאָג. זלמן און קלמן דאַרפֿן קומען אין אַ האַלבער שעה אַרום. זיי דאַרפֿן קומען _____ ________.
2. איך גיי שלאָפֿן עלף אַ זייגער בײַ נאַכט. מײַן מאַן גייט שלאָפֿן מיט צוואַנציק מינוט שפּעטער. ער גייט שלאָפֿן _____ _______.
3. עס איז איצט אַ פֿערטל נאָך זיבן. חיים דאַרף עסן אין פֿופֿצן מינוט אַרום. חיים דאַרף עסן _____ ______.

4. מיט פֿינף און צוואַנציק מינוט צוריק איז געווען נײַן אַ זייגער. דאָס הייסט אַז איצט איז _____ _______.
5. עס איז איצט צוויי דרײַסיק. מיר וואַרטן אויף אונדזער זון וואָס דאַרף קומען אין פֿינף און פֿערציק מינוט אַרום. ער דאַרף קומען _____ _______.
6. עס איז איצט צוועלף אַ זייגער בײַ טאָג. באַשע איז געקומען מיט צוואַנציק מינוט צוריק. זי איז געקומען _____ _______.

III. Complete the story by using one of the proverbs from this lesson:

1. זלמן האָט ליב הינדען, ווײַל ער מיט איר חתונה האָבן. אָבער הינדע ווייסט ניט אויב זי וויל חתונה האָבן מיט זלמנען; זלמן האָט ניט קיין געלט און ער האָט ניט ליב צו אַרבעטן; הײַנט אַרבעט ער דאָ, מאָרגן דאָרטן. "זלמן," זאָגט הינדע, "איך האָב דיך ליב אָבער....

2. די תּלמידים (students) האָבן געדאַרפֿט שרײַבן וועגן זייערע משפּחות. מאָטל האָט געשריבן אַ ביסל וועגן זײַן משפּחה, אַ ביסל וועגן זײַן חבֿרס משפּחה און אַ ביסל וועגן זײַן נײַעם מאַנטל. דער לערער האָט געזאָגט, "מאָטל, דײַן קאָמפּאָזיציע (composition) איז ניט גוט אָרגאַניזירט, דו...

IV. Fill in the blanks choosing the correct preposition from the list below:

1. מיר ווילן טאַנצן _____ דער חתונה. 2. ער וואַרט _____ דעם אייניקל. 3. זי קוקט _______ דעם קונה. 4. זיי ווינען _______ אַ קליין דערפֿל. 5. איר זײַט געפֿאָרן ________ דער באַן. 6. מײַנע קינדער קענען מיר העלפֿן _______ דער עלטער. 7. מיר נעמען צוקער _______ דער קאַווע. 8. ער איז געקומען ______ דער פֿרי. 9. _______ מאָרגן האָבן זיי געפֿונען די זעלבע צאָל גרינסן. 10. מע פֿאַרקויפֿט דאָ העמדער _______ מענער. 11. זי זעט אויס שיין _____ די נײַע קליידער. 12. לאַנגע ספּודניצעס זײַנען אַצינד _____ דער מאָדע. 13. דער קעלנער דאַרף גרייטן _____ טיש.

מיט אויף צו אויף פֿאַר אין צום אויף אויף אין אין מיט אין אויף

V. Translate into Yiddish:

1. I cut (past tense) the bread with a knife.
2. The man told his wife to make fish for (on) Sabbath.
3. Please give me a bit [of] butter.
4. Excuse [me], can we still get breakfast?
5. If you want breakfast, you have to come in the morning. It costs $2.95.

6. Let's try (taste) several of your famous rolls. Do they cost only $.75 (סענט) a roll?
7. I want you to remember to taste their soup.
8. He wants the children to pass the bread.
9. May I ask you a few (several) questions? Of course, I have nothing (not what) to do.
10. We like to eat your kreplekh. They have (are) the taste of paradise!
11. We were at (in) this (the) restaurant two weeks ago.
12. I like that kind of (such a) customer!
13. We waited for our son. He came at twelve noon.
14. You (*for.*) wanted a cup of coffee with sugar and milk? It costs $1.05.
15. The father helped the children read the menu.
16. The table is somehow (something) dirty.
17. The waiter wants the customer to order.
18. Why are the plates and the spoons not clean?

VI. Fill in the appropriate form of the article(s) and adjective(s). Note: The articles or adjectives given in parentheses are in the nominative case.

1. דער אַפּעטיט קומט מיט (דאָס) _____ עסן.
2. דער היימיש _____ קעלנער ברענגט די געשמאַק ___ זופּ.
3. איך האָב דערציילט ד____ אַלט____ קעלנער אַ וויץ (joke).
4. דער טאַטע האָט געגעבן (דאָס קליינע) _____ __________ קינד (דער) ______ פֿרישטיק.
5. די מאַמע האָט געמאַכט אַ (געשמאַקער) ____________ באָרשט.
6. מאַשע האָט דערלאַנגט ד____ גוט___ חבֿר אַ גלעזל טיי.
7. מיר האָבן גערעדט מיט ד___ לאַנדסלײַט וועגן ד___ אַלטער היים.
8. ד___ גאַנצ___ משפּחה האָט באַשטעלט בולקעס מיט (די) ___ זופּ.
9. זי האָט ליב מילך אין (די) _____ קאַווע.
10. ער האָט געגעסן דאָס ברויט מיט (דער קליינער) _____ _________ מעסער.
11. מיר פֿאַרזוכן ד___ פֿעט ___ קרעפּלעך. טעם-גן-עדן!
12. ער האָט געטרונקען כּמעט אַ גאַנצ___ גלעזל זאַפֿט.

VII. Answer in a full sentence either in writing or orally.

רעכן אויס 3 זאַכן וואָס... למשל: די מאַמע וויל דאָס קינד זאָל טאָן.

די מאַמע וויל דאָס קינד זאָל גיין שלאָפֿן. די מאַמע וויל דאָס קינד זאָל עסן וועטשערע. די מאַמע וויל דאָס קינד זאָל זיך לערנען גוט.

רעכן אויס 3 זאַכן וואָס...

1. די מאַמע וויל אַז דו זאָלסט טאָן. 2. דער טאַטע האָט געוואָלט דו זאָלסט טאָן. 3. איר ווילט אײַערע חבֿרים זאָלן טאָן. 4. דער לערער האָט געוואָלט אַז די סטודענטן זאָלן טאָן. 5. די אַמעריקאַנער ווילן דער פּרעזידענט זאָל טאָן.

ORAL PRACTICE

VII.A. Substitute the highlighted words with those in parentheses. Make any necesssary changes. Match the numbers correctly.

1. — וואָס האָט חיים[1] באַשטעלט?
— חיים[1] האָט באַשטעלט צוויי בולקעס מיט פּוטער און אַ גלעזל זאַפֿט, צוזאַמען $1.75.
א) (זיי[1])
ב) (איר - מיר[1])

2. — קעלנער, דער טעלער איז ניט ריין.[1]
— וואָס ווילט איר?
— מיר ווילן אַ ריינעם[1] טעלער און אַ ריינעם[1] גאָפּל און אַ ריין[1] גלעזל.
א) (נײַ[1])
ב) (עלעגאַנט[1])
ג) (שיין[1])

3) — מיט וועמען האָסטו געגעסן?
— איך האָב געגעסן מיט חנהן.[1]
— וואָס האָט חנה[1] באַשטעלט?
— חנה[1] האָט באַשטעלט געפּרעגלטע ציבעלעס און קאָמפּאָט. עס האָט געקאָסט $3.65.
א) (די לערערין[1])
ב) (דער פּעטער[1])
ג) (די חבֿרים[1])
ד) (וועלוול[1])

4) — אויף וועמען וואַרטסטו?
— איך וואַרט אויף מאָטלען. ער האָט געדאַרפֿט קומען 11:30.[1]
— עס איז שוין באַלד 12 אַ זייגער.[2] אפֿשר וועט ער באַלד זײַן דאָ.
א) (9:45,[1] 10[2])
ב) (6:15,[1] 6:30[2])
ג) (2:25,[1] 2:50[2])

VIII. Complete the dialogue:

1. — וואָס ווילט איר?

— קעלנער, זײַט אַזוי גוט, מיר דאַרפֿן וואַסער, אַ גאָפּל, און אַ ריינעם טעלער.

— מיסעס,.......

2. — אויף וועמען וואַרט איר?

— מיר וואַרטן אויף בערלען, ער דאַרף קומען 11:45.

— איצט איז נאָר 11:30.......

3. — וואָס קענען איר טאָן וועטשערע?

— איר האָבן זופּ און פֿיש און געפּרעגלטע ציבעלעס אויב איר ווילט.

— דאָס איך.....

4. — עס איז שוין דרײַ אַ זייגער. די שטוב איז ריין און דאָס עסן איז גרייט (ready). וואָס נאָך ווילסטו מיר זאָלן טאָן איידער די געסט (guests) קומען?

— איך וויל איר זאָלט......

IX. Conversation Topics:

1. You are in a restaurant in New York's Lower East Side or in an Orthodox neighborhood. You order a meal but the waiter seems annoyed at the many questions you ask and at the fact that you are not spending enough.

2. You are eating at the home of your grandmother, who, needless to say, loves to feed you. She keeps offering you dish after dish, and you try, politely but unsuccessfully, to convince her that you have eaten enough.

3a. You and your friend(s) are talking about your parents' hopes and expectations for you. Tell each other (using the correct construction after וועלן) what your parents expect of you and have expected of you throughout life.

b. Have a similar conversation, but this time, be the parent and discuss what you want of your children.

UNIT 10

דאָס צענטע קאַפּיטל

לעקציע צען ב׳ Lesson 10B

סטן

אַ נגידישע פּרעזשעניצע

לויט שלום-עליכמען

1. **מאַן:** וואָס זאָל איך דיר זאָגן, הינדע? ס׳איז גוט צו זײַן אַ נגיד.
2. **הינדע:** פֿאַר וואָס?
3. **מאַן:** געווען בײַם נגיד. מע האָט דערלאַנגט צום טיש אַ פּרעזשעניצע, אַ
4. גאָלד!
5. **הינדע:** וואָס איז דאָרטן?
6. **מאַן:** טעם-גן-עדן!
7. **הינדע:** האָסט געגעסן?
8. **מאַן:** וואָס פֿאַר אַ מחותּן בין איך?
9. **הינדע:** טאָ, פֿון וואַנען ווייסטו?
10. **מאַן:** מע זעט ניט? אַ מחיה צו קוקן פֿון דער ווײַטן!
11. **הינדע:** נגידים, וואָס פֿעלט זיי?
12. **מאַן:** קאָפּווייטיק! איך וויל, הינדע...נם נם נם. זאָלסט אַ מאָל מאַכן
13. אַ פּרעזשעניצע.
14. **הינדע:** טאַקע?
15. **מאַן:** פֿאַר וואָס ניט? איין מאָל אין לעבן!
16. **הינדע:** משוגע–וואָס?
17. **מאַן:** נם נם נם.... עס הלשט מיר דאָס האַרץ, הינדע! מאַך מיר אַ
18. פּרעזשעניצע, זע!
19. **הינדע:** אַ קלאָג! פֿון וואָס מאַכט מען עס – ווייסטו?
20. **מאַן:** פֿון וואַנען זאָל איך וויסן?
21. **הינדע:** טאָ, וואָס זשע רעדסטו? ערשטנס, טוען זיי אַרײַן, די נגידים, ווער
22. ווייסט וויפֿל פּוטער.

23. **מאַן:** מילא, איז אָן פּוטער, אַבי אַ פּרעזשעניצע!
24. **הינדע:** הײַנט מילך?
25. **מאַן:** מילא, איז אָן מילך, אַבי אַ פּרעזשעניצע!
26. **הינדע:** גוט, אָבער אייער? אָן אייער קען מען דאָך ניט מאַכן קיין
27. פּרעזשעניצע.
28. **מאַן:** אייער? אַוווּ שטייט דאָס "אייער"? מע צעשלאָגט איין איי און מע
29. מאַכט אַ פּרעזשעניצע.
30. **הינדע:** גוט! אַוווּ נעמט מען עס? געווען איין איי, איז אַוועק אַ האַלב
31. געלכל אויף געפּילעכץ און אַ ביסל פֿון דעם ווײַסל אויף די חלות.
32. **מאַן:** נאַ-נאַ! אַז דו ווילסט, געפֿינסטו נאָך פֿון וואָס צו מאַכן אַ
33. פּרעזשעניצע.
34. **הינדע:** פֿון וואָס? פֿון דעם שאָלעכץ? אַ האַלב איי!
35. **מאַן:** איך ווייס? ביסט דאָך עפּעס אַ בעל-הביתטע.
36. **הינדע:** אַ בעל-הביתטע, סײַדן מיט מעל אַ ביסל?
37. **מאַן:** זאָל זײַן מיט מעל, אַבי אַ פּרעזשעניצע.
38. **הינדע:** חכם, אַוווּ נעמט מען עס?
39. **מאַן:** עט, אַ ביסל מעל אויך אַ זאַך?
40. **הינדע:** אויך אַ זאַך..... סײַדן רעטשענע.
41. **מאַן:** זאָל זײַן רעטשענע, אַבי אַ פּרעזשעניצע.
42. **הינדע:** סײַדן מיט אַ ציבעלע?
43. **מאַן:** זאָל זײַן אַ ציבעלע, אַבי אַ פּרעזשעניצע.
44. **הינדע:** גאָר פֿאַרגעסן! ניטאָ קיין ציבעלעס. עס איז דאָ אַ קנאָבעלע.
45. **מאַן:** זאָל זײַן אַ קנאָבעלע, אַבי אַ פּרעזשעניצע.
46. **הינדע:** אַ שיינע פּרעזשעניצע! מיט וואָס באַשמירט מען די סקאָווראָדע?
47. **מאַן:** שמיר מיט וואָס דו ווילסט, אַבי אַ פּרעזשעניצע.
48. **הינדע:** נאַ דיר אַ פּרעזשעניצע! געזען בײַם נגיד. דער נגיד זאָל זיך
49. אָפּשנײַדן די נאָז, דאַרף מען אויך שנײַדן די נאָז. מאַלפּע! ננאַ! נאַ
50. דיר אַ פּרעזשעניצע! גיי וואַש זיך, שוין פֿאַרטיק די פּרעזשעניצע!
51. **מאַן:** שוין פֿאַרטיק די פּרעזשעניצע? אָט אַזוי, הינדע, האָב איך דיך
52. ליב. די נגידים מיינען אַז נאָר בײַ זיי איז דאָ פּרעזשעניצעס....אָן
53. איידעלער מאכל, עס שמעקט דער קנאָבל –אַ מחיה! גוט, הינדע!

54. כ'קען אַלע טאָג עסן פּרעזשעניצעס. הערסטו, הינדע, וואָס איך

55. וועל דיר זאָגן? נמ נמ נם, דײַן פּרעזשעניצע איז גאָרניט דאָס ....

56. עפּעס זויערלעך, ווייניק זאַלץ און קלעפּיק, זאָלסט מיר מוחל זײַן!

57. נמ נמ נם, גאָט זאָל ניט שטראָפֿן פֿאַר די רייד. חלשות, טפֿו! דער

58. שוואַרץ-יאָר ווייס זיי, די נגידים, אין וואָס זיי קאָכענען זיך!

VOCABULARY

* אַוווּ = ווו	where
אַוועק(גיין) (אויף) (איז אַוועק[געגאַנגען])	to be spent/ used (for)
אין	so
דאָס איי(ער)	egg
איידל (דער איידעלער)	delicate, noble, genteel, gentle, refined
* אָן	without
אָפּשנײַדן (אָפּגעשניטן)	to cut off
אַרײַנטאָן (אַרײַנגעטאָן)	to put in
אַרײַנלייגן (אַרײַנגעלייגט)	to put in (in lying position)
* באַשמירן (באַשמירט)	to smear, to coat with
* די בעל-הביתטע(ס)	*[baleboste(s)]* housekeeper, housewife
* דאָס גאָלד	gold; *stg.* very good
* גאָר	completely
גיין אַוועק← אַוועקגיין	

דאָס געלכל(עך) yolk

דאָס געפֿילעכץ(ן) stuffing

* געפֿינען (געפֿונען) to find

* דאָך after all; you know; obviously

* האַלב half

הײַנט besides, moreover, on top of it

* וואַשן זיך (זיך געוואַשן) to wash (up)

* ווייניק few, little

דאָס ווײַסל(עך) eggwhite

* די זאַך(ן) thing; issue

זויערלעך sourish

דער חכם(ים) [khokhem-khakhomim] wise person; wise guy (sarc.)

* די חלה (חלות) [khale(s)] challah bread, a twisted white bread eaten Sabbath

חלשות [khaloshes] nauseating, disgusting enough to make one faint

חלשן (געחלשט) [khaleshn (gekhalesht)] to faint

טאָ so, then

טאָן אַרײַן ← אַרײַנטאָן

טפֿו phooey

לייגן אַרײַן ← אַרײַנלייגן

* דער/דאָס מאכל(ים) [maykhl-maykholim] (kind of) food, dish, stg. delicious

די מאַלפּע(ס) monkey

מוחל זײַן [moykhl] to forgive, to pardon (האָט מוחל געווען)

* די מחיה [mekhaye] delight, pleasure

* מילא [meyle] so be it, oh well; never mind

די/דאָס מעל flour

* משוגע [meshuge] crazy, mad

* דער נגיד(ים) [nogid-negidim] rich man

נגידיש [negidish] in rich man's style

* סײַדן unless

די סקאָוואָראָדע(ס) frying pan

*עפּעס something, somehow, somewhat

ערשטנס first of all

פּרעזשעניצע(ס) omelette, scrambled eggs

פֿאַרגעסן (פֿאַרגעסן) to forget

* פֿאַרטיק ready, finished

פֿעלן (געפֿעלט) to be missing, to lack

רעטשן (דער רעטשענער) buckwheat (adj.)	צעשלאָגן (צעשלאָגן) to beat
די/דאָס שאָלעכץ(ער) peel, shell	קאָכענען to like/love (from Polish); may also be a trivialization of קאָכן (to cook)
דער שוואַרץ-יאָר devil	דער קאָפּווייטיק(ן) headache
שטראָפֿן (געשטראָפֿט) to punish	די קלאָג lament
שמירן (געשמירט) to smear, to spread (stg. on)	קלעפּיק sticky
* שנײַדן (געשניטן) to cut שנײַדן אָפּ ← אָפּשנײַדן	דאָס קנאָבעלע(ך): garlic: dim. of דער קנאָבל
	די רייד talk, language, words

Phrases And Expressions

וואָס פֿאַר אַ מחותּן (בין איך)? How [mekhutn] am I related? What have I got to do with....	אַ גאָלד! a wonderful thing
	אַ קלאָג! Woe! Damn it!
	* אָט אַזוי this way, that's how
	* פֿון דער ווײַטן from afar

GRAMMAR

I. Verb plus Infinitive

In Yiddish, just as in English, when an infinitive follows a verb, "to" is used before the infinitive with some, but not all, verbs. For example, in English we say, "I can dance," but "I love ***to*** dance."

In Yiddish, the modal verbs (see Unit 6) **קענען, מוזן, מעגן, װעלן, דאַרפֿן**, **ניט טאָרן** (not permitted), and the verbs **(זיך) לערנען** and **העלפֿן** are followed by the infinitive without **צו**.

Sample Sentences:

1. די קונים קענען באַשטעלן וואָס זיי ווילן.	The customers can order what they want.
2. דו מעגסט אָנטאָן די נײַע שטיוול.	You may put on the new boots.
3. די תּלמידה מוז ענטפֿערן אויף די פֿראַגעס.	The student (f.) must answer the questions.
4. איך וויל פֿאַרזוכן אַלץ.	I want to taste everything.
5. די תּלמידים דאַרפֿן קריגן נײַע ביכער.	The students have to get new books.

6. איר לערנט זיך לייענען און שרײַבן ייִדיש.
You are learning to read and write Yiddish.

7. זונטיק אין דער פֿרי העלפֿן די קינדער גרייטן צום טיש.
Sunday morning the children help set the table.

8. מע טאָר ניט פֿאַרזוכן דעם קאָמפּאָט. ער איז פֿאַר די געסט.
You may not taste the compote. It is for the guests.

The verb זײַן is always followed by צו plus the infinitive. Other verbs such as ליב האָבן, פֿײַנט האָבן (hate) frequently are followed by צו plus the infinitive. The צו is also optional after the verbs אָנהייבן (to begin) and אויפֿהערן (to stop/cease). Using צו is advisable when the verb is separated from the infinitive by a word or phrase as it is in sentence 4 below:

1. איך האָב ליב [צו] טרינקען טיי אין אַ גלאָז.
I like to drink tea in a glass.

2. עס איז ניט גוט צו וועלן צו פֿיל.
It is not good to want too much.

3. די קונהטע האָט פֿײַנט [צו] קויפֿן אין דעם געשעפֿט.
The customer *(f.)* hates to buy in this store.

4. די בעל-הביתטע הייבט אָן פֿינף אַ זייגער אין אָוונט צו קאָכן וועטשערע.
The housekeeper begins cooking supper at five o'clock P.M.

II. More about עס as Subject

You have already learned some of the uses of עס in Unit 6.

1) As the formal impersonal subject:

1. עס איז הײַנט זייער שיין אין דרויסן.
It is very nice outside today.

2. עס איז גוט צו עסן קרעפּלעך, אָבער ניט יעדן טאָג.
It is good to eat *kreplekh*, but not everyday.

2) The expletive עס where there is a logical subject:

1. עס טוט מיר וויי דער קאָפּ.
My head hurts.

2. עס חלשט מיר דאָס האַרץ.
My heart is fainting/ weak.

3) In addition, theoretically, every sentence in the third person singular or plural with a ***noun*** or ***proper noun*** as its subject may be rendered with expletive עס as the subject. Expletive עס never is used when the logical subject is a pronoun. If the logical subject is in the plural, the verb is also in the plural.

Sample Sentences:

The blintzes are delicious.	1. די בלינצעס זײַנען געשמאַק.
	עס זײַנען די בלינצעס געשמאַק. / עס זײַנען געשמאַק די בלינצעס.
My heart is faint.	2. דאָס האַרץ חלשט מיר.
	עס חלשט מיר דאָס האַרץ.
The waiter spills the soup on the customer.	3. דער קעלנער גיסט די זופּ אויף דעם קונה.
	עס גיסט דער קעלנער די זופּ אויף דעם קונה.
(The) grandfather died.	4. דער זיידע איז געשטאָרבן.
	עס איז דער זיידע געשטאָרבן. / עס איז געשטאָרבן דער זיידע.
The friends brought the money.	5. די חבֿרים האָבן געבראַכט דאָס געלט.
	עס האָבן די חבֿרים געבראַכט דאָס געלט. / עס האָבן געבראַכט די חבֿרים דאָס געלט. / עס האָבן געבראַכט דאָס געלט די חבֿרים.

III. The Direct Object Pronoun

Memorize the following direct object pronouns:

me	מיך	us	אונדז
you *(sg. fam.)*	דיך	you *(pl.; sg. for.)*	אײַך
him	אים	them	זיי
her	זי		
it	עס		

In each of the following sentences the highlighted word is the direct object pronoun. It is in the accusative case.

Sample Sentences:

You see ***me***.	1. דו זעסט מיך.
We want to ask ***you*** several questions.	2. מיר ווילן דיך פֿרעגן עטלעכע פֿראַגעס.
I knew ***him*** from the old country (yet).	3. איך האָב אים נאָך געקענט פֿון דער היים.
She saw ***her*** Thursday.	4. זי האָט זי געזען דאָנערשטיק.
Grandfather took ***us*** to synagogue.	5. דער זיידע האָט אונדז גענומען אין שול.
The waiter didn't see ***you***.	6. דער קעלנער האָט אײַך ניט געזען.
My husband likes vegetables. He buys ***them*** in this store.	7. מײַן מאַן האָט ליב גרינסן. ער קויפֿט זיי אין דעם געשעפֿט.

IV. Word Order and Direct Object Nouns and Pronouns

In the past tense a direct object noun may go before or after the past participle.

I saw the ***teacher***. איך האָב געזען דעם לערער. איך האָב דעם לערער געזען.

In the past tense the direct object pronoun goes between the auxiliary verb and the past participle.

You saw ***me***. איר האָט מיך געזען.

The housewife knew ***them***. די בעל-הביתטע האָט זיי געקענט.

In the past tense negative the **ניט** precedes the participle with a direct object noun.

I did not see ***the teacher***. איך האָב דעם לערער ניט געזען.
איך האָב ניט געזען דעם לערער.

In the past tense negative the **ניט** precedes the participle, with a direct object pronoun. This means that the direct object pronoun follows the auxiliary verb and precedes the **ניט**.

You did not see ***him***. 1. דו האָסט אים ניט געזען.

You haven't seen ***him*** for a long time. 2. דו האָסט אים שוין לאַנג ניט געזען.

We didn't know ***him*** two years ago. 3. מיר האָבן אים ניט געקענט מיט צוויי יאָר צוריק.
4. מיר האָבן אים מיט צוויי יאָר צוריק ניט געקענט.

If a sentence unit other than the subject begins the sentence, the direct object noun may go before or after the participle in the past tense.

Today I saw ***Mirl***. 1. הײַנט האָב איך געזען מירלען.
2. הײַנט האָב איך מירלען געזען.

Of course, he did not want to read ***the book***. 3. אַוודאי האָט ער דאָס בוך ניט געוואָלט לייענען.
4. אַוודאי האָט ער ניט געוואָלט לייענען דאָס בוך.

In the past tense, if a sentence unit other than the subject begins the sentence, the direct object pronoun follows the subject and precedes the participle.

Today I saw ***him***.	1. הײַנט האָב איך אים געזען.
In the morning we saw ***them***.	2. אין דער פֿרי האָבן מיר זיי געזען.
He saw ***them*** in the middle of the road.	3. אין מיטן וועג האָט ער זיי געזען.
He did not see ***them*** in the middle of the road.	4. אין מיטן וועג האָט ער זיי ניט געזען.

V. Indefinite Amount or Number: Some, Any אַ ביסל

Yiddish has no exact equivalents for the English words "some" and "any" (in opposition to "none"). Generally, we use the noun itself unmodified. Sometimes, **אַ ביסל** (a little) may mean "some" or "a small amount."

For example:

Give me some sugar.	1. גיט מיר (אַ ביסל) צוקער.
The customer wants some soup.	2. דער קונה וויל (אַ ביסל) זופּ.
Do you have any milk?	3. איר האָט (אַ ביסל) מילך?

Though this form of the noun unmodified may seem odd to the English speaker, it is logical. It is understood that the speaker does not want all the sugar or soup or milk in the world, but only a part of it. If an article precedes the noun, then the meaning changes to "the," "this," "that," "these," "those," "a," or "an." Study these examples:

The housewife buys the/this sugar.	1. די בעל-הביתטע קויפֿט דעם צוקער.
I don't want the(se) onions.	2. איך וויל ניט די ציבעלעס.
Do you have any garlic?	3. איר האָט קנאָבל?
No, I don't have any garlic,	ניין, קיין קנאָבל האָב איך ניט,
but I have (some) eggs.	אָבער איך האָב אייער.
My husband eats an egg in the morning.	4. מײַן מאַן עסט אַן איי אין דער פֿרי.

Sometimes the English sentence could be rendered with or without the "some" or "any."

I need (some) butter.	1. איך דאַרף פּוטער.
I already have (some) milk.	2. איך האָב שוין מילך.
Does the rich man have (any) daughters?	3. האָט דער גביר טעכטער?
No, he doesn't have (any) daughters,	ניין, ער האָט ניט קיין טעכטער,
he has sons.	ער האָט זין.

Naturally, the noun unmodified does not always mean "some" or "any." You have to judge from the context.

Sugar is sweet.	צוקער איז זיס.
Lemons are sour.	לימענעס זײַנען זויער.

When "some" is used in opposition to "all," Yiddish uses אַנדערע (other), or טייל (part of), or the adjective געוויס (certain).

Some of the students come to class, and some do not come.	1. טייל סטודענטן קומען אין קלאַס, און טייל קומען ניט.
I like some omelettes, and some I don't like.	2. איך האָב ליב געוויסע פּרעזשעניצעס, און אַנדערע האָב איך ניט ליב.
The housekeeper cooks some things in the frying pan and some in the pot.	3. די בעל-הביתטע קאָכט געוויסע זאַכן אין דער סקאָווראָדע און אַנדערע אין דעם טעפּל.

The English "any" has two equivalents in Yiddish. When used with the meaning "none" in a negative statement, the ניט... קיין construction is used. When "any" has the meaning "every, all" it is rendered as יעדער in Yiddish.

The store doesn't have any flour.	1. אין דעם געשעפט איז ניטאָ קיין מעל.
There isn't any salt in the house.	2. עס איז ניטאָ קיין זאַלץ אין שטוב.
The housewife does not have any onions.	3. די בעל-הביתטע האָט ניט קיין ציבעלעס.
Any (=every) one on the street knows that.	4. יעדער מענטש אין גאַס ווייסט דאָס.
Every rich man loves omelettes.	5. יעדער נגיד האָט ליב פּרעזשעניצעס.

In English we may end a sentence with the word "some." For example: "I need some garlic. Please buy me some." In Yiddish, this is impossible. We would have to say "זײַ אַזוי גוט, קויף מיר קנאָבל." or "איך דאַרף קנאָבל. זײַ אַזוי גוט, קויף מיר אַ ביסל (קנאָבל)."

VI. Verb Minus דו

In everyday spoken Yiddish, in interrogative constructions and constructions after the verb וועלן involving the second person singular familiar דו, the דו is frequently omitted. It is also never wrong to include (ד)ו.

Did you eat?	1. האָסט(ו) געגעסן?
Have you already greased the frying pan?	2. האָסט(ו) שוין באַשמירט די סקאָווראָדע?
I want you to make an omelette.	3. איך וויל (דו) זאָלסט מאַכן אַ פּרעזשעניצע.
Dad wants you to pass the rolls.	4. דער טאַטע וויל (דו) זאָלסט דערלאַנגען די בולקעס.

אַ ליד: לאָמיר אַלע זינגען אַ זמרל
פֿאָלקסליד

רעפֿרען

לאָמיר אַלע זינגען, לאָמיר אַלע זינגען,
אַ זמרל, אַ זמרל:
לחם איז ברויט, בשׂר ודגים וכּל מטעמים.

1) —זאָג זשע מיר, טאַטעניו, וואָס איז לחם?
—בײַ די גרויסע נגידים איז לחם אַ פֿרישינקע בולקעלע,[1]
אָבער בײַ אונדז, קבצנים, אוי דלפֿנים,
איז לחם אַ דאַרע סקאָרינקע, נעבעך.

2) —זאָג זשע מיר, טאַטעניו, וואָס איז בשׂר?
—בײַ די גרויסע נגידים איז בשׂר אַ געבראָטענע קאַטשקעלע,
אָבער בײַ אונדז, קבצנים, אוי דלפֿנים,
איז בשׂר אַ דאַרע קישקעלע, נעבעך.

3) —זאָג זשע מיר, טאַטעניו, וואָס איז דגים?
—בײַ די גרויסע נגידים איז דגים אַ העכטעלע,
אָבער בײַ אונדז קבצנים, אוי דלפֿנים,
איז דגים אַן אויסגעוווייקט הערינגל, נעבעך.

4) —זאָג זשע מיר, טאַטעניו, וואָס איז מטעמים?
—בײַ די גרויסע נגידים איז מטעמים קאָמפּאָט.
אָבער בײַ אונדז, קבצנים, אוי דלפֿנים,
איז מטעמים געהאַקטע צרות, נעבעך.

---

[1] The adjectival ending in the phrases אַ פֿרישינקע בולקעלע, אַ דאַרע קישקעלע and אַ געבראָטענע קאַטשקעלע, may surprise you. Because they are examples of the Litvish dialect they are not declined according to the rules of standard Yiddish grammar.

VOCABULARY

father *(affec.)* — דער טאַטעניו

all sorts of delicacies *[kol matamim]* — כּל מטעמים

bread *(Heb.) [lekhem]* — לחם

sweets, delicacies *[matamin]* — מטעמים

crust — די סקאָרינקע

fresh: *dim. of* פֿריש — פֿרישינק:

duck: — דאָס קאַטשקעלע(ך): *dim. of* די קאַטשקע(ס)

[kaptsn-kaptsonim] poor man, pauper — דער קבצן (קבצנים)

* intestine, stuffed derma, generally, but poor people could only afford the intestine: — דאָס קישקעלע(ך) *dim. of* די קישקע(ס)

soaked and shrivelled — אויסגעווייקט

meat *(Heb.) [boser]* — בּשׂר

broiled, roasted — געבראָטן (דער געבראָטענער)

* chopped — געהאַקט

thin; dried — דאַר

fish *(Heb.) [dogim]* — דגים

[dalfn-dalfonim] poor man — דער דלפֿון (דלפֿנים)

pike — דאָס העכטעלע(ך): *imin. of* דער העכט (העכט)

* herring: — דאָס הערינגל (עך): *dim. of* דער הערינג (הערינג/ען)

and *Heb. [ve/v/u]* — ו

* tune: *[zemerl(ekh)]* — דאָס זמרל(עך) *dim. of [zemer(s)]* דער זמר(ס)

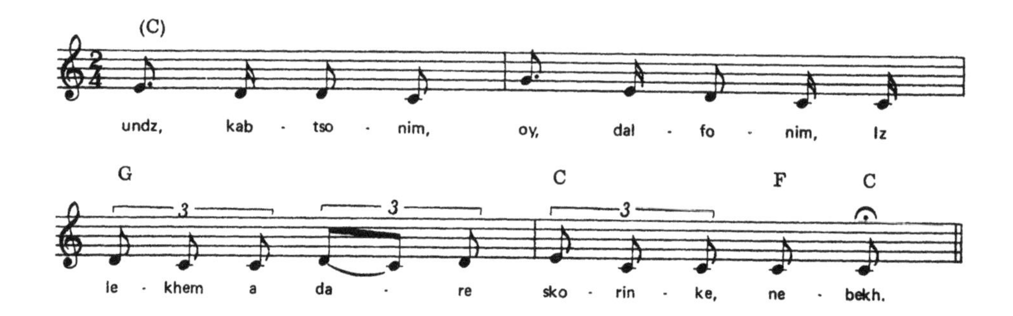

פֿון מיר טראָגן אַ געזאַנג

EXERCISES

I. Rewrite these sentences using expletive עס:

1. אַ סך מענטשן, קיין עין-הרע, קומען צו אונדז.
2. די געפּרעגלטע אייער זײַנען געשמאַק.
3. דער קעלנער האָט ניט געהאַט וואָס צו טאָן.
4. דער טאַטע נעמט צוקער צו דער קאַווע.
5. דער מעסער און די טעלערס זײַנען שמוציק.
6. דער עלנבויגן טוט מיר וויי.
7. די בעל-הביתטע באַשמירט די סקאָווראָדע מיט פּוטער.
8. די פּרעזשעניצע איז שוין פֿאַרטיק.
9. די מאַמע האָט געדאַרפֿט מעל און קנאָבל.
10. דער פֿעטער איז געווען קראַנק איידער ער איז געקומען.

II. Answer the questions using the answers provided in parentheses.
Note: You may have to add "צו" in some sentences.

Example: וואָס וויל די טאָן? (קויפֿן נײַע קליידער)
זי וויל קויפֿן נײַע קליידער.

1. וואָס ווילן די אָרעמע מענטשן טאָן? (געפֿינען אַרבעט)
2. וואָס האָט די קונהטע ליב? (עסן זיסע פֿיש)
3. וואָס דאַרפֿט איר טאָן אין דער פֿרי? (טרינקען זאַפֿט)

4. וואָס איז אַ שאָד? (זײַן אויף צרות)
5. וואָס לערנט ער זיך? (לייענען און שרײַבן ייִדיש)
6. מיט וואָס העלפֿסטו? (מאַכן פֿרישטיק)
7. וואָס האָבן די נגידים ליב? (קויפֿן טײַערע קליידער)
8. וואָס איז שווער (hard)? (זײַן אַ ייִד)
9. וואָס האָט די בעל-הביתטע ליב צו טאָן? (קאָכן פּרעזשעניצעס)
10. וואָס מוזן די קינדער טאָן? (קומען אין קלאַס)

III. Fill in the blanks with the direct object form of the pronoun in parentheses:

Example: דו קענסט (ער). = דו קענסט אים.

1. זי האָט (ער) ____, צום באַדויערן, ניט ליב.
2. מיר האָבן (זי) ____ געזען אין דעם געשעפֿט.
3. דער גבֿיר האָט (מיר) ____ געדענקט.
4. זי לערנט (זיי) ____ דעם אַלף-בית.
5. מיר קענען (איר) ____ נאָך פֿון דער היים.
6. דער לערער האָט (איך) ____ ניט געקענט.
7. איך וויל (דו) ____ זען צען אַ זייגער.
8. זיי האָבן (מיר) ____ ליב געהאַט.
9. ער האָט (זי) ____ געוואָלט נעמען אויף דער חתונה.
10. זי נעמט (ער) ____ אַהיים.
11. מיר האָבן (זיי) ____ געזען אין דער פֿרי.
12. דער תּלמיד האָט (איך) ____ געפֿרעגט אַזעלכע אינטערעסאַנטע (such interesting) פֿראַגעס.
13. זי האָט (איר) ____ געזען פֿון דער ווײַטן.

IV. Translate into Yiddish:

1. I need some milk. Please buy me some.
2. The students don't have any books. They need some.
3. There isn't any salt on the table.
4. Waiter, please bring us some rolls.
5. Would you like (Do you want) some tea? Yes, without sugar.
6. The customer likes some of the food in the restaurant, but some he does not like.
7. Please pass me some bread.
8. May I ask you several questions?
9. Some people don't eat breakfast in the morning.
10. If you have some time, make me an omelette. I have none (no time).

11. The teacher was speaking to some students.
12. I want some coffee without milk. We don't have any.
13. Any restaurant should (ought to) have tea and coffee.
14. Any "landsman" likes this kind of soup. [It has the] taste of paradise.

V. Rewrite the following sentences in the past tense:

1. עלף אַ זייגער קריגט מען נאָך פֿרישטיק.
2. עס איז פֿינצטער אין דרויסן.
3. איר דאַרפֿט קומען אין דער פֿרי.
4. דער קעלנער גרייט ניט צום טיש.
5. זיי וואַרטן אויף זייער חבֿר.
6. זיי ברענגען די גאָפּלען און די לעפֿל.
7. דו עסט די זופּ מיט אַ גרויסן לעפֿל.
8. איר טרינקען אַ טעפּל קאַווע אָן צוקער.
9. דער זיידע טרינקט טיי אין אַ גלאָז.
10. איר האָט אַ שיסל גרינסנזופּ.
11. די בלינצעס זײַנען טעם-גן-עדן.
12. מע שטאַרבט ניט פֿון אונדזער געפֿרעגלטן פֿיש.
13. מיר פֿאָרן ניט צום נגיד.
14. מײַן מאַן וויל ניט קיין פּרעזשעניצע.
15. דו האָסט ניט קיין קנאָבל.
16. די בעל-הביתטע קויפֿט מעל און זאַלץ.
17. מיר וואַשן זיך אײדער מיר עסן.
18. די פּרעזשעניצע שמעקט מיט קנאָבל.
19. מע דאַרף פּוטער צו דער פּרעזשעניצע.
20. איך ווייס ניט וואָס פֿאַר אַ מאכל דאָס איז (present tense).

VI. Translate into Yiddish:

1. The housekeeper bought onions and garlic.
2. The garlic smells somehow (something).
3. Please make me an omelette.
4. I want to fry the eggs.
5. We have to go to the rich man.
6. I can pass you (דיר) the omelette but there are no eggs in this omelette.
7. I can't beat the egg. My hand hurts me.
8. One can make an omelette without milk and without butter, but it will taste bad (it will not have a taste).
9. Dinner is ready. You can go to the table.
10. This is a delicate dish. We ought to eat it every day.
11. I love you when you cook omelettes. Thanks a lot!

ORAL DRILL

VII. Substitute the highlighted words with those in parentheses. Make any necessary changes. Be sure to match the numbers correctly. The articles are given in the nominative case in square brackets. You may or may not need to use them.

1. – וועמען האָבן זיי געזען אין רעסטאָראַן?
   – זיי האָבן אים[1] געזען.
   – האָבן זיי גערעדט צו אים?[1]
   – יאָ! ווײַל זיי האָבן אים[1] ליב.
   א) (זי[1]-איר[1])
   ב) (זעלדע[1])
   ג) (אונדז[1]-אײַך[1])

2. – זיי באַשטעלן די געשמאַקע בלינצעס,[1] דעם גוטן זאַפֿט[2] און אַ ייִדישע פּרעזשעניצע.[3]
   א) ([דאָס] ברויט,[1] [דער] פֿיש,[2] [דאָס] שטיקל פֿלייש[3])
   ב) ([דאָס] פֿלייש,[1] [די] טיי,[2] [דער] קאָמפּאָט[3])

VIII. Rearrange these sentences putting the highlighted words first:

1. די מאַמע האָט אונדז הײַנט געקויפֿט נײַע קליידער.
2. די פּרעזשעניצע איז געווען פּאַרטיק אַ פֿערטל נאָך צוויי.
3. איר האָבן געוואָלט אַז די גרינסנזופּ זאָל שוין זײַן גרייט האַלב זעקס.
4. דער נגיד האָט געוואָלט וווינען אין ישׂראל אויף דער עלטער.
5. מיר האָבן אַוודאי פֿאַרזוכט די בלינצעס.
6. זיי זײַנען געפֿאָרן אין דער פֿרי.
7. דער קעלנער האָט שוין געגרייט צום טיש צען מינוט נאָך זיבן.
8. מיר האָבן געקענט געפֿינען הויזן אַפֿילו אין דעם געשעפֿט.
9. עס שמעקט דער קנאָבל.
10. עס זײַנען געקומען אַ סך מענטשן.
11. עס טוט מיר איצט ניט וויי דער קאָפּ.

IX. Incorporate the pronoun into the sentence and read the sentence out loud. Then change past tense sentences to the present tense and present tense sentences to the past.

Example: מיר האָבן ליב. (דיך) — מיר האָבן דיך ליב.

1. איר האָט געזען. (זיי)
2. די בעל-הביתטע דערלאַנגט די קינדער. (עס)
3. הײַנט האָב איך געזען. (אים)
4. עלף אַ זייגער האָט מען געכאַפּט. (זיי)
5. גאָט האָט געשטראָפֿט. (אונדז)
6. איר ווילן קענען. (דיך)
7. מיר האָבן ניט געזען אין מיטן וועג. (אים)
8. זי האָט ניט געקושט. (אײַך)
9. פֿאַר וואָס האָט די שוויגער ניט ליב געהאַט? (מיך)
10. פֿאַר וואָס האָסטו ניט גענומען? (זיי)

WRITTEN EXERCISE

X. Fill in the correct form of SOME or ANY:

1. די בעל-הביתטע דאַרף ________ מילך. זי וועט קויפֿן ________.
2. איך וויל ________ זאַלץ אויף מײַן פּרעזשעניצע.
3. די סטודענטן האָבן ניט ________ בלײַערס. זיי דאַרפֿן ________.
4. קעלנער, זײַט אַזוי גוט, ברענגט מיר ________ ברויט און אויך ________ בולקעס.
5. ________ נגידים גיבן צדקה און אַנדערע ניט. איך קען ________ וואָס האָבן קיין מאָל אַפֿילו קיין גראָשן (small coin, penny) ניט געגעבן.
6. ________ צוקער איז ברוין און ________ צוקער איז ווײַס.
7. איך קען ________ מענטשן וואָס עסן קיין מאָל ניט קיין פֿרישטיק. ________ עסן ניט קיין וואַרעמעס.
8. דער סטודענט האָט געפֿרעגט ________ פֿראַגעס. נאָר אויף ________ פֿראַגעס האָט דער לערער געקענט ענטפֿערן.
9. דער קונה האָט געטרונקען טיי מיט ________ צוקער. ער האָט ניט גענומען ________ מילך.
10. דער קונה וויל ________ קאַשע אָן וואַרניטשקעס. מיר האָבן ניט ________.

UNIT 11

דאָס עלעפֿטע קאַפּיטל

LESSON 11A לעקציע 11א'

אַרבעט

1. מתּית[1]: פֿון וואַנען קומט איר?
2. זעלדע: איך קום פֿון דער אַרבעט. איך בין הײַנט געווען אין געריכט.
3. מתּית: איר זײַט אַן אַדוואָקאַט?
4. זעלדע: יאָ, איך בין אַן אַדוואָקאַט, איך פֿאַרטיידיק מענטשן וואָס קענען
5. ניט צאָלן.
6. מתּית: דאָס קלינגט זייער אינטערעסאַנט. איר האָט אַלע מאָל געוואָלט
7. ווערן אַן אַדוואָקאַט?
8. זעלדע: ניין, ווען איך בין געווען אַ קינד האָב איך געמיינט אַז איך וועל
9. ווערן אַ בעל-מלאָכה. דער טאַטע איז אַ שוסטער. שוין פֿינף און
10. פֿערציק יאָר אַז ער פֿאַרריכט שיך און שטיוול. די מאַמע איז אַ
11. שנײַדערין און דער זיידע פֿון דער מאַמעס זײַט איז אויך געווען
12. אַ שנײַדער, האָב איך אויך געוואָלט ווערן אַ שנײַדערין. מע
13. דערציילט אַז אין דער אַלטער היים זײַנען אַפֿילו די נגידים
14. געקומען צו אים ער זאָל זיי נייען די קליידער. און איר, וואָס
15. איז אײַער פּרנסה? פֿון וואָס לעבט אַ ייִד?
16. מתּית: איך בין אַ רעדאַקטאָר. איך אַרבעט אין אַ פֿאַרלאַג וואָס גיט
17. אַרויס בלויז פּאָעזיע.
18. זעלדע: זייער אינטערעסאַנט. איר קומט פֿון אַ ליטעראַרישער משפּחה?
19. מתּית: דער טאַטע איז אַ דרוקער. ער אַרבעט אין אַ דרוקערײַ וווּ מע
20. דרוקט ענגלישע און ייִדישע ביכער, זשורנאַלן, און צײַטונגען.
21. די מאַמע איז אַ לערערין פֿון ליטעראַטור. פֿון דער מאַמען האָב
22. איך געקראָגן אַ ליבע צו דער ליטעראַטור. זי האָט מיר שטענדיק
23. דערציילט מעשׂיות און געלייענט פּאָעזיע.
24. זעלדע: דאָס עפּעלע פֿאַלט ניט ווײַט פֿון ביימעלע. בײַ וואָס האָבן

[1] The name מתּית may also be written מאַטעס, it derives from מתּתיהו. See Unit 7 on Hanukkah.

25. געאַרבעט זיידע-באָבע?
26. מתּית: בײַ אונדז אין דער משפּחה זײַנען כּמעט אַלע געוועזן אַרבעטערס;
27. דער זיידע איז געוועזן אַ סטאָליער, זייער אַ פֿעיִקער בעל-מלאָכה,
28. און האָט גאַנץ גוט פֿאַרדינט. ער האָט געבויט הײַזער און אויך
29. געמאַכט מעבל. די באָבע איז געוועזן אַ בעקערין און האָט
30. געהאַט אַן אייגענע בעקערײַ. מע דערציילט אַז דאָס גאַנצע
31. שטעטל איז געקומען צו דער באָבען קויפֿן אירע בולקעס און
32. קיכלעך. פֿון דער אַנדערער זײַט איז דער זיידע אויך געוועזן אַ
33. סטאָליער. און די באָבע, כ'האָב שוין פֿאַרגעסן בײַ וואָס זי האָט
34. געאַרבעט. אָ יאָ, זי האָט געהאַט אַכט קינדער. מסתּמא איז דאָס
35. געוועזן גענוג אַרבעט.
36. זעלדע: מײַן ייִנגערער זון זאָגט אַז ער וועט זײַן אַ בעקער ווען ער
37. וואַקסט אויף. ער איז אַ נאַשער, מיינט ער מסתּמא אַז ווי אַ
38. בעקער וועט ער אַלע מאָל קענען עסן זיסע זאַכן: בולקעס און
39. קיכלעך. מיר וועלן נאָך זען וואָס וועט זײַן פֿון אים.
40. מתּית: דאָס ייִנגסטע טעכטערל איז צען יאָר אַלט. יעדע וואָך וויל זי
41. זײַן עפּעס אַנדערש; די וואָך זאָגט זי אַז זי וועט זײַן אַ טענצערין.
42. מײַן צווייטער זון וועט באַלד אַרײַנגיין אין עלעפֿטן קלאַס. ער
43. איז אַ פֿעיִקער תּלמיד און איז גוט אין מאַטעמאַטיק. אפֿשר וועט
44. ער ווערן אַ מאַטעמאַטיקער. די עלטסטע טאָכטער גייט אין
45. קאַלעדזש. איבער אַ יאָר וועט זי גיין אין מעדיצין-שול און
46. שטודירן אויף דאָקטער.
47. זעלדע: קינדער! ווער קען וויסן וואָס וועט זײַן פֿון זיי? זיי זאָלן נאָר זײַן
48. געזונט!

שפּריכווערטער

1. דאָס עפּעלע פֿאַלט ניט ווײַט פֿון ביימעלע. — A chip off the old block. (*Lit.* "The apple doesn't fall far from the tree.")
2. אַלע שוסטערס גייען באָרוועס. — All shoemakers go barefoot.
3. אַ מלאָכה איז אַ מלוכה. — A trade is a kingdom.
4. אַ נאַר ווײַזט מען ניט קיין האַלבע אַרבעט. — Don't show a fool half [finished] work.
5. די שווערסטע אַרבעט איז ליידיק צו גיין. — The hardest work is to go idle.

VOCABULARY

as	* ווי
far	ווײַט
sweet	* זיס
magazine, journal	* דער זשורנאַל(ן)
daughter: *dim. of*	* דאָס טעכטערל(עך): די טאָכטער (טעכטער)
dancer	די טענצערין(ס)
youngest	* ייִנגסט
each, every	* יעדע
literature	* די ליטעראַטור(ן)
literary	ליטעראַריש
empty	ליידיק
mathematics	די מאַטעמאַטיק
mathematician	דער מאַטעמאַטיקער(ס)
craft, trade *[melokhe(s)]*	* די מלאָכה (מלאָכות)
state *[melukhe(s)]*	* די מלוכה (מלוכות)
probably *[mistome]*	* מסתּמא
furniture	* דאָס מעבל
medicine	* די מעדיצין
fool	* דער נאַר (נאַראָנים)
person with sweet tooth	דער נאַשער(ס)
ninth	נײַנט
to sew	* נייען (גענייט)
carpenter	* דער סטאָליער(ס)
oldest	* עלטסט
English	* דאָס ענגליש
poetry	* די פּאָעזיע
lawyer	* דער אַדוואָקאַט(ן)
to grow up	* אויפֿוואַקסן (איז אויפֿגעוואַקסן)
one *(masc. acc. & masc. + neut. dative)*	איינעם
interesting	* אינטערעסאַנט
different *(adv. /pred. adj.)*	* אַנדערש
worker	* דער אַרבעטער(ס)
to publish, to issue	אַרויסגעבן (אַרויסגעגעבן)
to go in, to enter	* אַרײַנגיין (איז אַרײַנגעגאַנגען)
barefoot	באָרוועס
to builld	* בויען (געבויט)
tree: *imin. of*	דאָס ביימעלע(ך): דער בוים (ביימער)
[bal-melokhe(s)] craftsman, artisan	* דער בעל-מלאָכה (בעל-מלאָכות)
baker	דער בעקער(ס)
bakery	* די בעקערײַ(ען)
baker *(fem.)*	* די בעקערין(ס)
	גיין אַרויס ← אַרויסגיין
	געבן אַרויס ← אַרויסגעבן
court	דאָס געריכט(ן)
to tell	* דערציילן (דערציילט)
to print	* דרוקן (געדרוקט)
printer	* דער דרוקער(ס)
printing shop	די דרוקערײַ(ען)
would *(cond.)*	וואָלט
	וואַקסן אויף ← אויפֿוואַקסן

* די פּרנסה (פּרנסות) [parnose(s)] — living, sustenance, job

* פֿאַרגעסן (פֿאַרגעסן) — to forget

* פֿאַרדינען (פֿאַרדינט) — to earn

* פֿאַרטיידיקן (פֿאַרטיידיקט) — to defend

דער פֿאַרלאַג(ן) — publishing house

* פֿאַרריכטן (פֿאַרריכט/פֿאַרראָכטן) — to repair, to fix

פֿעיִק — able, capable, bright

* צאָלן (געצאָלט) — to pay

די צײַטונג(ען) — newspaper

* דער קאַלעדזש(ן) — college

דאָס קיכל(עך) — cookie

* דער קלאַס(ן) — class

דער רעדאַקטאָר(ן) — editor

שווערסט — hardest, most difficult

* דער שוסטער(ס) — shoemaker

* שטודירן (שטודירט) — to study (usually in a college or university)

* שטענדיק — always

* דער שנײַדער(ס) — tailor

* די שנײַדערין(ס) — tailor *(fem.)*

Expressions

* איבער אַ יאָר — next year

* די אַלטע היים — the old country

בײַ אונדז אין דער משפּחה [mishpokhe] — in our family

בײַ וואָס אַרבעט איר? — What do you work at? What kind of work do you do?

* זיידע-באָבע — grandparents, *pl.*

פֿון וואָס לעבט אַ ייִד? — How does a Jew earn a living? How do you (speaking to a Jew) earn a living?

שטודירן אויף דאָקטער — to study to become a doctor

GRAMMAR

I. The Future Tense

The future tense is probably the easiest tense in Yiddish. It is formed like the future tense in English. The pattern is the same for all verbs.

To form the future tense, conjugate the auxiliary verb וועל (will) in the future.

איך וועל, דו וועסט, ער/זי/עס וועט, מיר וועלן,
איר וועט, זיי וועלן

Then, add the infinitive. Remember: The infinitive always ends in ן or ען as in גיין, קומען, אַרבעטן.

איך וועל אַרבעטן
דו וועסט אַרבעטן
ער וועט אַרבעטן
זי וועט אַרבעטן

מיר וועלן אַרבעטן
איר וועט אַרבעטן
זיי וועלן אַרבעטן

Note: The fused form of דו וועסט is וועסטו.

In the future negative, insert the ניט between the auxiliary verb and the infinitive.

איך וועל ניט דערציילן
דו וועסט ניט דערציילן
ער וועט ניט דערציילן
זי וועט ניט דערציילן

איר וועלן ניט דערציילן
איר וועט ניט דערציילן
זיי וועלן ניט דערציילן

II. Feminine Suffixes

Yiddish frequently differentiates between men and women who work at a given occupation. The feminine form is usually formed by adding the suffix ין to the masculine form of the noun. The י is generally not pronounced.

דער שוסטער — די שוסטערין
דער שנײַדער — די שנײַדערין
דער בעקער — די בעקערין

The feminine plural ends in ס as in די בעקערינס, די שנײַדערינס.

Other feminine suffixes are קע, שע, or טע. (In our reading we presented only the ין alternative.) The טע is generally used only with occupations from the traditional Jewish world and other nouns from *Loshn-koydesh*.

דער לערער — די לערערקע
דער דאָקטער — די דאָקטערשע
דער שנײַדער — די שנײַדערקע
דער חזן (cantor) — די חזנטע
דער חבֿר — די חבֿרטע
דער גנבֿ — די גנבֿטע
דער שדכן — די שדכנטע

The feminine form may denote either a woman who works at a given occupation or one whose husband does. Thus, a בעקערין is either a female baker or a woman whose husband is a baker. Not infrequently, a woman might both have been married to a man who worked at a given occupation and worked with him together in this occupation.

Generally, the professions which were not traditionally held by women use the masculine form for both male and female practitioners. Thus, one is likely to use אַדוואָקאַט, פּראָפֿעסאָר for both a male or a female lawyer or professor,

although one could say אַדוואָקאַטין, פּראָפֿעסאָרשע.

If one uses the masculine form for a feminine practitioner, it will be modified by a masculine adjective.

She is a capable lawyer. זי איז אַ פֿעיִקער אַדוואָקאַט.

Some feminists argue that gender difference should be completely eliminated in Yiddish, but it is doubtful that words such as די שנײַדערין or די בעקערין *etc.*, that have become deeply entrenched in the language over hundreds of years will disappear, regardless of the orientation of the speaker.

Feminine suffixes are used not only for occupations but also simply to denote the female performer of an action.

reader	די לייענערין	דער לייענער
doer, active person	די טוערין	דער טוער
buyer	די קויפֿערין	דער קויפֿער

III. Declension of Nouns

You have already learned in Unit 4 that proper names are declined in the accusative and dative cases. Although most nouns are not declined, there are a few that are. They are:

דער טאַטע, דער זיידע, דער רבי, דער ייִד, דער מענטש,

די מאַמע, די באָבע, דאָס האַרץ (heart in the emotional sense)

Note that most of these nouns, such as דער טאַטע, דער זיידע, דער רבי, די מאַמע, די באָבע are often used as names.

These masculine nouns, like masculine articles and adjectives, are declined in the accusative and dative cases.

Grandfather lives with us.	נאָם. דער זיידע וווינט מיט אונדז.
We love grandfather.	אַקוז. מיר האָבן ליב דעם זיידן.
The grandchildren talk to the grandfather.	דאַט. די אייניקלעך רעדן מיט דעם זיידן.

יידיש: דאָס עלעפטע קאַפּיטל

נאָמינאַטיוו	אַקוזאַטיוו	דאַטיוו
דער טאַטע	דעם טאַטן	דעם טאַטן
דער זיידע	דעם זיידן	דעם זיידן
דער רבי	דעם רבין	דעם רבין
דער ייִד	דעם ייִדן	דעם ייִדן

The feminine nouns די מאַמע and די באָבע, like all feminine articles and adjectives, and the neuter noun דאָס האַרץ, like all neuter articles and adjectives, only differ from the nominative in the dative case.

Sample Sentences:

נאָם. 1. די באָבע אַרבעט ביַי דער מלאָכה.	Grandmother works at the trade.
אַקוז. 2. די אייניקלעך האָבן ליב די באָבע.	The grandchildren love the grandmother.
דאַט. 3. דאָס גאַנצע שטעטל איז געקומען צו דער באָבען קויפֿן אירע בולקעס.	The whole town came to grandmother to buy her rolls.
אַקוז. 4. ווער קען וויסן דאָס האַרץ פֿון אַ מענטש(ן)?	Who can know the heart of a person?
דאַט. 5. אין האַרצן ברענט אַ פֿיַיער, מע זעט עס ניט אָן.	A fire is burning in my heart, it can't be seen.

פֿון "פּאַפּיר איז דאָך וויַיס," פֿאָלקסליד

נאָמינאַטיוו	אַקוזאַטיוו	דאַטיוו
די מאַמע	די מאַמע	דער מאַמען
די באָבע	די באָבע	דער באָבען
דאָס האַרץ	דאָס האַרץ	ביַים/אין/דעם האַרצן

The declension of ייִד and מענטש is optional. One is as likely to find:

We know that/the Jew.	מיר קענען דעם ייִד as מיר קענען דעם ייִדן.
You work with that/the man.	איר אַרבעט מיט דעם מענטש as איר אַרבעט מיט דעם מענטשן.

אַ ליד: הער נאָר, דו שיין מיידעלע

פֿאָלקסליד

1. הער נאָר, דו שיין מיידעלע,
הער נאָר, דו פֿײַן מיידעלע,
וואָס וועסטו טאָן אין אַזאַ ווײַטן וועג? (2)

2. איך וועל גיין אין אַלע גאַסן,
איך וועל שרײַען ״וועש צום וואַשן!״
אַבי מיט דיר צוזאַמען זײַן. (2)

3. הער נאָר, דו שיין מיידעלע,
הער נאָר, דו פֿײַן מיידעלע
וואָס וועסטו עסן אין אַזאַ ווײַטן וועג? (2)

4. ברויט מיט זאַלץ וועל איך עסן,
טאַטע-מאַמע וועל איך פֿאַרגעסן,
אַבי מיט דיר צוזאַמען זײַן. (2)

5. הער נאָר, דו שיין מיידעלע,
הער נאָר, דו פֿײַן מיידעלע,
אויף וואָס וועסטו שלאָפֿן אין אַזאַ ווײַטן וועג? (2)

6. איך בין נאָך אַ יונגע פֿרוי,
איך קען שלאָפֿן אויף אַ בינטל שטרוי,
אַבי מיט דיר צוזאַמען זײַן. (2)

7. הער נאָר, דו שיין מיידעלע,
הער נאָר דו פֿײַן מיידעלע,
מיט וואָס וועסטו זיך צודעקן אין אַזאַ ווײַטן וועג? (2)

8. דער טוי פֿון הימל וועט איך צודעקן,
די פֿייגעלעך וועלן איך אויפֿוועקן,
אַבי מיט דיר צוזאַמען זײַן,
אַבי מיט דיר צוזאַמען זײַן!

VOCABULARY

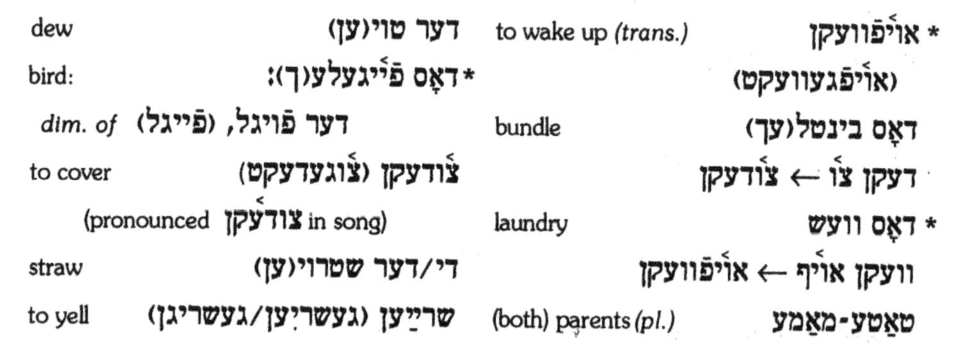

dew	דער טוי(ען)	to wake up *(trans.)*	* אויפֿוועקן
bird:	* דאָס פֿייגעלע(ך):		(אויפֿגעוועקט)
dim. of	דער פֿויגל, (פֿייגל)	bundle	דאָס בינטל(עך)
to cover	צודעקן (צוגעדעקט)		דעקן צו ← צודעקן
	(pronounced צודעקן in song)	laundry	* דאָס וועש
straw	די/דער שטרוי(ען)		וועקן אויף ← אויפֿוועקן
to yell	שרײַען (געשריִען/געשריגן)	(both) parents *(pl.)*	טאַטע-מאַמע

Moderate tempo
Em B7 Em
Her nor, du sheyn mey - de - le,
(Em) B7 Em
Her nor, du fayn mey - de - le,
G D Em C D(B7)
Vos ves - tu ton in a - za vay - tn
1. G 2. Em G D
veg? veg? Ikh vel geyn in a - le ga - sn

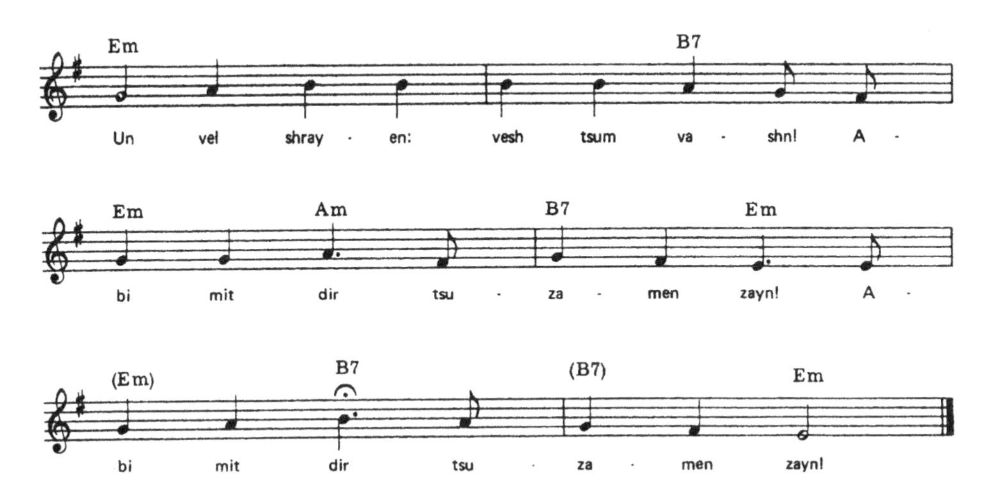

פֿון מיר טראָגן אַ געזאַנג

EXERCISES

I. Rewrite the following sentences in the future tense:

1. איך קום שטענדיק פֿון דער אַרבעט האַלב זעקס.
2. מײַן פּלימעניק איז אַן אַדוואָקאַט.
3. דער אַדוואָקאַט פֿאַרטיידיקט דעם גנבֿ.
4. דער שוסטער פֿאַרריכט די שטיוול.
5. די שנײַדערין נייט לאַנגע הויזן.
6. איר זײַט אַ פֿעיִקער בעל-מלאָכה.
7. דער נגיד דאַרף ניט קיין פּרנסה.
8. איך רעד מיט דעם רעדאַקטאָר.
9. די מאַמע דערציילט דעם קינד מעשׂיות.
10. דער סטאָליער פֿאַרדינט גוט.
11. מיר מאַכן אַ נײַעם טיש.
12. אויפֿן ווינטער קויפֿסטו אַ נײַעם מאַנטל.
13. זיי זײַנען אַלע אַרבעטערס.
14. אין דעם פֿאַרלאַג דרוקט מען דעם זשורנאַל.
15. דער דאָקטער פֿאָרט אומעטום.

II. Rewrite Exercise I in the future tense negative (except no. 7):

III. Answer the following questions using the noun in parentheses as the answer. Make any necessary changes:

1. מיט וועמען האָט דער זון געוווינט? (דער טאַטע)
2. מיט וועמען האָט דאָס אייניקל געוווינט? (דער זיידע)
3. צו וועמען זײַנען די חסידים געפֿאָרן? (דער רבי)
4. וועמען האָט איר געזאָגט דעם אמת (truth)? (די באָבע)
5. וועמען האָבן די קינדער ליב? (די מאַמע)
6. וועמען האָט ער דעם מאַנטל געוויזן? (אסתּר)
7. ווער אין דער משפּחה פֿאַרדינט אַ סך געלט? (די מומע)
8. מיט וועמען וועסטו גיין דאָרטן? (דער מענטש)
9. בײַ וועמען האָט דער מענטש געוווינט? (דער ייִד)
10. וועמען וועלן זיי ניט פֿאַרגעסן? (גיטל)
11. פֿון וועמען האָסטו געקראָגן אַ ליבע צו דער ליטעראַטור? (די מאַמע)
12. וועמען וועט חיים זען? (די באָבע און דער זיידע)

IV. Rewrite the following sentences changing all masculine doers to feminine and feminine doers to masculine. Make any necessary changes:

1. אַ שנײַדער נייט קליידער.
2. איך האָב געקויפֿט די בולקעס בײַ דער בעקערין.
3. דער אַדוואָקאַט פֿאַרטיידיקט דעם נאַרישן גנבֿ.
4. די דאָקטערשע איז רײַך.
5. דער לערער אַרבעט שווער.
6. דער פּראָפֿעסאָר האָט גוטע תּלמידים.
7. די שוסטערין האָט פֿאַרריכט שיך און שטיוול.
8. דאָס קינד האָט געוואָלט ווערן אַ טענצערין.
9. דער קלוגער אַרבעטער אַרבעט גיך.
10. איך אַרבעט מיט אַ פֿעיִקער רעדאַקטאָרשע.
11. די לערערקע רעדט פֿון האַרצן.

V. Complete the anecdote using one of the proverbs studied in this lesson:

1. מאָטל איז אַ שוסטער. ער פֿאָרט וווינען אין אַן אַנדער לאַנד. דאָרטן האָט ער ניט קיין חבֿרים און ניט קיין פּרנסה, אָבער ער טראַכט

ניט קיין סך וועגן דעם. ער ווייסט אַז ער וועט קענען געפֿינען אַרבעט ווײַל....

2. דער זיידע האָט געאַרבעט פֿופֿציק יאָר ווי אַ שטאָליער. איצט אַרבעט ער ניט און ער איז אומצופֿרידן (unhappy). ער זיצט אין דער היים און האָט ניט וואָס צו טאָן. ווען מע פֿרעגט אים פֿאַר וואָס ער איז אַזוי אומצופֿרידן ענטפֿערט ער,....

3. בערלס טאַטע-מאַמע זײַנען געווען פּראָפֿעסאָרן. זיי האָבן ניט פֿאַרדינט קיין סך געלט. זיי האָבן אַלע מאָל געוואָלט אַז בערל און זײַנע שוועסטער און ברידער זאָלן גיין אין אַ גוטן קאָלעדזש ווען זיי וועלן אויפֿוואַקסן. איצט האָט בערל געענדיקט (finished) דעם צוועלפֿטן קלאַס און איז גרייט צו גיין אין קאָלעדזש אָבער די משפּחה האָט ניט גענוג קיין געלט פֿאַר בערלען צו גיין אין אַ גוטן קאָלעדזש. "אַזוי איז עס שטענדיק," האָט בערלס טאַטע געזאָגט,......

VI. Rewrite these paragraphs in the future tense.

1. דער אַדוואָקאַט איז געגאַנגען אין געריכט. ער האָט געהאָלפֿן אָרעמע אַרבעטערס און האָט פֿאַרטיידיקט מענטשן וואָס קענען ניט צאָלן. זײַן אַרבעט איז געווען אינטערעסאַנט.

2. דער סטאָליער איז געווען אַ פֿעיִקער בעל-מלאָכה. מיטוואָך האָט ער געאַרבעט שווער. ער האָט געמאַכט אַ טיש און האָט פֿאַרריכט אַ שטיק מעבל. ער האָט גוט פֿאַרדינט און איז געגאַנגען עסן אין אַ רעסטאָראַן מיט זײַן משפּחה.

VII. Translate into Yiddish:

1. The carpenter showed the furniture [to] the customer.
2. He will probably show the shoemaker the torn boots.
3. The lawyer will defend the poor man well.
4. Where are you coming from? I'm coming from the publishing house.
5. The editor will help the writer (שרײַבער) with his story.
6. The baker will, unfortunately, not be able to buy the bakery.

7. My youngest daughter will study medicine and my son will go to (in) college next year.
8. We received a love of (to the) literature from our (the) father. He read books, newspapers, and magazines.
9. I will do everything (all) to be with you.
10. The lawyer was in court today.
11. I learned how to make furniture from my (the) grandfather. He was a carpenter.
12. Gitl will be an editor in a publishing house that publishes only Jewish books.
13. We saw our (the) father and grandmother in the bakery. They were buying delicious rolls.
14. The tailor told my (the) mother that he would (will) fix her coat.

ORAL PRACTICE

VIII. Unscramble the words in these sentences and put them in their proper order.

1. אים געזען ניט האָב איך.
2. דעם טאַטן עס ער געגעבן האָט.
3. געדרוקט ניט עס דער דרוקער האָט.
4. ווער ווען איך שרײַען וואַשן צו.
5. מאַכן זיי איר וועלן ניט.
6. זאָגן עפּעס דיר איך וויל.
7. גאַס אין עס מענטשן גייען.
8. עס ניט דו האָסט אַרויסגענומען.
9. בעטן וועל זיי איך ניט.
10. אים קענען ניט איך וויל.

IX. Substitute the highlighted words with those in parentheses. Make any necessary changes. Be sure to match the numbers correctly.

1. — וואָס טוט דער שנײַדער?[1]
— דער גוטער שנײַדער[1] רעדט מיט דעם פֿעיִקן שוסטער[2].
— דער שנײַדער[1] האָט ליב דעם שוסטער[2].

א) (די שנײַדערין,[1] די שוסטערין[2])
ב) (דער אַדוואָקאַט,[1] די דאָקטערשע[2])

2. — **ווו וועט איר זײַן שבת?**
— איך וועל זײַן בײַ דער באָבען[1] און פֿייגל וועט זײַן בײַ דעם טאַטן.[2]
— טאַקע, אַ גרוס דער באָבען.[1]

א) (דער זיידע,[1] די מאַמע[2])
ב) (דער רבי,[1] דעם פֿעטער[2])
ג) (מירל,[1] בלומע[2])

3. — **וואָס וועסטו[1] טאָן האַלב זעקס?**
— האַלב זעקס וועל איך[2] עסן וועטשערע, קען איך[2] ניט קומען.

א) (איר,[1] מיר[2])
ב) (זי,[1] זי[2])

X. Complete the dialogue:

1. — איר דאַרפֿט אַרבעטן?
— יאָ.
— וואָס איז אײַער מלאָכה?
— איך....

2. — **וואָס ווילסטו שטודירן?**
— איך וויל שטודירן אויף אַדוואָקאַט און פֿאַרטיידיקן אָרעמע מענטשן.
— אָבער איך מיין אַז דאָקטוירים פֿאַרדינען אַפֿילו מער געלט.
— נו,....

3. — **איך וויל אַז מײַן זון זאָל ווערן אַ פּראָפֿעסאָר.**
— פֿאַר וואָס?
— ווײַל....

4. — איר אַרבעט איצט אין אַ בעקערײַ. וואָס וועט איר טאָן איבער אַ יאָר?
— איבער אַ יאָר וועל איך שטודירן אין קאָלעדזש. און איר?
— איך....

XI. Conversation Topics:

1. You are working in a Jewish senior citizen's home. Explain to the residents what they will be doing for the next few days and at what time each of their activities will take place.

2. You are being interviewed for a job as a Yiddish teacher, a correspondent for a Yiddish newspaper, or an administrator in a Yiddish cultural organization. The interviewer should find out where you have worked before, why you want the job, what your particular talents and skills are, and your plans for enhancing the position.

3. Have a conversation with a friend discussing the sort of work people in your family do or have done in the past.

SUPPLEMENTARY READING

אַ געשפּרעך מיטן סטאָליער

רחל בוימוואָל

1. "סטאָליער, סטאָליער! מאַך מיר אַ פֿענצטער,
איך זאָל אין אים זען די גאַנצע וועלט."

2. "איך קען דיר מאַכן אַלײן בלויז דעם פֿענצטער,
און דו! דו זע דאָרט וואָס דיר געפֿעלט...."

3. "סטאָליער, סטאָליער! מאַך מיר אַ טיר,
זי זאָל זיך פֿאַר יעדערן עפֿענען ברייט!"

4. ״איך קען דיר מאַכן אַלײן בלויז די טיר,
פֿאַרמאַך זי און עפֿן געזונטערהייט!״

5. ״סטאָליער, סטאָליער! מאַך מיר אַ בעט
מיט גוטע חלומות און שטאַרקן שלאָף!״

6. ״איך קען דיר מאַכן אַלײן בלויז די בעט,
נאָר פֿאַר חלומות - איך האָב ניט קיין שטאָף.״

7. ״סטאָליער, סטאָליער! מאַך מיר אַ טיש
אַן אַרומגעזעצטן מיט גוטע פֿרײַנד!״

8. ״איך קען דיר מאַכן אַלײן בלויז דעם טיש.
און אין פֿרײַנד איז אַ גרויסער דוחק הײַנט....״

אַ סטאָליער האָט אַ מאָל געזאָגט, ״דער מענטש איז ווי אַ סטאָליער; אַ סטאָליער לעבט און לעבט, דערנאָך שטאַרבט ער – אַזוי איז אַ מענטש אויך.״

שלום-עליכם פֿון *פֿונעם יאַריד*

VOCABULARY

אַרומגעזעצט	seated around *(adj.)*	דער דוחק *[dóykhek]*	lack, dearth
בלויז	only	דער חלום(ות) *[khólem-khalóymes]*	dream
געזונטערהייט	in good health	דער יאַריד(ן)/יריד(ן)	fair
געפֿעלן (איז געפֿעלן)	to please, to appeal to	יעדערן	everyone *(masc., acc. and dat.)*
געפֿעלן דיר	you like (literally, this pleases you)	עפֿענען (געעפֿנט)	to open
° דאָס געשפּרעך(ן)	conversation, talk	דער שטאָף(ן)	matter, stuff; material
		דער שלאָף	sleep, slumber

UNIT 11

דאָס עלעפֿטע קאַפּיטל

לעקציע 11ב' LESSON 11B

אַרבעט

אַ מעשה מיט אַ הענגלײַכטער

ר' נחמן בראָסלעווער

ר' נחמן בראָסלעווער (1772-1811) איז געווען אַ חסידישער רבי. ער איז געווען אַן אוראייניקל (great-grandson) פֿון דעם בעל-שם-טוב. זײַנע אַלעגאָרישע (allegorical) מעשיות זײַנען זייער באַרימט.

אײנער איז אַרויסגעגאַנגען פֿון זײַן פֿאָטער און איז געווען אין אַנדערע
לענדער אַ סך טעג. ער האָט געוווינט בײַ פֿרעמדע מענטשן.
אין אַ צײַט אַרום איז ער געקומען צו דעם טאַטן און האָט זיך באַרימט אַז
ער האָט דאָרטן זיך אויסגעלערנט די גרויסע קונסט פֿון מאַכן אַ הענגלײַכטער.
5. און ער האָט געהייסן מע זאָל צוזאַמענעמען די אַלע לײַט וואָס באַשעפֿטיקן
זיך מיט דער מלאָכה פֿון מאַכן אַ הענגלײַכטער, וועט ער זיי ווײַזן זײַן
גרויסע חכמה אין דער דאָזיקער מלאָכה.
און אַזוי האָט געטאָן זײַן פֿאָטער.
און אַז זיי זײַנען זיך אַלע צוזאַמענגעקומען האָט דער זון אַרויסגענומען
10. אַ מנורה וואָס ער האָט געמאַכט. האָט זי זייער מיאוס אויסגעזען אין די אויגן
פֿון זיי אַלע. און זײַן פֿאָטער איז געגאַנגען צו זיי אַלעמען און געבעטן זיי אַז
זיי זאָלן אים זאָגן דעם אמת. האָבן זיי אים געדאַרפֿט זאָגן דעם אמת אַז זי איז
זייער מיאוס.
און דער זון האָט זיך געהאַלטן אין איין באַרימען, "זעט איר וואָס פֿאַר אַ
15. חכמה עס ליגט אין מײַן אַרבעט?" האָט אים זײַן פֿאָטער דערציילט אַז דער
הענגלײַכטער זעט גאָרניט אויס שיין אין אַלעמענס אויגן.

האָט אים דער זון געענטפֿערט, "אַדרבא, מיט דעם האָב איך באַוויזן מײַן
גרויסקייט ווײַל איך האָב געוויזן זיי אַלעמען זייער חסרון, ווײַל אין דעם
דאָזיקן הענגלײַכטער געפֿינען זיך די חסרונות פֿון יעדן איינעם פֿון די
20. בעל-מלאָכות וואָס געפֿינען זיך דאָ. דו זעסט דאָך אַז בײַ דעם מענטשן איז
מיאוס דער טייל פֿון דעם הענגלײַכטער; אַן אַנדער טייל אָבער זעט בײַ אים
אויס זייער שיין. בײַ אַן אַנדער מענטשן, ווידער, איז פֿאַרקערט. אַדרבא, אָט
דער טייל וואָס זעט אויס מיאוס בײַ זײַן חבֿר איז שיין און וווּנדערלעך אין
זײַנע אויגן. נאָר וואָס דען? אָט דער טייל איז מיאוס. און אָט אַזוי איז עס מיט
25. זיי אַלע; דאָס וואָס איז שלעכט אין די אויגן פֿון דעם איז שיין אין די אויגן
פֿון זײַן חבֿר. און אַזוי פֿאַרקערט. דעריבער האָב איך געמאַכט די דאָזיקע
מנורה פֿון חסרונות אַליין כּדי צו ווײַזן זיי אַלעמען אַז זיי פֿאַרמאָגן קיין
שלמות ניט, אַז יעדער איינער האָט אַ חסרון ווײַל דאָס וואָס עס זעט אויס
שיין אין זײַנע אויגן איז אַ חסרון אין די אויגן פֿון זײַן חבֿר. אין אמתן אָבער
30. קען איך מאַכן דעם הענגלײַכטער ווי געהעריק.

VOCABULARY

- אַדרבא *[aderabe]* — on the contrary, not at all; by all means
- * אויסלערנען זיך (זיך אויסגעלערנט) — to learn well
- * אָט — this (in pointing)
- * איינער — one person, a man
- אַליין — sheer
- * אַלעמען — everyone/body *(acc. + dat.)*
- * אַלעמענס — everybody's
- דער אמת(ן) *[emes(n)]* — truth
- אַרויסגיין (איז אַרויסגעגאַנגען) — to go out, to depart, to leave (on foot)
- באַווײַזן (באַוויזן) — to show, to exhibit, to demonstrate
- באַרימט — famous, well-known
- * באַרימען זיך (זיך באַרימט) — to boast, to brag
- באַשעפֿטיקן זיך (זיך באַשעפֿטיקט) — to work at, to be busy with
- דער בעל-שם-טובֿ *[BalShemTev]* — Rabbi Israel Baal Shem Tov, founder of Hasidism
- גיין אַרויס ← אַרויסגיין
- געהעריק — appropriate, proper
- * געפֿינען זיך (זיך געפֿונען) — to be found, to be located/situated
- * די גרויסקייט — greatness
- דאָזיק — this, these, the said
- * דעריבער — therefore
- האַלטן (געהאַלטן) — to keep

* הייסן (געהייסן)	to tell, to bid, to order, to direct
דער הענגלײַכטער(ס)	chandelier
וווּנדערלעך	wonderful, marvelous
ווידער	again, on the other hand
* ווײַזן (געוויזן)	to show
די חכמה (חכמות)	wisdom [khokhme(s)]
* דער חסרון(ות) [khisorn-khesroynes]	flaw, defect, fault
דער/די טייל(ן)	part, division
* כּדי [kedey]	in order to
* דער לײַט	respectable person (sg.);
(לײַט)	people, folks (pl.)
לערנען זיך אויס ← אויסלערנען זיך	
* די מנורה (מנורות)	menorah, [menoyre(s)] lamp, candelabrum with seven candlesticks
נעמען צוזאַמען ← צוזאַמעננעמען	
פֿאַרמאָגן (פֿאַרמאָגט)	to own, to posses
* פֿאַרקערט	opposite, reverse; on the contrary
* פֿרעמד	strange, foreign
צוזאַמעננעמען (צוזאַמענגענומען)	to bring together
צוזאַמענקומען זיך (איז זיך צוזאַמענגעקומען)	to come together
קומען צוזאַמען ← צוזאַמענקומען	
די קונסט	art
דאָס שלמות [shleymes]	perfection, completion

Idioms and Expressions

* אין אמתן [emesn]	in truth
האַלטן זיך אין איין...	to keep on doing, to do such and such continuously
ווי געהעריק	properly
* יעדער איינער	each person, everyone

פֿראַגעס

1. ווו האָט דער זון געוווינט? 2. מיט וואָס האָט זיך דער זון באַרימט? 3. פֿאַר וואָס האָט דער זון געהייסן צוזאַמעננעמען אַלע לײַט וואָס מאַכן הענגלײַכטערס? 4. האָט דער פֿאָטער געטאָן ווי דער זון האָט געהייסן? 5. וואָס האָבן די מענטשן געזאָגט וועגן דעם הענגלײַכטער וואָס דער זון האָט געמאַכט? 6. וואָס האָט דער פֿאָטער דערציילט דעם זון? 7. מיט וואָס

האָט דער זון באַוויזן זײַן גרויסקייט? 8. וואָס געפֿינט זיך אין דעם הענגלײַכטער? 9. צי מיינען אַלע לײַט אַז דער זעלבער טייל פֿון הענגלײַכטער איז שיין? 10. פֿאַר וואָס האָט דער זון געמאַכט די מנורה פֿון חסרונות אַליין? 11. קען דער זון מאַכן דעם הענגלײַכטער ווי געהעריק? 12. וואָס וויל אונדז ר׳ נחמן לערנען מיט דער מעשׂה?

GRAMMAR

I. Past Participles without גע

As you know, most past participles begin with **גע**. However, a small number of past participles do not. These verbs have the stress on the last syllable of the base (1st person singular present tense) rather than on the next to last syllable.

If you find thinking about stress stressful, you may find it helpful to remember that generally these verbs begin with **באַ, פֿאַר, אַנט, צע, דער** or **גע** or are international words that end in **ירן** such as **דעמאָנסטרירן, שטודירן, טעלעפֿאָנירן, פּראָטעסטירן**.

	Past Tense	*Stem*	*Infinitive*
to order	איך האָב באַשטעלט	איך באַשטעל	באַשטעלן
to remember	איך האָב געדענקט	איך געדענק	געדענקען
to pass, to serve	איך האָב דערלאַנגט	איך דערלאַנג	דערלאַנגען
to forget	איך האָב פֿאַרגעסן	איך פֿאַרגעס	פֿאַרגעסן
to earn	איך האָב פֿאַרדינט	איך פֿאַרדין	פֿאַרדינען
to defend	איך האָב פֿאַרטיידיקט	איך פֿאַרטיידיק	פֿאַרטיידיקן
to possess, to own	איך האָב פֿאַרמאָגט	איך פֿאַרמאָג	פֿאַרמאָגן
to repair	איך האָב פֿאַרראַכטן / פֿאַרריכט	איך פֿאַרריכט	פֿאַרריכטן
to understand	איך האָב פֿאַרשטאַנען	איך פֿאַרשטיי	פֿאַרשטיין
to beat	איך האָב צעשלאָגן	איך צעשלאָג	צעשלאָגן
to study	איך האָב שטודירט	איך שטודיר	שטודירן

Sample Sentences:

I repaired the boots but not	1. איך האָב פֿאַרריכט די שטיוול אָבער ניט
the shoes.	די שיך.
Why didn't you pass the sugar?	2. פֿאַר וואָס האָסטו ניט דערלאַנגט דעם צוקער?
The customer ordered a fresh roll.	3. דער קונה האָט באַשטעלט אַ פֿרישע בולקע.
Of course we didn't defend any	4. אַוודאי האָבן מיר ניט פֿאַרטיידיקט קיין
thieves.	גנבֿים.
You did not earn a lot of money	5. קיין סך געלט האָט איר ניט פֿאַרדינט
at carpentry.	בײַ סטאָליערײַ.
The artisans did not understand	6. די בעל-מלאָכות האָבן ניט פֿאַרשטאַנען
his art.	זײַן קונסט.

II. This and That

The various forms of דער, די, דאָס and דעם may be used to denote "this" and "that."

I live in this house and not	1. איך וווין אין דעם הויז און ניט
in that house.	אין דעם הויז.
These parts of the chandelier are	2. די טיילן פֿון הענגלײַכטער זײַנען
pretty and those parts are ugly.	שיין און די טיילן זײַנען מיאוס.

The adjective and pronoun יענער and all its inflected forms may also be used to express "that" and "those." See Vol. II Lesson 20A.

The articles דאָס ,די ,דער, or דעם may be used without a noun following them to denote *this* or *that man* or *woman*. The context will help you determine to whom the article refers.

I spoke with this man/person,	1. איך האָב גערעדט מיט דעם,
I spoke with that one.	כ'האָב גערעדט מיט יענעם/דעם.
The artisan spoke with this person,	2. דער בעל-מלאָכה האָט גערעדט מיט דעם,
but not with that one.	אָבער ניט מיט דעם/יענעם.
That which was pretty in	3. דאָס וואָס איז געווען שיין אין
the eyes of one person was	די אויגן פֿון דעם איז געווען
ugly in the eyes of his friend.	מיאוס אין די אויגן פֿון זײַן חבֿר.
The woman wearing the blue	4. די וואָס טראָגט די בלויע
pants is very pretty.	הויזן איז זייער אַ שיינע.

III. Omitting the Article

After certain prepositions of place ending in ן the definite article דער or דעם may be omitted before the noun.

אין דעם צימער	=	אין צימער
פֿון דער שול	=	פֿון שול
לעבן דעם הויז	=	לעבן הויז

This also applies to the preposition וועגן (about, concerning).

וועגן דעם דאָקטער	=	וועגן דאָקטער

Obviously, this applies only to the definite and not to the indefinite article. It does not apply to either the definite or indefinite plural. You must retain the די for definite plural; otherwise, the definite and indefinite plural would be indistinguishable.

Note: In cases where the definite article is used for emphasis to mean "this" or "that," the article should be retained to convey the emphatic meaning.

I go to this synagogue and not to that one.	איך גיי אין דע̂ר שול און ניט אין דע̂ר שול.
(This sentence is rendered meaningless without the articles).	איך גיי אין שול און ניט אין שול.
He lives near this/that house.	ער וווינט לעבן דע̂ם הויז.
He lives near the house.	ער וווינט לעבן (דעם) הויז.

IV. It - זי, ער and עס

The son made a lamp. It looked very ugly.	1. דער זון האָט געמאַ̂כט אַ מנו̂רה. זי האָט אוי̂סגעזען זייער מיאוס.
The table is big. It is pretty.	2. דער טיש איז גרויס. ער איז שיין.
The book is on the table. It is green.	3. דאָס בוך איז אויפֿן טיש. עס איז גרין.
That boy is my nephew. He is clever.	4. דאָס ייִנגל איז מײַן פּלימעניק. ער איז קלוג.
The books are on the table. I need to have them.	5. די ביכער זײַנען אויפֿן טיש. איך דאַרף זיי האָבן.
I'm reading Yiddish literature It's a beautiful literature.	6. איך לייען די ייִ̂דישע ליטעראַטו̂ר. זי איז אַ שיינע ליטעראַטו̂ר.
The idealism among the workers is great. It grows from day to day.	7. דער אידעאַ̂ליזם בײַ די אַ̂רבעטערס איז גרויס. ער וואַקסט פֿון טאָג צו טאָג.

The pronoun **ער** is used to refer to a masc. inanimate object or concept and **זי** is used to refer to a fem. inanimate object or concept. **עס** is used for inanimate objects of the neuter gender. **ער** or **זי** are used to refer to people or animals even if they are grammatically neuter, such as **דאָס מיידל, דאָס ייִנגל, דאָס שנײַדערל.**

זיי is used for "them" for both animate and inanimate objects or concepts.

If the pronoun referring to a masc. or fem. object is quite far from its antecedent, **עס** is often used instead of **ער** or **זי**.

אַ ליד: געבן דיר מײַן טאָכטער

פֿאָלקסליד

1. געבן דיר מײַן טאָכטער (2)
אַ שנײַדער פֿאַר אַ מאַן? (2)

אַ שנײַדער פֿאַר אַ מאַן וויל איך ניט,
אַ שנײַדערס אַ טאָכטער בין איך ניט,
נייען קליידער קען איך ניט,

זיץ איך אויף אַ שטיין,
און קוק אַראָפּ און וויין,
און זע ווי אַלע מיידעלעך האָבן חתונה
און נאָר איך בלײַב אַליין.

2. געבן דיר מײַן טאָכטער (2)
אַ שוסטער פֿאַר אַ מאַן? (2)

אַ שוסטער פֿאַר אַ מאַן וויל איך ניט,
אַ שוסטערס אַ טאָכטער בין איך ניט,
לאַטען שטיוול קען איך ניט,

זיץ איך אויף אַ שטיין,
און קוק אַראָפּ און וויין,
און זע ווי אַלע מיידעלעך האָבן חתונה
און נאָר איך בלײַב אַליין.

3. געבן דיר מײַן טאָכטער (2)
אַ לערנער פֿאַר אַ מאַן? (2)

אַ לערנער פֿאַר אַ מאַן וויל איך יאָ,
אַ לערנערס אַ טאָכטער בין איך יאָ,
לערנען תּורה קען איך יאָ,

זיץ איך אויפֿן דאַך,
און קוק אַראָפּ און לאַך,
און זע ווי אַלע מיידעלעך האָבן חתונה
און איך בין מיט זיי גלײַך.

Can you make up more verses using other occupations?

ייִדיש: דאָס עלעפֿטע קאַפּיטל

VOCABULARY

to patch	לאַטען (געלאַטעט)	down	אַראָפּ
learner, Talmudic student	דער לערנער(ס)	roof	דער דאַך (דעכער)
to look	* קוקן (געקוקט)	to cry	* וויינען (געוויינט)
stone	דער שטיין(ער)	to get married [khasene]	* חתונה האָבן (חתונה געהאַט)

Gi - bn dir mayn toch - ter, A shus - ter far a man?
Melody
A shus - ter far a man vil ich nit, A shus - ter's a toch - ter
bin ich nit, La - ten shti - vl kon ich nit. Zitz ich oyf a
shteyn, Un kuk a - rop un veyn, Un ze vi a - le
meyd - lech ho - bn cha - se - ne Un nor ich blayb a - leyn.

From: *A Treasury of Jewish Folksong*, selected and edited by Ruth Rubin, New York: Schocken Books, 1950.

EXERCISES

I. Rewrite the following sentences in the past tense:

1. דער קונה באַשטעלט אַ פּרעזשעניצע.
2. דער שוסטער פֿאַרריכט שטיוול און שיך.
3. דער אַדוואָקאַט פֿאַרטיידיקט מענטשן וואָס קענען ניט צאָלן.
4. וויפֿל באַצאָלט איר פֿאַר די הויזן?
5. מײַן שוויגער דערציילט מעשׂיות פֿון דער אַלטער היים.
6. דו קומסט פֿון אַ ליטעראַרישער משפּחה.
7. אַוודאי דערלאַנגט דער קעלנער דאָס עסן.
8. אין דעם געשעפֿט פֿאַרקויפֿט מען ביליקע קליידער.
9. מען פֿאַרגעסט גיך פֿרעמדע מענטשן.
10. מסתּמא געדענקסטו מיך ניט.
11. די ייִנגסטע טאָכטער שטודירט מעדיצין.
12. דער קלוגער זון באַווײַזט זײַן גרויסקייט.
13. דער אַרבעטער פֿאַרריכט דעם דאַך.
14. דער לערער פֿאַרדינט ניט, צום באַדויערן, קיין סך געלט.
15. מסתּמא באַצאָלן מיר צו פֿיל.
16. דער גבֿיר פֿאַרמאָגט אַ גרויס הויז.
17. אַוודאי געדענקען מיר אײַך.
18. די בעל-הביתטע באַשמירט די סקאָווראָדע (frying pan) מיט פּוטער.
19. זיי געפֿינען שטענדיק אַ סך חסרונות.
20. אפֿשר פֿאַרשטייען די אייניקלעך ייִדיש.
21. דער סטאָליער באַשעפֿטיקט זיך מיט דער אַרבעט.

II. Rewrite the sentences above in the future.

III. Rewrite the following sentences. Omit the article in parentheses, wherever possible, without changing the meaning of the original sentence.

1. דער אַדוואָקאַט קומט (פֿון דעם געריכט (court)).
2. די בעקערין אַרבעט (אין דער בעקערײַ).
3. מיר וווינען (לעבן אַ טײַך).
4. ער רעדט (וועגן דעם טאַטן).
5. לאָמיר פֿאָרן (אין דער שטאָט).

6. ער שרײַבט (מיט דער פֿעדער).
7. מיר האָבן געלערנט אַ סך (פֿון די ביכער).
8. די קינדער זײַנען (אין דעם נײַנטן קלאַס).
9. דער ייִנגסטער זון וווינט (אין דער היים).
10. די משפּחה וווינט (אין אַ שיין הויז).
11. דער טייל איז שיין (אין די אויגן) פֿון אַלעמען.
12. איר וועלן זײַן (לעבן דעם רעסטאָראַן).
13. איר רעדט (וועגן דעם(this) דאָקטער) און ניט (וועגן דעם (that one)).
14. דו קענסט די חסרונות (פֿון די בעל-מלאָכות).
15. מיר האָבן שטענדיק געוווינט (לעבן דעם דאָרף).
16. די בעל-הביתטע האָט געמאַכט אַ פּרעזשעניצע (פֿון דעם איי).
17. זיי האָבן גערעדט (פֿון דער אַלטער היים).

IV. Fill in the blanks with the correct word from the list below :

1. איך קום ____ דער אַרבעט.
2. דער אַדוואָקאַט וועט הײַנט זײַן ____ געריכט.
3. דער רעדאַקטאָר אַרבעט ____ אַ פֿאַרלאַג.
4. דער פֿאַרלאַג גיט ____ ייִדישע ביכער.
5. זעלדע קומט ____ אַ ליטעראַרישער משפּחה.
6. זי האָט געקראָגן אַ סך געלט ____ דעם טאַטן.
7. דאָס עפּעלע פֿאַלט ניט ווײַט ____ דעםביימעלע.
8. דער אַלטער שנײַדער האָט אַ גאַנץ לעבן געאַרבעט ____ שנײַדערײַ.
9. ____ וואָס לעבט אַ ייִד?
10. מײַן ייִנגערער זון אַרבעט ____ אַ בעקער כּדי צו פֿאַרדינען אַ ביסל געלט.
11. ____ אַ יאָר וועט זי אָנהייבן צו שטודירן מעדיצין.
12. אין אַ וואָך ____ וועט ער קויפֿן נײַ מעבל.
13. דער בעל-מלאָכה האָט געאַרבעט ____ פֿרעמדע מענטשן.
14. די לײַט באַשעפֿטיקן זיך ____ דער מלאָכה.
15. דער הענגלײַכטער זעט אויס מיאוס ____ זייערע אויגן.
16. ער זאָגט אַז ער קען מאַכן דעם הענגלײַכטער ____ געהעריק.
17. דער סטאָליער האָט זיך באַשעפֿטיקט מיט דעם ____ צוויי יאָר צוריק.
18. דער זיידע ____ דעם טאַטנס צד איז געווען אַן אַדוואָקאַט.

פֿון פֿון פֿון פֿון פֿון פֿון אין אין אין בײַ בײַ אַרויס אַרום
איבער מיט מיט ווי

V. Translate into Yiddish:

1. The craftsman had lived in foreign countries.
2. He boasted that he knew (knows) the art of making a chandelier.
3. The father asked the people to tell the truth.
4. The girl kept on washing laundry.
5. Everybody (each one) has faults.
6. The waiter carried two plates on one hand in order to show that he was (is) capable.
7. The children are barefoot (**באָרוועס**). They probably have no shoes.
8. On the contrary (Opposite), they have shoes. Their father is a shoemaker.
9. The rich man possessed many houses.
10. The menorah looks ugly in everybody's eyes (in the eyes of everybody).
11. This (The) part of the chandelier was very beautiful.
12. Did he go to (in) college? [The] opposite. He needed [a] livelihood and went to work for (by) a printer when he was eleven. A shame!
13. The son busied himself with making the chandelier properly.
14. It possessed many faults. In order to see a beautiful chandelier one must look with beautiful eyes.

VI. Substitute the appropriate pronoun for the subject in each of the following sentences:

1. דאָס בוך איז גוט.
2. דער הענגלײַכטער האָט אַ סך חסרונות.
3. דאָס העמד איז געווען ביליק.
4. דאָס מיידל האָט דערלאַנגט דאָס עסן.
5. די בולקע איז געשמאַק.
6. דער דאַך איז אַלט.
7. די שטיוול זײַנען צעריסן.
8. די פּרעזשעניצע איז טעם-גן-עדן.
9. דער בעל-מלאָכה איז פֿעיִק.
10. דאָס היטל וועט קאָסטן צו טײַער.

ORAL PRACTICE

VII. Substitute the highlighted words with those in parentheses. Make any necessary changes. Be sure to match the numbers correctly.

1. — פֿאַר וואָס באַרימט זיך דער גבֿיר[1]?
— דער גבֿיר[1] באַרימט זיך ווײַל ער האָט געלט.
א) (דער ברודער[1])
ב) (די שנור[1])
ג) (דער קעלנער[1])
ד) (די בעל-מלאָכות[1])

2. — מיט וואָס באַשעפֿטיקט ער[1] זיך?
— ער[1] איז אַ שוסטער.
— איז ער[1] אַ גוטער בעל-מלאָכה?
— יאָ. און ער[1] האָט אַ שיינע פּרנסה.
א) (זי[1])
ב) (זיי[1])
ג) (איר[1] - איר[1])

3. — איך האָב ליב די מענטשן אָבער ניט די.[1]
— פֿאַר וואָס האָסטו ניט ליב די[1] מענטשן?
— איך האָב זיי[1] ניט ליב ווײַל זיי באַרימען זיך.
א) (יענע[1])

VIII. Rearrange these sentences putting the highlighted words first:

1. ער איז געוועזן אין אַנדערע לענדער אַ סך טעג.
2. עס אַרבעטן שטענדיק פֿרעמדע מענטש אין בעקערײַ.
3. פֿעיִקע מענטשן באַשעפֿטיקן זיך מיט דער מלאָכה.
4. עס וועט מיך צודעקן דער טוי פֿון הימל.
5. דאָס מיידל איז געשלאָפֿן אויף אַ בינטל שטרוי, צום באַדויערן.
6. עמעצער שרײַט שטענדיק דאָרטן.
7. ער קען אין אמתן מאַכן דעם הענגלײַכטער ווי געהעריק.
8. מײַן זון וועט גיין אין קאַלעדזש איבער אַ יאָר כּדי צו שטודירן מעדיצין.
9. אַלע בעל-מלאָכות וועלן זיך צונויפֿקומען אין צוויי וואָכן אַרום.
10. איך בין געזעסן אויף דעם אָרט מיט דרײַ מינוט צוריק.
11. דער סטאָליער האָט געבויט דעם טיש מיט פֿיר יאָר צוריק.
12. דער טייל איז שיין און וווּנדערלעך אין אײַערע אויגן.
13. די שווערסטע אַרבעט איז ליידיק צו גיין.

IX. Complete the dialogue:

1. — אײַער טאָכטער וויל אַן אַדוואָקאַט פֿאַר אַ מאַן?
   — ניין, זי וויל ניט.....

2. — וויל אײַער זון חתונה האָבן מיט אַ דאָקטערשע?
   — איך ווייס ניט.....

3. — ביסטו געווען אין אַ סך פֿרעמדע לענדער?
   — יאָ, איך בין געווען אין .....

4. — צי זעט איר זיך אַ מאָל מיט די מענטשן וואָס באַשעפֿטיקן זיך מיט דער זעלבער אַרבעט ווי איר?
   — יאָ, מיר זעען זיך.
   — וואָס טוט איר ווען איר זעט זיך?
   — מיר ...

SUPPLEMENTARY READING

פֿון: *פֿון אונדזער פֿרילינג*

ראובן אײַזלאַנד

אין זײַן בוך ***פֿון אונדזער פֿרילינג*** שרײַבט דער פּאָעט ראובן אײַזלאַנד וועגן דער שרײַבער-גרופּע "די יונגע." אַ סך פֿון די שרײַבערס זײַנען ניט נאָר געווען שרײַבערס נאָר אַרבעטערס אויך.

די מערסטע יונגע שרײַבערס זײַנען דעמאָלט געווען שאַפּ-אַרבעטערס; פֿאַרפֿעלן אַ טאָג אַרבעט האָט גאַנץ אָפֿט געמיינט ניט האָבן אויף אַ פּאָר שיכלעך פֿאַר אַ קינד, אָדער עס פֿעלט אַ דרײַערל צום דירה-געלט. און דאָך ווען מען איז געקומען אין קעלער האָט מען דאָרטן געפֿונען חבֿרה, וואָס מען האָט געוווּסט אַז איצט דאַרפֿן זיי זײַן אין שאַפּ. טעלעכע פֿון די "יונגע" זײַנען געווען פּאַרבער[1] 5
און טאַפּעטן-הענגער.[1] איז ניט געווען קיין זעלטנהייט אַז זיי זאָלן אין מיטן דער

---

[1] Many nouns ending in ער may remain the same in the plural or add ס. Iceland sometimes uses the no ending plural. Today, the preferred form is with a ס.

אַרבעט אַרונטער פֿון די לייטערס און קומען אין קאַפֿע אַרײַן אין די פֿאַרשפּריצטע
אַרבעטסקליידער, וואָס זײַנען אַ מאָל געווען ווײַס, און מיט פֿאַרבשפּריץ אויף די
פֿנימער און הענט. איך האָב אַ לאַנגע צײַט מײַנע מיטאָגן געגעסן אין שאַפּ אויס
10. מורא אַז טאָמער גיי איך אַרונטער עסן אין אַ רעסטאָראַן וועל איך מער ניט
צוריקקומען אַרבעטן יענעם טאָג, ווײַל עס וועט מיר אַ שלעפּ טאָן אין קאַפֿע אַרײַן
און איך וועל ניט קענען בײַשטיין דעם נסיון.

VOCABULARY

אויס — out of

אויף — for

אָפֿט — often

אַרונטער — [to go] down

בײַשטיין (איז בײַגעשטאַנען) — to withstand, to resist

די גרופּע(ס) — group

דאָס דירה־געלט [dire] — rent (money)

דעמאָלט — then, at that time

דאָס דרײַערל(עך): — small coin based on unit of three: *dim. of* דער דרײַער(ס)

•די זעלטנהייט(ן)[2]/זעלטנקייט(ן) — rarity

די חבֿרה (חבֿרות) *[kheure(s)]* — gang, bunch of friends

טאָמער — lest, if, in case

דער טאַפּעטן־הענגער(ס) — wallpaper hanger

יענעם — that *(adj.; acc. of time)*

דער לייטער(ס) — ladder

די מורא(ס) *[moyre(s)]* — fear

דער מיטאָג(ן) — lunch

מערסטע — most

דער נסיון(ות) *[nisoyen-nisyoynes]* — temptation

דער פּאָעט(ן) — poet

דער פֿאַרבער(ס) — (house) painter

דער פֿאַרבשפּריץ(ן) — paint spatter

פֿאַרפֿעלן (פֿאַרפֿעלט) — to miss, to be absent

פֿאַרשפּריצט — bespattered

פֿעלן (געפֿעלט) — to be missing, to be lacking

צוריקקומען (איז צוריקגעקומען) — to come back, to return

דער קאַפֿע(ען) — cafe

קומען צוריק ← צוריקקומען

דער קעלער(ן) — cellar, basement

דער שאַפּ (שעפּער) — (industrial) workshop

דער שלעפּ(ן) — tug, pull *(verbal noun)*

דער שרײַבער(ס) — writer

---

[2] A • means that a word is of doubtful admissibility in the standard language.

Idioms and Expressions

to withstand temptation	בײַשטיין דעם נסיון *[nisoyen]*
to lack a small but crucial sum for necessary expenses	עס פֿעלט אַ דרײַערל

REVIEW

I. Rewrite these sentences in the past tense:

1. פֿון וואַנען (where) קומט איר?
2. דער אַדוואָקאַט פֿאַרטיידיקט גנבֿים.
3. דער זון באַשעפֿטיקט זיך מיט דער מלאָכה.
4. דער קונה זאָגט דעם אמת.
5. איך ווײַז זיי דעם חסרון.
6. דער קונה פֿאַרזוכט די זופּ.
7. די פֿעיִקע בעל-הביתטע מאַכט אַ פּרעזשעניצע אָן אייער.
8. מיר באַשטעלן איצט וואַרעמעס.
9. די קאַווע איז טעם-גן-עדן.
10. דער זיידע טרינקט טיי אין אַ גלאָז.
11. די קינדער ווערן גיך הונגעריק.
12. די משפּחה עסט פֿרישטיק און וועטשערע אין דער היים.
13. דער בעל-מלאָכה גייט צו דער אַרבעט.
14. מע שטאַרבט ניט פֿון די בולבעס.
15. פֿאַרקויפֿט מען העמדער אין דעם געשעפֿט?
16. דער איידעם איז אַ סטאָליער און פֿאַרדינט גוט.
17. די שוויגער דערציילט שטענדיק מעשׂיות.
18. פֿאַר וואָס פֿאַרגעסט דער דרוקער די ביכער?

II. Put all the sentences in the past tense negative except sentences 1 and 14.

III. Put all the sentences in the future tense.

IV. Fill in the blanks with the correct form of the present tense of the word in parentheses:

1. (זײַן) אין מײַן משפּחה ______ אַלע אַדוואָקאַטן.
2. (שרײַבן) דער רעדאַקטאָר ______ ייִדישע ביכער אויך.
3. (נייען) די שנײַדערס ______ שיינע קליידער.
4. (זאָלן) פֿאַר וואָס ______ דער פֿעיִקער סטודענט ניט קומען אין קלאַס?

5. (עסן) ווען ______ דו וועטשערע און וואַרעמעס?
6. (וווינען) מיר ______ אין דאָרף.
7. (געדענקען) די קונים ______ די געשמאַקע בולקעס.
8. (קענען) דער סטאָליער ______ בויען מעבל.
9. (בויען) דער סטאָליער ______ אַ נײַ הויז.
10. (ווערן) דו ______ זײַן אַ רעדאַקטאָר.
11. (געבן) איך ______ דעם פֿאַרלאַג (publishing house) מײַנע לידער צו דרוקן.
12. (טרינקען) דער בעקער ______ קאַווע מיט מילך.
13. (טוען) איר ____ די אַרבעט גיך.
14. (דאַרפֿן) דער קעלנער ________ פֿאַרזוכן די בלינצעס.
15. (זײַן) אײַער טאָכטער ______, קיין עין־הרע, זייער אַ קלוג מיידל.

V. Fill in the possessive adjective that corresponds to the pronoun in parentheses:

1. (איך) דו הערסט ______ קול.
2. (איר) איר ווילט ______ וועטשערע.
3. (איך) ______ איידעם איז אַן אַדוואָקאַט.
4. (ער) ______ זין זײַנען אַלע דאָקטוירים.
5. (זי) ______ שוויגער איז, צום באַדויערן, קראַנק.
6. (דו) ______ משפּחה וווינט אומעטום.
7. (ער) לאָמיר ניט רעדן וועגן ______ חסרונות.
8. (מיר) מיר דאַרפֿן ניט נעמען ______ ביכער און העפֿטן.
9. (זיי) מיר ווילן קויפֿן ______ מעבל.
10. (זיי) ווער לייענט ______ זשורנאַלן?

VI. Fill in the blanks using the correct preposition from the list below:

1. ער טאַנצט ______ אַלע חתונות.
2. דער קונה טרינקט קאַווע ______ צוקער.
3. די מיידלעך דאַרפֿן גרייטן ______ טיש.
4. קורצע הויזן זײַנען ניט ______דער מאָדע.
5. ______ צוויי וואָכן צוריק האָב איך געגעסן דאָרטן.

6. ______ דרײַ טעג ______ וועל איך רעדן מיט דעם דאָקטער.
7. דער זיידע ______ דער מאַמעס זײַט איז געווען אַן אָרעמער שוסטער.
8. פֿון דער מאַמען האָב איך געקראָגן אַ ליבע ______ דער ליטעראַטור.
9. ______ איין אויער אַרײַן, ______ דעם צווייטן אַרויס.
10. ______ וואָס אַרבעט דער שוואָגער?
11. דאָס עלטסטע אייניקל גייט ______ קאַלעדזש.
12. איר עסן פֿלייש איין מאָל ______ אַ וואָך.
13. ______ אַ יאָר וועט מײַן פּלימעניצע פֿאָרן ______ ישׂראל.
14. די ייִנגערע טאָכטער שטודירט ______ דאָקטער.
15. עס איז אַ מחיה צו קוקן ______ דער ווײַטן.

צום אויף אויף אין אין אין אין אין אין צו

איבער פֿון פֿון מיט מיט אַרום בײַ

VII. Fill in the blanks with the correct article, proper noun, and adjectival endings:

1. ווען וועסטו רעדן צו מינדל____?
2. ד____ קלוג____ טאַטע ברענגט ד____ קינדער נײַ____ ביכער.
3. ד____ פּעיִק____ שנײַדער נייט טײַער____ קליידער
4. דער קונה וויל ניט קויפֿן ד____ ביליק____ שיך.
5. ד____ קליין____ שטיקל ברויט איז געשמאַק____.
6. ד____ נײַ____ לערער האָבן ד____ קינדער ליב.
7. ד____ יונג____ סטודענט רעדט מיט ד____ גוט____ לערערין.
8. די שוויגער וויל ד____ נײַ____ ברוינ____ טיש.
9. ד____ אָרעמ____ ברידער האָבן אַ קליינ____ שטיקל ערד פֿון ד____ טאַטעס____
10. ד____ פֿרומ____ חסידים טאַנצן מיט ד____ אַלט____ רבי____.
11. ד____ רײַכ____ קונה רעדט מיט ד____ אָרעמ____ בעקערין.
12. ד____ קליינ____ שוועסטער העלפֿט ד____ מאַמע____.

VIII. Change the highlighted words to the plural and make any necessary changes. Rewrite the whole sentence.

1. דער אַקסל טוט אים וויי.
2. דאָס קלוגע מיידל האָט געלייענט דאָס בוך.
3. דער פֿרומער חסיד דאַוונט (prays) אין דעם קליינעם שטיבל.
4. די פֿעיִקע שניַידערין האָט גענייט אַ קלייד.
5. דער פֿיַינער דאָקטער אַרבעט מיט דעם קראַנקן מענטש.
6. איך האָב ליב געהאַט דעם נײַעם חבֿר.
7. דער פֿריילעכער שוסטער פֿאַרריכט דעם אַלטן שטיוול.
8. דער רײַכער קונה האָט געקויפֿט די געשמאַקע בולקע.
9. די עלטערע שוועסטער האָט דערציילט אַ שיינע מעשׂה.
10. די הויכע טאָכטער קויפֿט אַ שוואַרץ שאַליקל.

IX. Translate into Yiddish:

1. Two years ago the tailor sewed thirty-three pairs of pants.
2. My son is studying to be (on) [a] doctor.
3. My mother-in-law had three sons and two daughters. That was probably enough work.
4. There are many tasty dishes on the menu. Why do you always order the gefilte fish?
5. The carpenter will show the customer the new table that (what) he built.
6. My daughter is, no evil eye, healthy, but, unfortunately, my stomach hurts.
7. What do you work at (By what)? I have a little money from my grandfather, so I can sit at home.
8. When will the housewife make another (**אַנדער**) omelette? She will not cook unless you (one) asks her. A shame (**שאָד**)!
9. Who knows what will become (be) of the children? You (One) can't know.
10. The bread in this (the) restaurant is extraordinary (like this and like that). Let's order two pieces.
11. The artisan told everyone the truth. He will want the money in three weeks.
12. We are waiting for my son. He will be here at 2:30 P.M.
13. Why wasn't the boy sleeping at 3:45 A.M.? He doesn't like to sleep at night.
14. I want the waiter to give me some tea. Does the soup have [any] salt?

X. Read the paragraph. Make up 5 questions using at least 4 interrogative words. Answer each question in a full sentence:

דער טאַטע איז געווען אַ שוסטער און זײַן טאַטע, דער זיידע,
איז געווען אַ סטאָליער. ביידע זײַנען געווען פֿײַנע בעל-מלאָכות.
זיי האָבן ניט פֿאַרדינט קיין סך אָבער זיי האָבן ליב געהאַט די
אַרבעט. דער זיידע האָט געאַרבעט בײַ סטאָליערײַ (carpentry) אין
דער אַלטער היים און אין אַמעריקע. אַפֿילו אין זייער שלעכטע
צײַטן (times), האָט ער שטענדיק געהאַט פּרנסה. ער האָט אַלע מאָל
געזאָגט "אַ מלאָכה איז אַ מלוכה."

XI. Complete each proverb by filling in the blanks with the missing words:

1. וואָס ________ איז טײַער. 2. דו האָסט זיך אויסגעפּוצט אַזוי
ווי יענטעלע צום ________. 3. דער ________ קומט מיטן
עסן. 4. ________ איז גוט מיט ברויט. 5. ער מישט
________ קאַשע מיט ________. 6. אַ ________ איז אַ
מלוכה. 7. דאָס ________ פֿאַלט ניט ________ פֿון ביימעלע.
8. אַלע ________ גייען באָרוועס. 9. אַ ________ ווײַזט מען
ניט קיין ________ אַרבעט. 10. אַ ________ פֿרעגט מען, אַ
געזונטן ________ מען.

Yiddish-English Glossary

This Yiddish-English glossary lists all of the Yiddish words used in this book in alphabetical order. The translation of a specific word conveys its meaning as used in the text rather than its most common meaning. In cases where the most common meaning is not used in the text, it may be provided in square brackets. Where several different meanings of one word are used in the text, each meaning is given along with the number of the unit or lesson in which it appears. For example, the word אויף is translated in Unit 1 as "on," and in Unit 7 as "for." For other translations of the word, consult Uriel Weinreich's *Modern English-Yiddish Yiddish-English Dictionary*. (Every serious student of Yiddish should own a copy of this indispensable book.)

The glossary indicates the unit in which each word first appears. If the word appears as part of the active vocabulary in that unit, it is preceded by an asterisk * and followed by the unit number; if it first appears as part of the passive vocabulary, it is followed by the unit number in parentheses. If the word becomes part of the active vocabulary in a later unit, whether in Volume I or II, that unit number is also given, preceded by an asterisk.

For example: newspaper **צײַטונג(ען), די (א11) *א19**

In the Idioms, Expressions & Proverbs section of the glossary, all the proverbs are followed by the unit or lesson number in parentheses.

The gender of nouns is indicated by the article which follows the noun. The plural ending is listed in parentheses. If the plural introduces a change in either spelling or pronunciation, it is given in its entirety.

The comparative and/or superlative forms of adjectives are given in parentheses only if their formation causes a change in the base form.

For example: **שײן (שענער, דער שענסטער)**

If, in the inflected form of an adjective, an **ע** is inserted, the masculine nominative form is given in parentheses after the base form.

For example: **וואָלן (דער וואָלענער)**

The pronunciation of words derived from Hebrew and Hebrew-Aramaic is indicated in transliteration in square brackets.

For example: blessing *[brokhe(s)]* די ברכה (ברכות)

Although, theoretically, all Yiddish nouns can have diminutive and iminutive forms, only those forms used in the text are given. Therefore, some nouns are listed only in their base form while others are listed with their diminutive and/or iminutive forms as well. The diminutive is preceded by a Δ. The iminutive is preceded by a ▢.

The past participle of all verbs is listed in parentheses. **איז** preceding a past participle indicates that the past tense is formed with the auxiliary verb **זײַן**. Unless **זײַן** is given with the participle in parentheses, the verbs listed in the glossary are conjugated with **האָבן**. Verbs are conjugated regularly unless an irregularity is specifically noted. All past participles are listed alphabetically, but not translated.

Sometimes, words in the reading material are drawn from primary sources that are not considered part of the standard language today. Such words are preceded by a ° if they are inadmissible in the standard language, and by a • if they are of doubtful admissibility. An arrow ← following the word refers the reader to the word acceptable in the standard language today.

For example: **°געשפּרעך← שמועס**

Yiddish-English Glossary

א

*אַ 1 — a

*אַבי 3 — as long as

אַ ביסל ← ביסל

*אָבער (1) — but

אָבֿות, די [oves] (7) *18א — ancestors, forefathers

אַבֿרהם אָבֿינו [Avrom Ovinu] (10א) *16 — Abraham the Patriarch

אַגדה (אַגדות), די [agode(s)] (28ב) — legend

אַגענט(ן), דער (4) — agent

*אַ דאַנק 3 — thank you

*אַדוואָקאַט(ן), דער 11א — lawyer

*אַדוואָקאַטין(ס), די 11א — lawyer *(fem.)*

אַדרבא [aderabe] (11ב) *15א — on the contrary, not at all; by all means

*אַ ווו = ווו 10ב — where

*אַוודאי [avade] 9א — of course, certainly

אָוונט(ן), דער 10א — evening

אַוועקגיין (איז אַוועקגעגאַנגען) (10ב) — to go away; to leave; to be used up

אַוועקגעגאַנגען ← אַוועקגיין

*אויב 4 — if

אויבנאָן (9ב) — at the head, place of honor

*אויג(ן), דאָס △ אייגל(עך), דאָס 4 — eye

אויך (3) *4 — also

אויס (5) *20א — no more, over!

אויס (11ב) — out of

אויסגלײַכן (אויסגעגלײַכט) (7) — to straighten out

אויסגעגלײַכט ← אויסגלײַכן

אויסגעהאַקט ← אויסהאַקן

אויסגעווייקט (10ב) — decrepit; soaked and shrivelled

אויסגעזאָגט ← אויסזאָגן

אויסגעזען ← אויסזען

אויסגעטאָן ← אויסטאָן

אויסגעלערנט זיך ← אויסלערנען זיך

*אויסגעמוטשעט 4 — exhausted

אויסגעפּוצט ← אויספּוצן

אויסגעפּוצט (9א) *20ב — dressed up (in fancy clothes) *adj.*

אויסהאַקן (אויסגעהאַקט) (9 ב) — to knock out; to chisel

אויסזאָגן (אויסגעזאָגט) (9 ב) *15ב — to tell, to reveal

אויסזען (אויסגעזען) (5) *9 א — to look, to appear

אויסזען, דאָס (5) — appearance

*אויסטאָן (אויסגעטאָן) 9 ב — to take off (clothing); to undress

*אויסלערנען זיך (זיך אויסגעלערנט) 11ב — to learn well

אויספּוצן זיך (זיך אויסגעפּוצט) (9א) — to dress up

*אויער(ן), דער/דאָס △אויערל(עך),דאָס 4 — ear

*△אויערל(עך), דאָס 5: אויער — *dim.* of ear

אויף 1 — on

אויף (7) *15א — for

אויפֿגעגעסן ← אויפֿעסן

אויפֿגעוואָקסן ← אויפֿוואַקסן

אויפֿגעוועקט ← אויפֿוועקן

אויפֿגענייט ← אויפֿנייען

אויפֿגעעפֿנט ← אויפֿעפֿענען

אויפֿהערן (אויפֿגעהערט) (10ב) *13ב — to stop

*אויפֿוואַקסן (איז אויפֿגעוואַקסן/געוואָקסן) 11א — to grow up

*אויפֿוועקן (אויפֿגעוועקט) 11א — to wake up

אויף מאָרגן (9ב) — the next day

*אויפֿן = אויף דעם 2 — on the

אויפֿנייען (אויפֿגענייט) (9ב) — to sew (a garment)

אויפֿעסן (אויפֿגעגעסן) (10א) — to eat up, to finish eating something

אויפֿעפֿענען (אויפֿגעעפֿנט) (6) — to open up

אומגיין (איז אומגעגאַנגען) (7) — to walk around

אומעטום (8א) *14א — everywhere

*און 1 — and

Yiddish-English Glossary

once; one time — *איין מאָל 3

to conquer — אײַננעמען (אײַנגענומען) (6)

forms of the number one — *איינס, איינע 8א

one person (*masc. acc.* + *masc.* + *neut. dat.* of איינער) — איינעם (6) *11ב

one; one person; unique *(masc.)* — איינער (6) *11ב

to each other *(masc.)* — *איינער דעם צווייטן/אַנדערן 8ב

your *(pl. or form. possessor + sg. possession)* — אײַער (4) *8א

your *(pl. or form. possessor + pl. possessions)* — *אײַערע 8א

I — *איך 1

him; it *(acc.-dat. of* ער; *dat. of* עס) — אים (3) *4

empire — אימפּעריע(ס), די (7)

into — *אין 4

in, at — *אין 1

together — אין איינעם (7) *12א

אין אַ נאָוועגנע ← נאָוועגנע (3)

. . .later — *אין. . . אַרום 10א

turkey — אינדיק(עס), דער (8ב)

in the morning — *אין דער פֿרי 10א

outside, outdoors — *אין דרויסן 6

interesting — *אינטערעסאַנט 11א

angry — *אין כּעס *[ka(a)s]* 7

now — *איצט 2

now — איצטער = איצט (9ב)

you *(pl.; sg. form.)* — *איר 1

her *pron. (dat. of* זי) — איר (3) *12א

her *poss. adj.; (sg. possession)* — *איר 8א

her *(pl. possessions)* — *אירע 8א

eight — *אַכט 9א

eighty — *אַכציק 9א

eighteen — *אַכצן 9א

old — אַלט (עלטער) (5) *9ב

alone; oneself; myself, yourself, himself, ourselves, etc. — *אַליין 8א

sheer — אַליין (11ב)

us *(acc.-dat. of* מיר) — אונדז (7) *10ב

our *poss. adj. (sg. possession)* — *אונדזער 8א

our *poss. adj. (pl. possessions)* — *אונדזערע 8א

if /when *conj.* ; that *conj.* — *אַז 1 ; (3)

such a — אַזאַ (3) *10א

such a — אַזאַ מין (10א)

so, thus — *אַזוי 4

because — אַזוי (7)

like, as — *אַזוי ווי 7

such *pron.* — אַזוינער (7)

o'clock — *אַ זייגער 10א

here; there, this (in pointing) — אָט (4) *11ב

to breathe — אָטעמען (געאָטעמט) (4)

over — איבער (2) *16

report, to hand over; to entrust — איבערגעבן (איבערגעגעבן) (6) *20א

איבערגעגעבן ← איבערגעבן

over the — איבערן = איבער דעם (8ב)

is *v. (3rd pers. sg. of* זײַן) — *איז 2

so — איז (10ב)

is equal to — איז (גלײַך) (9א)

egg — איי(ער), דאָס (10ב)

eye: dim. of אויג — *△אייגל (עך), דאָס ◻אייגעלע(ך), דאָס :5

own — אייגן (דער אייגענער) (2) *18א

gentle — איידל (דער איידעלער) (2)

delicate, refined, genteel — איידל (דער איידעלער) (10ב)

son-in-law — *איידעם(ס), דער 8א

before *conj.* — *איידער 2

ice — *אײַז, דאָס 10א

you *(acc.-dat. of* איר) — *אײַך 4

one — *איין 2

thirty-one — *איין און דרײַסיק 9א

sixty-one — איין און זעכציק (6)

twenty-one — *איין און צוואַנציק 9א

bent, bowed — אײַנגעבויגן דער אײַנגעבויגענער (8ב)

אײַנגענומען ← אײַננעמען

grandchild (boy or girl) — *אייניקל(עך), דער/דאָס 8א

Yiddish-English Glossary

*אַלע 1 — all

*אַלע מאָל 5 — all the time

*אַלעמען 11ב (acc. + dat.) — everybody, everyone

*אַלעמענס 11ב — everyone's, everybody's

*אַלף־בית(ן), דער 2 [alefbeyz] — alphabet

*אַלץ 4 — all, everything

אַ מאָל (6) *7 — formerly; [once upon a time]

*אַמעריקע, (די) 8א — America

אמת [emes] (8א) *10א — real; true

*אַן 2 — an

אָן (6) *10ב — without

אָנגיין (איז אָנגעגאַנגען) (6) — to concern, to matter (s.o. + acc./dat.)

אָנגעגאַנגען ← אָנגיין

אָנגעוווירן ← אָנווערן

אָנגעצונדן ← אָנצינדן

אָנגעקומען ← אָנקומען

אָנגעקוקט ← אָנקוקן

*אַנדער 8א — other

אַנדערע (10ב) — some; others

*אַנדערש (5) *11א — different, differently

אָנהייבן זיך (זיך אָנגעהויבן) (9א) — to begin (intrans.)

אָנווערן (אָנגעוווירן) (9א) — to lose, to forfeit

אָנטאָן (אָנגעטאָן) (8ב) *9א — to get dressed, to put on (clothing)

אַנטיוכוס עפּיפֿאַנעס [Antiokhes Epifanes] (7) — Antiochus Epiphanes, evil king in the story of Hanukkah

אַנטלאָפֿן ← אַנטלויפֿן

אַנטלויפֿן (איז אַנטלאָפֿן) (9א) *16 — to run away, to flee

אַנטשולדיקט ← אַנטשולדיקן

אַנטשולדיקן (אַנטשולדיקט) (5) — to excuse, to pardon

*אָנצינדן (אָנגעצונדן) 7 — to light

אָנקומען (איז אָנגעקומען) (9ב) *14א — to arrive, to come

*אַ סך [a sakh] (מער) 8א — many, a lot

אָפּגעבן (אָפּגעגעבן) (9ב) — to give, to give back

אָפּגעבראָכן (דער אָפּגעבראָכענער) (9א) — broken off *adj.*

אָפּגעגעבן ← אָפּגעבן

אָפּגעהאָנגען ← אָפּהענגען

אָפּגעפּליקט ← אָפּפּליקן

אָפּגעשאָנקען ← אָפּשענקען

אָפּגעשטאָרבן ← אָפּשטאַרבן

אָפּגעשניטן ← אָפּשנײַדן

אָפּהענגען (איז אָפּגעהאָנגען) (6) — to depend on

*אַפּעטיט(ן), דער 10א — appetite

אַפּעלירט ← אַפּעלירן

אַפּעלירן (אַפּעלירט) (6) — to appeal

אָפּפּליקן (אָפּגעפּליקט) (9ב) — to tear off, to pluck off

אָפּשטאַרבן (איז אָפּגעשטאָרבן) (9א) — to die off

אָפּשנײַדן (אָפּגעשניטן) (10ב) — to cut off

אָפּשענקען (אָפּגעשענקט / אָפּגעשאָנקען) (9ב) — to give away

אַפֿילו [afile] (4) *5 — even *adv.*

*אַפֿריקע (די/דאָס) 8א — Africa

אפֿשר [efsher] (5) *10א — maybe, perhaps

אַצינד (7) — now

אַצינדער = אַצינד (8א)

*אַקסל (אַקסל/ען), דער 4 — shoulder

אַראָפּ (11ב) — down

*אַרבעט(ן), די 1 — work

*אַרבעטן (געאַרבעט) 1 — to work

*אַרבעטער(ס), דער 11א — worker

*אַרויס 5 — out

אַרויסגעבן (אַרויסגעגעבן) (11א) *16 — to publish, to issue

אַרויסגעגעבן ← אַרויסגעבן

אַרויסגעוואָרפֿן ← אַרויסוואַרפֿן

אַרויסוואַרפֿן (אַרויסגעוואָרפֿן) (7) — to throw out

אַרויפֿגעקוקט ← אַרויפֿקוקן

אין. . . אַרום ← אין

אַרומגיין (איז אַרומגעגאַנגען) (6) *18ב — to go/walk around

אַרומגעגאַנגען ← אַרומגיין

אַרומגעזעצט (11א) — seated around

אַרונטער (11ב) — (to go) down

space, spot, location — * אָרט (ערטער), דער/דאָס 6

in, into — אַרײַן (4) *5

to go in, to enter — * אַרײַנגײן (איז אַרײַנגעגאַנגען) 11א

אַרײַנגעגאַנגען ← אַרײַנגײן

אַרײַנגעטאָן ← אַרײַנטאָן

אַרײַנגעלאָזט ← אַרײַנלאָזן

אַרײַנגעלאָפֿן ← אַרײַנלויפֿן

אַרײַנגעלייגט ← אַרײַנלייגן

אַרײַנגערופֿן ← אַרײַנרופֿן

אַרײַנגעשטעלט ← אַרײַנשטעלן

to put in — אַרײַנטאָן (אַרײַנגעטאָן) (10ב)

to let in — אַרײַנלאָזן (אַרײַנגעלאָזט) (9ב)*12ב

to run in — אַרײַנלויפֿן (איז אַרײַנגעלאָפֿן) (7)

to put in (lying position) — אַרײַנלייגן (אַרײַנגעלייגט) (10ב) *16

to call in — אַרײַנרופֿן (אַרײַנגערופֿן) (7)

to put in (upright position) — אַרײַנשטעלן (אַרײַנגעשטעלט) (7) *15

army — * אַרמיי(ען), די 7

poor — אָרעם (6) *8ב

ash — אַש, דאָס (5)

ב

באַאַרבעט ← באַאַרבעטן

to work on, to cultivate — באַאַרבעטן (באַאַרבעט) (8ב)

grandmother — * באָבע(ס), די 1

covered *adj.* — באַדעקט (7)

באַוויזן ← באַווײַזן

to show, to exhibit, to demonstrate — באַווײַזן (באַוויזן) (11ב)

soon — באַלד (8ב)

train — באַן(ען), די (9א) *14א

renewal — באַנײַונג(ען) (7)

to pay — באַצאָלן (באַצאָלט) (9א)

acquaintance — באַקאַנטער, דער (באַקאַנטע) (9ב)

to borrow; to lend — * באָרגן (געבאָרגט) 9ב

barefoot — באָרוועס (11א)

famous, notable — באַרימט (10א) * 19א

באַרימט זיך ← באַרימען זיך

to boast, to brag — * באַרימען זיך (זיך באַרימט) 11ב

borsht, beet soup — באָרשט/באָרשטש(ן), דער (4) *10א

באַשטעלט ← באַשטעלן

to order *(stg.)* — * באַשטעלן (באַשטעלט) 10א

באַשמירט ← באַשמירן

to smear, to coat with — * באַשמירן (באַשמירט) 10ב

באַשעפֿטיקט זיך ← באַשעפֿטיקן זיך

to work at, to be busy with — באַשעפֿטיקן זיך (זיך באַשעפֿטיקט) (11ב)

stomach, belly — * בויך (בײַכער), דער 4

tree — בוים, (ביימער), דער (8ב) *14ב

△ביימל(עך), דאָס, □ביימעלע(ך), דאָס (9א)

oil (edible) — * בוימל(ען), דער 7

to build — * בויען (געבויט) 11א

book — * בוך (ביכער), דאָס 2

potato — * בולבע(ס), די 2

bun, roll — * בולקע(ס), די 10א

lad, young unmarried man — בחור(ים), דער *[bokher-bokhrim]* (9ב) *20ב

brat, *hum. pej. form of* בחור — בחורעץ(ן), דער *[bokherets(n)]* (9ב)

until — ביז (8א)

bitter, miserable — ביטער (4) *16א

with; at, by — * בײַ 2

בײַ טאָג ← טאָג

bagel — * בייגל (בייגל), דער △בייגעלע(ך), דאָס 5

בײַגעשטאַנען ← בײַשטיין

both — * ביידע 8ב

to change — בײַטן (געביטן) (5)

at the, at the house of the — *בײַם=בײַ דעם 9ב

tree: *imin. of* בוים — *□ביימעלע(ך), דאָס (9א):

בײַ נאַכט ← נאַכט

Yiddish-English Glossary

ביַישטיין (איז ביַיגעשטאַנען) (11ב) to withstand, to resist
ביליק (9א) cheap
בילן (געבילט) (9ב) to bark
* בין 2 am (1st pers .sg .of זיַין)
בינטל(עך), דאָס (11א) * 219ב bunch, bundle, batch
* ביסט 2 are (2nd pers .sg .of זיַין)
* ביסל(עך), דאָס 6 bit
* בית-המיקדש, דער/דאָס [beysamigdesh] 7 the temple built by King Solomon
* בכּבֿודיק [bekovedik] 9ב adj. honored
•בכּבֿודע ← בכּבֿודיק
* בכלל [bikhlal] 12א in general
בלאָזן (געבלאָזן) (6) to blow
בלאָזן זיך (זיך געבלאָזן)(8ב) to puff; to give oneself airs
בלאַס (7) pale
בלוזקע(ס), די (9א) blouse
* בלוי 6 blue
בלויז (4) *16 only
בליַיבן (איז געבליבן) (4) * 9א to remain, to stay
* בליַיער(ס), דער 2 pencil
* בלינצע(ס), די 10א blintz
* בעט(ן), די/דאָס 3 bed
* בעטן (געבעטן) 1 to pray, to beg, to request, to ask
* בעל-הביתטע(ס), די [baleboste(s)] 10ב housekeeper, housewife, owner
* בעל-מלאָכה (מלאָכות), דער [bal-melokhe(s)] 11א craftsman, artisan
דער בעל-שם-טוב [BalShemTev] (11ב) Baal Shem Tov, founder of Hasidism
בענטשן (געבענטשט) (7) *15א to bless
בענקען (געבענקט) (6) to miss, to long
* בעסט (7) *12א best
* בעסער (7) *12א better
* בעקער(ס), דער 11א baker (masc.)
* בעקעריַי(ען), די 11א bakery
* בעקערין(ס), די 11א baker (fem.)

* ברודער (ברידער), דער 8א brother
* ברויט(ן), דאָס 3 bread
* ברוין 9א brown
ברוך אַתּה (7) [borekh ate] Blessed are You, first words of a blessing (Heb.)
* ברוך-השם [borkhashem] 8א Thank God, Blessed be The Name
* ברייט 5 wide, broad
ברכה (ברכות), די [brokhe(s)] (7) *8א blessing
* ברענגען (געברענגט/געבראַכט) 5 to bring
ברענען (געברענט) (2) *7 to burn
בשׂר [boser] (10ב) meat (Heb.)

ג

* גאָט, (דער) 1 God
* גאָט (געטער), דער 7 god
* גאָלד, דאָס 10ב gold; something very good
גאַנץ (6) *8א whole, entire
* גאַנץ 10א quite
* גאַס(ן), די △ געסל(עך), דאָס 1 street
גאַסט (געסט), דער (8ב) *15א guest
* גאָפּל(ען), דער 10א fork
גאָר (8ב) *10ב extremely; quite; surprisingly
גאַרב(ן), דער (8ב) sheaf
* גאָרני(ש)ט 6 (not) at all, [nothing]
* גבֿיר(ים), דער [gvir(im)] 9ב rich man
גבֿירות, דאָס [gvires] (6) wealth, riches
* גוט (בעסער, דער בעסטער) 3 good
* גוט-יאָר 2 reply to any greeting beginning with גוט
* גוט-מאָרגן 2 good morning; hello
גט(ן), דער [get (n)] (9א) divorce
גיט איבער ← איבערגעבן
* גיין (איז געגאַנגען) 3 to go, to walk
גיין אַוועק ← אַוועקגיין
גיין אום ← אומגיין
גיין אָן ← אָנגיין
גיין אַרום ← אַרומגיין

גיין צו ← צוגיין

*גיך 6 — fast *adj.*

*גיך 9ב — quickly *adv.*

גיכער (7) — quicker

גיסן (געגאָסן) (9ב) — to pour

גיסן אַרײַן ← אַרײַנגיסן

*גלאָז (גלעזער), די △גלעזל(עך), דאָס 10א — glass

גליד(ער), דאָס (7) — limb

גלייבן (געגלייבט) (9ב) — to believe

*גלײַך 5 — straight

*גלײַך 6 — like; equal, equally

*גלײַך 9ב — straight, directly, right away

*גליקלעך 6 — fortunate, happy

*△ גלעזל(עך), דאָס 10א: — glass: *dim.* of גלאָז

גלעטן (געגלעט) (8ב) — to stroke

*גנבֿ(ים), דער 2 *[ganev/ganef-ganovim]* — thief

גנבֿענען (געגנבֿעט) (2) *[ganvenen (geganvet)]* — to steal

גן-אײדעם, דער *[ganeydem]* (8א) — ironic word for son-in-law; pun on the words גן-עדן (paradise) and אײדעם (son-in-law)

גן-עדן(ס), דער/דאָס *[ganeydn(s)]* (10 א) *18ב — the Garden of Eden; Paradise

געאָטעמט ← אָטעמען

געאַרבעט ← אַרבעטן

געבויט ← בויען

געביטן ← בײַטן

געבילט ← בילן

געבלאָזן ← בלאָזן

געבלאָזן זיך ← בלאָזן זיך

געבליבן ← בלײַבן

*געבן (געגעבן) 2 — to give

געבן איבער ← איבערגעבן

געבן אָפּ ← אָפּגעבן

*געבן אַ קוק 9ב — to take a look

געבן אַרויס ← אַרויסגעבן

געבן מיט ← מיטגעבן

געבעטן ← בעטן

געבענקט ← בענקען

געבראָטן (דער געבראָטענער) (10ב) — roasted; broiled

געבראַכט/געברענגט ← ברענגען

געברענט ← ברענען

געגאַנגען ← גיין

געגאָסן ← גיסן

געגלייבט ← גלייבן

געגלעט ← גלעטן

געגנבֿעט ← גנבֿענען

געגעבן ← געבן

געגעסן ← עסן

געגרייט ← גרייטן

געדאַוונט ← דאַוו(ע)נען

געדאַכט זיך ← דאַכטן זיך

געדאַנקט ← דאַנקען

געדאַרפֿט/געדאַרפֿן ← דאַרפֿן

געדינט ← דינען

געדענקט ← געדענקען

*געדענקען (געדענקט) 2 — to remember

געדרוקט ← דרוקן

געדרייט זיך ← דרייען זיך

געהאַט ← האָבן

געהאַלטן ← האַלטן

געהאָלפֿן ← העלפֿן

געהאַקט ← האַקן

*געהאַקט 10ב — chopped *[adj.]*

געהיט ← היטן

געהייסן ← הייסן

געהערט ← הערן

געהעריק (11ב) — appropriate, proper

געהערשט ← הערשן

געוואָלט ← וועלן

געוואַנט(ן), דאָס (9ב) — material, cloth

Yiddish-English Glossary

Δ געוואַנטל(עך) דאָס (9ב): — material, cloth: *dim. of* געוואַנט
געוואַקסן/געוואָקסן ← וואַקסן
געוואַרט ← וואַרטן
געוואָרן ← ווערן
געוואָרפֿן ← וואַרפֿן
געוואַשן זיך ← וואַשן זיך
געוווּנדערט זיך ← וווּנדערן זיך
געווונטשן ← ווינטשן
געוווּסט ← וויסן
געוויזן ← ווײַזן
געוויס (10ב) — certain, given *adj.*; [of course *adv.*]
געווען ← זײַן
געזאָגט ← זאָגן
געזאָלט ← זאָלן
געזוכט ← זוכן
געזונגען ← זינגען
געזונט (געזינטער) (1) * 3 — healthy, well
געזונטערהייט (11א) — in good health
געזיכט(ער), דאָס (7) — face
געזינד(ער), דאָס Δגעזינדל(עך), דאָס (9ב) — household
געזינדיקט ← זינדיקן
געזינדל ← געזינד
געזיפּצט ← זיפּצן
געזען ← זען
געזעסן ← זיצן
געזעץ(ן), דאָס (7) *13 — law
געזעצט ← זעצן
געזשומעט ← זשומען
געחבֿרט זיך ← חבֿרן זיך
געטאָן ← טאָן
געטאַנצט ← טאַנצן
געטופּעט ← טופּען
געטיילט ← טיילן
* געטיילט אויף 9א — divided by

געטראָגן ← טראָגן
געטראָטן ← טרעטן
געטראַכט ← טראַכטן
געטראָפֿן זיך ← טרעפֿן זיך
געטרונקען ← טרינקען
געכאַפּט ← כאַפּן
געכליפּעט ← כליפּען
געל (5) — yellow
געלאָזט/געלאָזן ← לאָזן
געלאַטעט ← לאַטען
געלאַכט ← לאַכן
געלאָפֿן ← לויפֿן
געלויכטן ← לײַכטן
געלט, דאָס (3) *6 — money
געליבט ← ליבן
געלייגט ← לייגן
געלייענט ← לייענען
געלכל(עך), דאָס (10ב) — yolk
געלעבט ← לעבן
געלעגן ← ליגן
געלעקט ← לעקן
געלערנט ← לערנען
געלערנט זיך ← לערנען זיך
געמאַכט ← מאַכן
געמוזט ← מוזן
געמיינט ← מיינען
געמעגט ← מעגן
גענוג (7) — enough
גענומען ← נעמען
גענייט ← נייען
*□געסעלע(ך), דאָס 4: — street: *imin. of* גאַס
געענדיקט ← ענדיקן
געענטפֿערט ← ענטפֿערן
געעפֿנט ← עפֿענען
געפּאַסט ← פּאַסן
געפּלאַצט ← פּלאַצן

Yiddish-English Glossary

געפּסקנט ← פּסקענען

געפּרעגלט (10א) fried *adj.*

געפֿאַלן ← פֿאַלן

געפֿאָרן ← פֿאָרן

געפֿונען ← געפֿינען

געפֿײַפֿט ← פֿײַפֿן

*געפֿילטע פֿיש, די 10א gefilte fish, stuffed fish

געפֿילעכץ(ן), דאָס (10ב) stuffing

געפֿינען געפֿונען (5) *10ב to find

*געפֿינען זיך (זיך געפֿונען) 11ב to be found, to be located

געפֿלויגן ← פֿליִען

געפֿעלט ← געפֿעלן

געפֿעלט ← פֿעלן

געפֿעלן (איז געפֿעלן) (9א) to like, to please, to appeal to;

דאָס געפֿעלט מיר this pleases me (=I like it)

געפֿרייט זיך ← פֿרייען זיך

געפֿרעגט ← פֿרעגן

געץ(ן), דער (7) idol

געצאָלט ← צאָלן

געצונדן ← צינדן

געציטערט ← ציטערן

געציילט ← ציילן

געקאָסט ← קאָסטן

געקויפֿט ← קויפֿן

געקומען ← קומען

געקוקט ← קוקן

געקושט ← קושן

געקיניגט ← קיניגן

געקלונגען ← קלינגען

געקענט ← קענען

געקראָגן ← קריגן

געקראָכן ← קריכן

גערוט ← רוען

געריכט(ן), דאָס (11א) court

גערעדט ← רעדן

געשאָלטן ← שילטן

געשאָקלט ← שאָקלען

געשווומען ← שווימען

געשווינד(ער) (7) quick(er)

געשטאַנען ← שטיין

געשטאָרבן ← שטאַרבן

געשטראָפֿט ← שטראָפֿן

געשײַנט ← שײַנען

געשלאָפֿן ← שלאָפֿן

*געשמאַק 10א tasty, delicious

געשמייכלט ← שמייכלען

געשמירט ← שמירן

געשניטן ← שנײַדן

געשען ← געשען

געשען (איז געשען) to happen *(only 3rd pers. impers.)*

*געשעפֿט(ן), דאָס 9א business

געשפּילט ← שפּילן

געשפּרונגען ← שפּרינגען

° געשפּרעך(ן), דאָס (11א)←שמועס conversation, talk

געשריגן/געשריִען ← שרײַען

געשריי(ען), דאָס (9ב) *20ב cry, scream, clamor, yell

גראָ = גרוי

*גרוי 9א grey

*גרויס (גרעסער, דער גרעסטער) 4 big, large

*גרויסקייט, די 11ב greatness

*גרוס(ן), דער 1 regards; greeting

גרופּע(ס), די (11ב) group

גרייט (7) *16 ready

גרייטן (געגרייט) (10א) *15א to prepare

גריך(ן), דער (7) Greek person

גרין (5) *9א green

*גרינס(ן), דאָס 10א vegetable

גרעסער ← גרויס

ד

*דאָ 1 — here
דאַוו(ע)נען (געדאַוונט) (7) *13א — to pray (Jew.)
דאָזיק (11ב) *16 — this, these (emph.); the said
דאַך (דעכער), דער (11ב) *12 — roof
*דאָך 10ב — after all, you know, obviously
דאַכטן זיך (זיך געדאַכט) (7) — to seem (to) (3rd pers. sg. impers.)
*דאָלאַר (דאָלאַר/ן), דער 9א — dollar
*דאָנערשטיק(ן), דער 3 — Thursday
*דאַנק: אַ דאַנק 3 — thank you
דאַנקען (געדאַנקט)(4) — to thank
*דאָס 1 — the neut. art. (nom.& acc.); this, that; it
*דאָקטער (דאָקטוירים), דער 3 — doctor
*דאָקטערשע(ס), די 11א — doctor (fem.)
דאַר (5) — thin; dried
*דאָרט=דאָרטן 1 — there
דאָרף (דערפֿער), דאָס ∆דערפֿל(עך), דאָס (4) — village 5
*דאַרפֿן (ער/זי דאַרף) (געדאַרפֿט) 2 — to need; to have to
דגים [dogim] (10ב) — fish (Heb.)
*דו 1 — you (sg. & infor.)
דוחק, דער [doykhek] (11א) — lack, dearth
*די 1 — the fem. art. (nom .& acc .) ; the pl.art.; these, those
דײַן (2) * 4 — your (sg. - both possessor & possession)
*דײַנע 8א — your (sg. possessor & pl. possessions)
דיך (3) *10ב — you (acc . of דו)
*דינסטיק(ן), דער 3 — Tuesday
דינען (געדינט) (7) — to worship, to serve
*דינער(ס), דער 9ב — servant
דיר (2) *12א — you (sg. dat . of דו)
דירה (דירות), די [dire(s)] (4) — apartment
דירה-געלט, דאָס (11ב) — rent (money)
דלפֿון (דלפֿנים), דער [dalfn-dalfonim] (10ב) — poor man
*דעם (2) — the masc. art. (acc. of דער; dat. of דער, דאָס)
דעמאָלט (11ב) *19ב — then, at that time
דעקן צו ← צודעקן
*דער 1 — the masc .art.; (dat. of fem. art. די)
דער אָ (9ב) — this ... here (emph.)
דערבאַרעמט זיך ← דערבאַרעמען זיך
דערבאַרעמען זיך (זיך דערבאַרעמט) (5) — to take pity, to have mercy
*דערווײַלע 10א — meanwhile, for the time being
*דעריבער 11א — therefore
דערלאַנגט ← דערלאַנגען
*דערלאַנגען (דערלאַנגט) 10א — to pass, to serve
*דערנאָך 7 — afterwards, then
דערפֿאַר (7) *17ב — therefore, for it, for that
*□דערפֿעלע(ך), דאָס 4: — village: imin. of דאָרף
*דערציילן (דערציילט) 11א — to tell
דרויסן ← אין דרויסן
דרום, דער [dorem] (8ב) * 18א — South; southern adj.
*דרום-אַפֿריקע, (די/דאָס) [dorem] 8א — South Africa
*דרוקן (געדרוקט) 11א — to print
*דרוקער(ס), דער 11א — printer
דרוקערײַ(ען), די (11א) — printing shop
דריט (3) *8א — third
*דרײַ 9א — three
דרײַ און זעכציק (6) — sixty-three
דריידל(עך), דאָס * 7 — dreydl, Hanukkah top
*דרײַסיק 9א — thirty
*דרייען זיך (זיך געדרייט) 8ב — to turn, to spin
דרײַער(ס), דער ∆דרײַערל(עך), דאָס (11ב) — small coin based on unit of three:
∆דרײַערל(עך), דאָס (11א): — small coin based on unit of three: dim. of דרײַער
*דרײַצן 9א — thirteen

ה

*האָבן (האָב, האָסט, האָט, האָבן),(געהאַט) 2 — to have
האָבן ליב ← ליב האָבן
האָז(ן), דער ∆העזל(עך), דאָס □העזעלע(ך), דאָס (5) — hare
*האַלב 10ב — half
האַלדז (העלדזער), דער (3) — throat; neck
האַלטן (געהאַלטן) (11ב) — to keep

to help — *העלפֿן (געהאָלפֿן) 6
shirt — *העמד(ער), דאָס 9א
chandelier — הענגלײַכטער(ס), דער (11ב)
הענגען אָפּ ← אָפּהענגען
hand: imin. of האַנט — *הענטעלע(ך), דאָס 5:
notebook — *העפֿט(ן), די 2
herring — * הערינג (הערינג/ען), דער 10ב
to hear — *הערן (געהערט) 2
strand of hair: imin. of האָר — □הערעלע(ך), דאָס (5):
to rule — הערשן (געהערשט) (7)
abandoned — הפֿקר [hefker] (8ב)

ו

cart, buggy — וואָגן(ס/וועגענער), דער (9ב)
what else? sure — וואָדען (2)
week — וואָך(ן), די (3)
וואָלט (10א) ← וואָלטן
וואָלטן (וואָלט, וואָלטסט, וואָלט, וואָלטן)
would aux. v. (used in forming the conditional) — (10א) *14א
wool adj. — וואָלן (דער וואָלענער) (9א)
cloud — *וואָלקן(ס), דער 6
cloudy — וואָלקנדיק (6)
wall — וואַנט (ווענט), די (5) *17ב
וואַנען (פֿון/ ביז וואַנען) (10א) *18א
where (with prepositions)
what — *וואָס 2
that conj. — *וואָס 8ב
What is the matter? — *וואָס איז דער מער? 3
what else — *וואָס נאָך 9א
which, what — וואָסער (3)
what kind of — וואָס פֿאַר אַ (8א) *9א
וואַקסן (איז געוואַקסן/געוואָקסן) (9א) *16
to grow
וואַקסן אויף ← אויפֿוואַקסן
to wait (for) — וואַרטן (געוואַרט) (אויף) (6) *15א

hammer — האַמער(ס), דער (7)
*האַנט (הענט), די Δהענטל(עך), דאָס
hand — □הענטעלע(ך), דאָס 2
האָסט ← האָבן
to chop — האַקן (געהאַקט) 4
*האָר, די Δהערל(עך), דאָס □הערעלע(ך), דאָס 5
hair (base form pl.)
heart — *האַרץ (הערצער), דאָס
hat — *הוט (היט), דער Δהיטל(עך), דאָס 9א
house — * הויז (הײַזער), דאָס 8ב
pants — *הויזן, די 9א
high, tall — *הויך (העכער) 5
bare — הויל (9ב)
hungry — *הונגעריק 9ב
hundred — *הונדערט 9א
dog — הונט (הינט), דער (9ב) *15ב
hat: dim. of הוט — *Δהיטל(עך), דאָס 9א:
to keep, to observe — היטן (געהיט) (7) *9א
to lift; to raise — הייבן (געהויבן) (8ב)
house: dim. of הויז — *Δהײַזל(עך), דאָס (8ב):
holy — הייליק (7) *15א
home — *היים(ען), די 1
homey, snug, familiar — * היימיש 10א
today — הײַנט (3) *6
moreover, besides, on top of it — הײַנט (10ב)
hot — הייס (2) *7
to be called (as in "My name is...") — *הייסן (געהייסן) 1
to tell, to order — הייסן (געהייסן) (3) *11ב
sky — *הימל(ען), דער 6
המן-טאַש(ן),דער [homen-tash(n)] (4)
triangular Purim pastry filled with poppy seeds or preserves
these (7) [haneyros halalu] הנרות הללו
lights— first words of Hanukkah liturgy recited immediately after candle-lighting
hare: imin. of האָז — □העזעלע(ך), דאָס (5):
pike — העכט (העכט), דער
□העכטעלע(ך), דאָס (10ב)
pike: imin. of העכט — □העכטעלע(ך), דאָס (10ב):
heroic — העלדיש (7)
half — *העלפֿט(ן), די 8ב

Yiddish-English Glossary

*וואַרעם 6 — warm

*וואַרעמעס(ן), דאָס 3 — lunch

וואַרפֿן (געוואָרפֿן) (7) — to throw

וואַרפֿן אַרויס ← אַרויסוואַרפֿן

*וואַשן זיך (זיך געוואַשן) 10ב — to wash; to wash up

*ווו 1 — where (*with prepositions:* וואַנען)

וווּיל (9ב) *17ב — well, good, nice

*וווינען (געוווינט) 1 — to live *as in* to dwell

*ווונדער(ס), דער 8ב — wonder, marvel

*ווונדערלעך 11ב — wonderful, marvelous

ווונדערן זיך (זיך געווונדערט) (8ב) *18ב — to wonder, to be surprised

*ווי 1 — how

*ווי (5) 11א — as

*ווי (אַזוי) 3 — how

וויג(ן), די △וויגל(עך), דאָס (9ב) *19ב — cradle

△וויגל(עך), דאָס (9ב) *17א: — cradle: *dim of* וויג

*וויגליד(ער), דאָס 5 — lullaby

ווידער (11ב) *13 — again, on the other hand

ווײַב(ער), דאָס 8א — wife

ווײַזן (געוויזן) (9א) *11ב — to show

*ווי טאָן (געטאָן) 3 — to hurt

ווייטיק(ן), דער (4) — pain, ache

ווײַטער (3) *15ב — next, further

*ווײַל 3 — because

ווײַנגאָרטן (גערטנער), דער (9א) — vineyard

*ווייניק 10ב — few, little

ווייניקער (9א) — less

וויינען (געוויינט) (8ב) *11ב — to cry

ווייס ← וויסן

*ווײַס 9ב — white

ווייסט ← וויסן

ווײַסל(עך), דאָס (10ב) — egg white

ווייסן ← וויסן

וויל ← וועלן

ווילן ← וועלן

ווילסט ← וועלן

*ווינט(ן), דער 6 — wind

ווינטער (ן), דער (7) *9א — winter

ווינטער-לײַבל(עך), דאָס (8ב) — winter undershirt; jacket

ווינטשן (געווונטשן) (7) *20א — to wish (someone)

*וויסן (ווייס, ווייסט, ווייסט, ווייסן) (געוווסט) — to know 4

*וויפֿל 9א — how much/many

*וועג(ן), דער 8ב — road, way

*וועגן 8א — about

וועט ← וועל

*וועטער(ן), דער/דאָס 6 — weather

וועטשערע(ס), די (3) — supper

וועל, וועסט, וועט, וועלן (5) *6 — shall, will *aux. v. (used in forming the future tense)*

*וועלט(ן), די ▢וועלטעלע(ך), דאָס 1 — world

▢וועלטעלע(ך), דאָס 1: — world: *dim of* וועלט

*וועלכער/וועלכע/וועלעכס/וועלכע 3 — which

וועלן ← וועל

*וועלן (וויל, ווילסט, ער וויל, ווילן) (געוואָלט) 3 — to want

*וועמען 3 — whom

*ווען 3 — when

וועסט ← וועל

*וועסטל(עך), דאָס 9א — vest

וועקן אויף ← אויפֿוועקן

*ווער — who

*ווערן (איז געוואָרן) 7 — to become

ווערן אָן ← אָנווערן

*וועש, דאָס 11א — laundry

each other — זיך (5)
oneself (*refers to subject*) — *זיך 9א
silver *adj.* — זילבערן (7) *14א
to sing — *זינגען (געזונגען) 1
to sin — זינדיקן (געזינדיקט) (8ב)
sweet — זיס (10א) *11א
to sigh — *זיפֿצן (געזיפֿצט) 20ב
to sit — זיצן (איז געזעסן) (8ב) *9ב
zloty (Polish currency) — זלאָטע(ס), די (6)
*זמר(ס), דער [*zemer(s)*] ∆זמרל(עך), דאָס
tune 10ב
tune: ∆*זמרל(עך), דאָס [*zemerl(ekh)*] 10ב: *dim.* of זמר
sixty — *זעכציק 9א
sixteen — *זעכצן 9א
same — *זעלב 8ב
rarity — די זעלטנהייט(ן) (11ב)
to see — *זען (געזען) 2
זען אויס ← אויסזען
to see each other — זען זיך (זיך געזען) (5)
*זענען = זײַנען 2
to seat (*trans.*) — זעצן (געזעצט) (9ב)
six — *זעקס 9א
to buzz, to hum — זשומען (געזשומעט) (4)
journal, magazine — *זשורנאַל(ן), דער 11א
so, then — *זשע 2

ח

friend — *חבֿר(ים), דער [*khaver-khaveyrim*] 4
gang, bunch of friends — חבֿרה (חבֿרות), די [*khevre(s)*] (11א)
to be friends with, to associate — חבֿרן זיך (זיך געחבֿרט) [*khavern (gekhavert)*] (9ב)
traditional Hebrew school for boys — חדר(ים), דער [*kheyder-khadorim*] (7) *15ב
wise person; wise guy (*sarc.*) — חכם(ים), דער [*khokhem-khakhomim*] (10ב) 13*
wisdom; wit — חכמה (חכמות), די [*khokhme(s)*] (11ב)
challah bread, twisted white bread eaten on the Sabbath — *חלה (חלות), די [*khale(s)*] 10ב

ז

to say, to tell — *זאָגן (געזאָגט) 2
זאָגן אויס ← אויסזאָגן
thing; issue — זאַך(ן), די (8ב) *10ב
should — זאָלן (ער/זי זאָל) (געזאָלט) (2) *7
salt — *זאַלץ(ן), די/דאָס 10א
Zamocsz, city in province of Lublin, Poland — זאַמישטש/זאַמאָשטש, (דאָס) (10א)
juice — זאַפֿט(ן), דער (10א)
sock — זאָק(ן), דער/די (6) *9א
sourish — זויערלעך (10ב)
to look for, to seek — זוכן (געזוכט) (6) * 18ב
sun — *זון (זונען), די 6
son — *זון (זין), דער 7
Sunday — *זונטיק(ן), דער 3
son (*dim. & affec.*) — זונעניו, דער (19ב)
soup — זופּ(ן), די (4) *10א
she — *זי 1
her (*acc*). — *זי 10ב
seven — *זיבן 9א
seventy — זיבעציק (8א) *9א
seventeen — *זיבעצן 9א
they — *זיי 1
them (*acc. & dat.*) — *זיי 8ב
be (*imp.*) — *זײַ, זײַט 1
please — *זײַ(ט) אַזוי גוט 2
clock — *זייגער(ס), דער 10א
grandfather — *זיידע(ס), דער 2
grandparents — *זיידע-באָבע (*pl.*) *8א
be (*imp.*) — *זײַ(ט) 1
side; page — זײַט(ן), די (7)
to be — *זײַן (בין, ביסט, איז, זײַנען, זײַט, זײַנען (איז געווען) (זײַ, זײַט) 2
his (*sg. possession*) — זײַן (6) *8א
his (*pl. possessions*) — *זײַנע 8א
זײַנען ← זײַן
very — זייער (4) *5
their (*sg. possession*) — זייער (7) *8א
their (*pl. possessions*) — זייערע (7) *8א

חלום(ות), דער [kholem-khaloymes] (4) *17א	dream
חלילה [kholile] (5) *13א	God forbid!
חלשות [khaloshes] (10ב)	nauseating int.; disgusting enough to make one faint
חלשן (געחלשט) [khaleshn (gekhalesht)] (10 ב)	to faint
*חנוכה, (דער) [Khanike] 5	Hanukkah
*חנוכה-געלט, דאָס (7)	Hanukkah money (gift)
חנוכה-לעמפּל(עך), דאָס (7)	menorah, lamp for lighting Hanukkah candles or oil wicks
*חסיד(ים), דער [khosid-khsidim] 1	hasid, follower of a hasidic rabbi
*חסרון(ות), דער [khisorn-khesroynes] 11ב	fault, flaw, defect
*חשמונאָי(ם), דער [Khashmenoyi(m)] 7	someone from the Hasmonean family
*חתונה (חתונות), די [khasene(s)] 9ב	wedding
חתונה-געהאַט (8א)	married adj.
חתונה האָבן (געהאַט) (8א) *11ב	to get married, to marry
חתונה מאַכן (חתונה געמאַכט) (9ב)	to marry off
*חתן(ים), דער [khosn-khasanim] 8ב	fiancé; bridegroom (to be)
∆חתנדל(עך), דאָס (9ב): dim. of חתן	fiancé; bridegroom (to be)

ט

טאָ (10ב)	so, then
*טאָג (טעג), דער 3	day
*בײַ טאָג 10א	in the daytime
*טאַטע(ס), דער 1	father, dad
טאַטע-מאַמע (pl.) (11א) *18	(both) parents
טאַטעניו, דער (10ב)	father (affec.)
טאָמער (9ב) *16	in the event, lest, if
טאָמעשעוו, (דאָס) (10א)	Tomashev, Polish town in the province of Lublin
*טאָן (טו, טוסט, טוט, טוען) (געטאָן) 3	to do
טאָן אויס ← אויסטאָן	
טאָן אָן ← אָנטאָן	
טאָן אַרײַן ← אַרײַנטאָן	
*טאַנצן (געטאַנצט) 1	to dance
טאַפּעטן-הענגער(ס), דער (11ב)	wallpaper hanger
*טאַקע 2	really; oh?
טו, טוט ← טאָן	
טוי(ען), דער (11א)	dew
*טויזנט(ער), דער 9א	thousand
טויטער (טויטע), דער (8ב)	dead (people)
טומל(ען), דער (9ב)	noise, stir, racket
טונקל (9ב)	dark
טוסט ← טאָן	
טוען ← טאָן	
*טוער(ס), דער 11א	active person, doer
*טיי(ען), די 10א	tea
טײַך(ן), דער ∆טײַכל(עך), דאָס □טײַכעלע(ך), דאָס (4)	river
טײַכעלע(ך), דאָס (4): imin. of טײַך	river, stream, brook
*טייל 10ב	some
טיילווײַז (6)	partly
*טייל(ן), דער/די 11ב	part, division
טיילן (געטיילט) (8ב)	to divide
*טײַער (2) *3	expensive; dear
טײַער(ע) (2)	dear, dear ones
טיר(ן), די (6)	door
*טיש(ן), דער 2	table
טלית(ים), דער [tales-taleysim] (5)	prayer shawl
*∆טעכטערל(עך), דאָס 11א: dim. of טאָכטער	daughter
*טעלער (טעלער/ס), דער 10א	plate
טעם(ען), דער [tam(en)] (10א) *15א	taste
טענצערין(ס), די (11א)	dancer (fem.)
*טעפּל(עך), דאָס 10א	cup
*טראָגן (געטראָגן) (6) *8ב	to carry
*טראָגן (געטראָגן) 9א	to wear
*טראַכטן (געטראַכט) 1	to think
טרויעריק (8ב)	sad, sadly
טרייסט(ן), די (8ב) *19ב	comfort, consolation
טרינקען (געטרונקען) (1) *10א	to drink
טרעפּל(עך), דאָס (9ב)	step, stair

to meet — טרעפֿן זיך (זיך געטראָפֿן) (8ב)
tear — *טרער(ן), די 8ב
cholnt, (Jew.) a baked dish of meat, potatoes, beans, served on the Sabbath — *טשאָלנט(ער), דער 4
teapot — טשײַניק(עס), דער (4)
check — טשעק(ן), דער (4)

י

yes — *יאָ 2
יאָגן זיך נאָך ← נאָכיאָגן זיך
year — יאָר(ן), דאָס (9ב) *10א
Judah the Maccabbee — *יהודה המכּבי [Yuda Hamakabi] 7
youth — *יוגנט, די 9א
יויך(ן), די △ייַכל(עך), דאָס □ייַכעלע(ך), דאָס
broth, chicken soup — (10א) *15א
*יום-טובֿ(ים), דער [yonteu/yontef-yontoivim] 5
holiday, festival
Yom Kippur, Day of Atonement — *יום-כּיפּור [Yom/Yonkiper] 5
young — יונג (ייִנגער) (7) *8א
Jew — *ייִד(ן), דער 10א
Jewish; Yiddish — *ייִדיש 2
married Jewish woman — *ייִדענע(ס), די 10א
boy — *ייִנגל(עך), דאָס 5
youngest — ייִנגסט (9ב) *11א ← יונג
younger — ייִנגער (7) *8א ← יונג
each, every — יעדע, יעדעס, יעדער (6) *11א
everyone, everybody — יעדערע, יעדערער (11א) *18ב
that adj./pron. — יענער (11א) *13
Jerusalem — *ירושלים,(דאָס) [Yerusholayim] 7
Israel — *ישׂראל, (דאָס) [Yisroel] 7

כּ

*כּבֿוד (כּיבודים), דער [koved-kibudim] 9ב
honor
in order to — *כּדי [kedey] 11ב
כּהן(ים), דער [koyen-koyanim/kehanim] (7)
Jewish priest in ancient Palestine
bride (to be), fiancée — כּלה (כּלות), די [kale(s)] (9ב) *19ב
all sorts of delicacies — כּל מטעמים [kol matamim] (10ב)
almost — כּמעט [kimat] (10א)
fowl representing scapegoat in Yom Kippur ceremony — כּפּרה (כּפּרות), די [kapore(s)] (6)

כ

I — *כ' = איך 10א
to catch, to grab — *כאַפּן (געכאַפּט) 9א
to rush, to be hasty — כאַפּן (געכאַפּט) (10א)
to sob — כליפּען (געכליפּעט) (9ב) *20ב
Chelm, a city in Poland; in Jewish folklore, a town inhabited by fools — *כעלעם, (דאָס) 6
person or thing from the city of Chelm, a town of fools in Jewish folklore adj. — *כעלעמער 5
resident of Chelm — *כעלעמער (כעלעמער), דער 6

ל

to let, to allow — לאָזן (געלאָזט/געלאָזן) (8ב) *12א
לאָזן אַרײַן ← אַרײַנלאָזן
to patch — לאַטען (געלאַטעט) (11ב)
potato pancake — *לאַטקע(ס), די 7
hole — דער/די לאָך (לעכער) (6) *13
to laugh — *לאַכן (געלאַכט) 1
let's — *לאָמיר 6
long — *לאַנג (לענגער) 5
land, country — *לאַנד (לענדער), דאָס 7
London — *לאָנדאָן, (דאָס) 6
לאַנדסלײַט ← לאַנדסמאַן
person from the same place in the old country — *לאַנדסמאַן (לאַנדסלײַט), דער 10א
lapel — לאַץ(ן), דער (9ב)
according to — לויט (7) *8ב
to run — לויפֿן (איז געלאָפֿן) (7)*9ב
merry, cheerful — לוסטיק (7)
air — *לופֿט, די 6
bread (Heb.) — לחם [lekhem] (10ב)

Yiddish-English Glossary

*ליב האָבן (ליב געהאַט) 2	to like, to love
ליבן (געליבט) (7)	to love
ליבע(ס), די (2)	love
ליבשאַפֿט, די (8ב)	love, affection, fondness
*ליגן (איז געלעגן) 3	to lie
*ליד(ער), דאָס 2	song
*ליטעראַטור(ן), די 11א	literature
ליטעראַריש (11א) *17ב	literary
לײַבל(עך), דאָס (8ב)	undershirt, jacket
לייגן (געלייגט) (6) *8ב	to lay, to put in lying position
ליידיק (11א)	empty
*לײַט (לײַט), דער 11ב	respectable person (sg.); people, folks (pl.)
לייטער(ס), דער (11ב)	ladder
לײַכטן (געלײַכט/געלויכטן)(7)	to shine, to give light
*לייענען (געלייענט) 2	to read
ליכט (ליכט), דאָס/די (5)	light
*ליכט (ליכט), דאָס 7	candle
לימענע(ס), די (10א)	lemon
*לינק 4	left
*ליפּ(ן), די 4	lip
לעבן (3) *8ב	near, beside, by
*לעבן(ס), דאָס 9א	life
*לעבן (געלעבט) 7	to live (exist)
לעבער(ס), די (5)	liver
*לעפֿל (לעפֿל), דער 10א	spoon
*לעצט 10א	last
לעקן (געלעקט) (10א)	to lick
*לעקציע(ס), די 1	lesson, lecture
*לערנען (געלערנט) 2	to learn, to teach
*לערנען זיך (זיך געלערנט) 3	to learn
לערנען זיך אויס ← אויסלערנען זיך	
לערנער(ס), דער (11ב)	learner, Talmudic student
*לערער(ס), דער 2	teacher
*לערערין(ס), די 2	teacher (fem.)

מ

מאַטעמאַטיק, די (11א)	mathematics
מאַטעמאַטיקער(ס), דער (11א)	mathematician
*מאכל(ים), דער/דאָס [maykhl- maykholim]	
∆מאכלעך(ך), דאָס [maykhele(kh)] (5) *10ב	treat, tasty dish
∆מאכלעך(ך), דאָס [maykhele(kh)] (5):	treat, tasty dish: dim. of מאכל
*מאַכן (געמאַכט) 7	to make, to do
*מאָל (מאָל), דאָס 3	time, instance
*מאָל (9א)	times (multiplication)
מאַלפּע(ס), די (10ב)	monkey
*מאַמע(ס), די 3	mother, mom
מאַמעשי, די (9ב)	mother (affec.)
*מאַן(ען/מענער), דער 8א	husband
*מאַן (מענער), דער 9א	man
מאָן, דער (9ב)	poppyseed
*מאָנטיק(ן), דער 3	Monday
*מאַנטל(ען), דער 9א	coat
מאַנקעט(ן), דער (9ב)	cuff
*מאַפּע(ס), די 6	map
*מאָרגן 8ב	tomorrow
מודיעין [Modien] 7	Modin
מוזן (ער/זי מוז) (געמוזט) (6) *13ב	must
מוחל זײַן (האָט מוחל געווען) [moykhl] (5) *10ב	to forgive, to pardon
מויד(ן/מיידן), די ∆מיידל(עך), דאָס	
□מיידעלע(ך), דאָס (9ב)	maid, lass, girl
*מויל (מײַלער), דאָס 4	mouth
*מומע(ס), די 8א	aunt
מורא(ס), די [moyre] (11ב)	fear
מזוזה (מזוזות) [mezuze(s)] (4)	mezuzah, a small tube containing an inscribed strip of parchment, attached to the doorpost of premises occupied by observant Jews
*מזל, דאָס [mazl] 8א	luck
מזל־טובֿ(ן), דער [mazl-tov(n)] 8א *20א	congratulations
*מחותּן(ים), דער [mekhutn-mekhutonim] 8א	son-in-law or daughter-in-law's father; in pl. relatives by marriage
מחיה, (די) [mekhaye] (fem.) (6) *10ב	delight, pleasure
מטעמים [matamim] (pl.) (10ב)	delicacies
*מיאוס [mies/mis] 5	ugly

probably — *מסתּמא [mistome] 11א

one, you, they, people — *מע/מען 4

furniture — מעבל, דאָס (11א)

may, to be allowed — מעגן (ער/זי מעג) (געמעגט) (9א)

medicine — *מעדיצין(ען), די 11א

flour — מעל, די/דאָס (10ב) *13

*מען ← מע

person — *מענטש(ן), דער 1

menu — *מעניו(ען), דער 10א

knife — *מעסער(ס), דער/דאָס 10א

Mexico — *מעקסיקאָ = מעקסיקע, דאָס/די 6

more *adv.* — מער (5) *6

דער מער ← וואָס איז דער מער

West, western *adj.* — מערבֿ, דער *[mayrev]* (8ב) *18א

Maariv, Jewish evening prayer — מעריבֿ, דער *[mayrev]* (7)

most — מערסטע (11ב)

story — *מעשׂה (מעשׂיות), די *[mayse(s)]* 7

bargain — *מציאה (מציאות), די *[metsie(s)]* 9א

*משוגע (דער משוגענער) *[meshuge]* 10ב — crazy, mad

*משפּחה (משפּחות), די *[mishpokhe(s)]* 8א — family

*מתתיהו דער חשמונאָי *[Matesyohu der Khashmenoyi]* Mattathias the Hasmonite 7

נ

here (in giving) — *נאַ 2

נאָוועגע ← אין אַ נאָוועגע

nose — *נאָז (נעזן), די △נעזל(עך), דאָס ☐נעזעלע(ך), דאָס 3

seam — נאָט (נעט), די △נעטל(עך), דאָס (9ב)

yet, still — נאָך (6) *8א

after — *נאָך 10א

again — *נאָך אַ מאָל 2

night — נאַכט (נעכט), די (5) *7

at night — *ביי נאַכט 10א

to meow — מיאַוקען (געמיאַוקעט) (9ב)

weary/tired person — מידער (מידע), דער (7)

East, eastern *adj.* — מיזרח, דער *[mizrekh]* (8ב) *18א

with — *מיט 3

. . . ago — *מיט. . . צוריק 10א

midday — *מיטאָג(ן), דער 10א

lunch, midday meal, dinner — מיטאָג(ן), דער (11ב)

in the afternoon; p.m. — *נאָך מיטאָג 10א

before noon; a.m. — *פֿאַר מיטאָג 10א

suddenly, all at once — מיט אַ מאָל (6)

Wednesday — *מיטוואָך(ן), דער 3

middle — *מיטן(ס), דער 8ב

girl — *△ מיידל(עך), דאָס ☐ מיידעלע(ך), דאָס 4

girl: *dimin. of* מויד and △ מיידל — *☐ מיידעלע(ך), דאָס 4

my *(sg. possession)* — מײַן (4) *8א

my *(pl. possessions)* — מײַנע (4) *8א

to think; to mean; to believe — *מיינען (געמיינט) 6

me *(acc.)* — מיך (9א) *10ב

mill — מיל(ן), די (4)

anyhow, so be it, never mind — מילא *[meyle]* (9ב) *10ב

million — *מיליאָן(ען), דער 9א

milk — *מילך, די 10א

we — *מיר 1

מישן צוזאַמען ← צוזאַמענמישן

craft, trade — *מלאָכה (מלאָכות), די *[melokhe(s)]* 11א

state — מלוכה (מלוכות), די *[melukhe(s)]* (11א) *13

king — מלך(ים), דער *[meylekh-m(e)lokhim]* (7) *12

queen — מלכּה (מלכּות), די *[malke(s)]* (9א) *12

manna — מן, דער *[man]* (14א)

menorah, a candelabrum with seven candlesticks — *מנורה (מנורות), די *[menoyre(s)]* 7

menorah, candelabrum — *מנורה (מנורות), די 11א

Yiddish-English Glossary

נאָכיאָגן זיך (זיך נאָכגעיאָגט) (9ב) — to chase, to run after
נאָך מיטאָג ← מיטאָג 10א
*נאָמען (נעמען), דער 4 — name
נאַקעט (9ב) *15ב — naked
*נאַר(אָנים), דער 11א — fool
נאָר (2) *9ב — only; but
*נאַריש 5 — silly, foolish
נאַשער(ס), דער (11א) — person with a sweet tooth
*נגיד(ים),דער [nogid-negidim] 10ב — rich man
*נגידיש [negidish] 10ב — rich man's, in rich man's style (adj.)
*נדן(ס), דער [nadn(s)] 9א — dowry
*נו 2 — well, come on
*נול(ן), דער/די 9א — zero, nil, nonentity
נוס (ניס), דער △ניסל(עך),דאָס ◻ניסעלע(ך), דאָס (5) — nut
נחת, דער/דאָס [nakhes] (8א) *15ב — satisfaction, pleasure
*ניגון(ים), דער [nign-nigunim] △ניגונדל(עך), דאָס 8א — melody, tune
*△ניגונדל(עך), דאָס [nigndl(ekh)] 8א: — melody, tune: *dim.* of ניגון
*נידעריק 5 — low, short
*ניו-יאָרק, (דאָס) 6 — New York
ניט/נישט (1) *2 — not
*ניטאָ (קיין) 2 — there is/are not
*ניטאָ מער (5) — there is/are no longer
ניטע (8ב) — don't
*נײַ 5 — new
*ניין 2 — no
*נײַן 9א — nine
נײַן און זיבעציק (6) — seventy-nine
נײַנט (11א) *17א — ninth
*נײַנציק 9א — ninety
*נײַנצן 9א — nineteen
*נייען (גענייט) 11א — to sew
נייען אויף ← אויפֿנייען
*נײַעס, די (*pl.*) 2 — news
◻ניסעלע(ך),דאָס (5): נוס — nut: *imin. of*

נישט ← ניט
נישטאָ ← ניטאָ
*נס(ים), דער [nes-nisim] 7 — miracle
נסיון(ות), דער [nisoyen-nisyoynes] (11ב) — temptation
*נעבעך 3 — poor thing
*◻ נעזעלע(ך), דאָס 5: נאָז — nose: *imin. of*
△נעטל(עך), דאָס (9ב): נאָט — seam: *dim.* of
נעכטן(ס) (9א) *17ב — yesterday
*נעמען (גענומען) 4 — to take
נעמען צוזאַמען ← צוזאַמענעמען
נעסט(ן), די △נעסטל(עך), דאָס ◻נעסטעלע(ך), דאָס (9א) — nest
◻ נעסטעלע(ך), דאָס (9א): נעסט — nest: *imin. of*

ס

*ס'איז = עס איז 10א — it is
סאָלדאַט(ן), דער (7) — soldier
* סאָציאַליסטקע(ס), די 8א — socialist (*fem.*)
סוכות, דער [Sukes] (5) — Feast of Tabernacles, Sukkoth
סוף(ן), דער [sof(n)] (9ב) *19ב — end
*סטאָליער(ס), דער 11א — carpenter
סטאַן(ען), דער (9ב) — waist
*סטודענט(ן), דער 2 — student
*סײַדן 10ב — unless
סענט(ן), דער (9א) — cent
ספּודניצע(ס), די (9א) — skirt
ס'פֿעלן = עס פֿעלן ← פֿעלן
ספֿר(ים), דער [seyfer-sforim] (5) — religious book
ספֿר-תּורה (תּורות), די [seyfertoyre(s)] (10א) — scroll of the Torah
סקאָווראָדע(ס), די (10ב) — frying pan

ע

*עטלעכע 8א — several
עין-הרע(ס), דער ← קיין עין-הרע
*עלטסט: 11א — oldest: *comp. of* אַלט
עלטער (7) *8א — older

parents — עלטערן, די (8א)
response to שלום-עליכם — ‎*עליכם-שלום [aleykhem-sholem] 1
elbow — עלנבויגן(ס), דער (4)
elegant — ‎*עלעגאַנט 9א
eleven — ‎*עלף 9א
Amalek, nation in the Bible that wanted to destroy the Jews — עמלק [Amolek](5)
somebody, anybody — עמעצ(ער) (9ב)
English — ‎*ענגליש, דאָס 11א
to finish — ענדיקן (געענדיקט) (7)
duck — ענטל(עך), דאָס △ענטעלע(ך), דאָס (5)
duck: dim. of ענטל — ‎△ענטעלע(ך), דאָס(5):
to answer — ‎*ענטפֿערן (געענטפֿערט) 4
it — עס (1) *2
there is — ‎*עס איז דאָ (עס איז געווען) 2
there are — ‎*עס זײַנען דאָ (עס זײַנען געווען) 3
to eat — ‎*עסן (געגעסן) 2
food — ‎*עסן(ס), דאָס 10א
עסן אויף ← אויפֿעסן
apple — ‎*עפּל (עפּל), דער △עפּעלע(ך), דאָס 5
apple: dim. of עפּל — ‎*△עפּעלע(ך), דאָס 5:
something; some kind of — עפּעס (7) *15ב
somehow, somewhat — ‎*עפּעס 10ב
to open — עפֿענען (געעפֿנט) (11א) *12ב
עפֿענען אויף ← אויפֿעפֿענען
he — ‎*ער 1
somewhere — ‎*ערגעץ/ערגעץ ווו 6
earth; land, soil — ‎*ערד, די 8ב
first — ‎*ערשט 1
first of all — ‎*ערשטנס 10ב
wealth, riches, fortune — עשירות, דאָס [ashires] (6)

פּ

to be fitting, to be proper — פּאַסן (געפּאַסט) (9א) *15א
poetry — ‎*פּאָעזיע, די 11א
poet — פּאָעט(ן), דער (5)
pack, bundle — פּאַק (פּעק), דער (8ב)
pair, couple — פּאָר (פּאָר/ן), די (4) *9א
Puerto Rico — פּאָרטאָריקאָ, (דאָס) (6)
Paris — ‎*פּאַריז, (דאָס) 6
to busy oneself, to bother, to fuss — ‎*פּאָרען זיך (זיך געפּאָרעט) 10א
portion — פּאָרציע(ס), די (10א)
butter — ‎*פּוטער, די 10א
Purim, the Jewish holiday celebrating the deliverance of the Jews from the persecution of Haman — ‎*פּורים, דער 4
tiny bit, shred; a tiny bit of a — פּיצל(עך), דאָס (9ב)
place, seat — ‎*פּלאַץ (פּלעצער), דער 9ב
to burst — פּלאַצן (געפּלאַצט) (9ב)
plus — ‎*פּלוס 9א
niece — ‎*פּלימעניצע(ס), די 8א
nephew — ‎*פּלימעניק(עס), דער 8א
face — ‎*פּנים(ער), דאָס [ponem-penimer] 5
Passover — ‎*פּסח, דער [Peysekh] 5
to decide, to judge, to rule — פּסקענען (געפּסקנט) [paskenen (gepasknt)] (9ב)
professor — פּראָפֿעסאָר (פּראָפֿעסאָרן), דער (11א)
trial — פּראָצעס(ן), דער (11א)
old-fashioned stove and fireplace — פּריפּעטשיק(עס), דער (2)
livelihood, sustenance — ‎*פּרנסה (פּרנסות), די [parnose(s)] 11א
scrambled eggs, omelette — ‎*פּרעזשעניצע(ס), די 10ב

פֿ

father — ‎*פֿאָטער(ס), דער 8ב
to fall — פֿאַלן (איז געפֿאַלן) (7)
פֿאַלן אַרײַן ← אַרײַנפֿאַלן
folk, nation, people — ‎*פֿאָלק (פֿעלקער), דאָס 7
for — ‎*פֿאַר 3
before — ‎*פֿאַר 10א
last year's — פֿאַראַיאָריק (6)
all at once — פֿאַר אַ מאָל (9ב)
פֿאַרבליבן ← פֿאַרבלײַבן
to stay, to remain — פֿאַרבלײַבן (איז פֿאַרבליבן) (7)
painter — פֿאַרבער(ס), דער (11ב)
paint spatter — פֿאַרבשפּריצ(ן), דער (11ב)

פֿאַרגאַנגען ← פֿאַרגייַן

פֿאַרגייַן (איז פֿאַרגאַנגען) (7) — to pass (away); to disappear

פֿאַרגעסן (פֿאַרגעסן) (10ב) *11א — to forget

פֿאַרדאָרבן (דער פֿאַרדאָרבענער) (9א) — corrupt

פֿאַרדינט ← פֿאַרדינען

*פֿאַרדינען (פֿאַרדינט) 11א — to earn

פֿאַרוואָלקנט (6) — cloudy

*פֿאַר וואָס 3 — why

פֿאַרוויגט ← פֿאַרוויגן

פֿאַרוויגן (פֿאַרוויגט) (8ב) — to lull (to sleep)

פֿאַרזוכן (פֿאַרזוכט) (10א) — to taste

פֿאַרטיידיקט ← פֿאַרטיידיקן

פֿאַרטיידיקן (פֿאַרטיידיקט) (11א) — to defend

*פֿאַרטיק 10א — ready, finished

פֿאַרטריבן ← פֿאַרטרייַבן

פֿאַרטרייַבן (פֿאַרטריבן) (7) — to drive out

פֿאַרלאַג(ן), דער (11א) — publishing house

פֿאַרלאָרן ← פֿאַרלירן

פֿאַרלוירן ← פֿאַרלירן

פֿאַרלירן (פֿאַרלוירן/פֿאַרלאָרן) (9ב) *14ב — to lose

פֿאַרמאָגט ← פֿאַרמאָגן

פֿאַרמאָגן (פֿאַרמאָגט) (11ב) — to own, to possess

*פֿאַרמאַכן (פֿאַרמאַכט) 6 — to close

*פֿאַר מיטאָג ← מיטאָג 10א

פֿאַרן = פֿאַר דעם (9ב) — before the; for the

פֿאָרן (איז געפֿאָרן) (9א) *14א — to go (by vehicle), to travel

פֿאַרנאַכט(ן), דער (9ב) — evening, dusk

פֿאַרפֿעלט ← פֿאַרפֿעלן

פֿאַרפֿעלן (פֿאַרפֿעלט) (11ב) — to miss, to be absent

פֿאַרפֿרוירן (דער פֿאַרפֿרוירענער) (8ב) — frozen *adj.*

*פֿאַרקויפֿן (פֿאַרקויפֿט) 9א — to sell

*פֿאַרקילט 4 — chilled

זייַן פֿאַרקילט (איז געווען פֿאַרקילט) — to have a cold

פֿאַרקילט זיך ← פֿאַרקילן זיך

פֿאַרקילן זיך (זיך פֿאַרקילט) (8ב) — to catch cold

פֿאַרקערט (7) *11ב — on the contrary, opposite, reverse

פֿאַרראָכטן ← פֿאַרריכטן

פֿאַרריכט ← פֿאַרריכטן

*פֿאַרריכטן (פֿאַרריכט/פֿאַרראָכטן) 11א — to repair, to fix

*פֿאַרשטיין (פֿאַרשטאַנען) 9ב — to understand

פֿאַרשפּריצט (11ב) — bespattered *adj.*

פֿויגל (פֿייגל), דער △פֿייגעלע(ך), דאָס (8ב) *11א — bird

פֿויל (9ב) — lazy

*פֿול 6 — full

פֿון (3) *4 — from, of

פֿונט (ן), דער/דאָס (9א) — pound

*פֿוס (פֿיס), דער △פֿיסל(עך), דאָס ▢פֿיסעלע(ך), דאָס 4 — foot, leg

*פֿופֿציק 9א — fifty

*פֿופֿצן 9א — fifteen

△פֿייגעלע(ך), דאָס (9א) 11א: — bird: *dim. of* פֿויגל

פֿייַן (5) *9ב — fine, nice

*פֿייַער(ן), דער/דאָס △פֿייַערל(עך), דאָס 2 — fire

*△פֿייַערל(עך), דאָס 2: — fire: *dim. of* פֿייַער

פֿייַערלעך (6) — solemn(ly)

פֿייַפֿן (געפֿייַפֿט) (9ב) — to whistle

פֿיל (9א) *13א — much, many

פֿינגער (פֿינגער), דער(8א) *14ב — finger, toe

*פֿינעף/פֿינף 9א — five

פֿינף און פֿערציק (9א) — forty-five

פֿינצטער (10א) — dark

▢ פֿיסעלע(ך), דאָס (5): — foot: *imin. of* פֿוס

פֿיר (6) *9א — four

פֿיר און דרייַסיקסט (9א) — thirty-fourth

*פֿירער(ס), דער 7 — leader

*פֿיש (פֿיש), דער 10א — fish

פֿליגל (פֿליגל/ען), דער (8ב) — wing

*פֿלייש(ן), דאָס 3 — meat

פֿליִען (איז געפֿלויגן) (9א) *14א — to fly

פֿליקן אָפּ ← אָפּפֿליקן

פֿלעדערמויז (. . . מייַז), די (9ב) — bat

*פֿעדער(ס), די 2 — pen

fat, greasy — פֿעט (8ב)
fatter: *comp. of* פֿעט — פֿעטער (8ב):
uncle — *פֿעטער(ס), דער 8א
able, capable, bright — *פֿעיִק (11א) *12א
to be missing, to be lacking — פֿעלן (געפֿעלט) (9ב) *14א
window — *פֿענצטער (פֿענצטער), דער 6
quarter — פֿערטל(עך), דאָס (8ב) *10א
forty — *פֿערציק 9א
fourteen — *פֿערצן 9א
question — *פֿראַגע(ס), די 4
freezing weather — פֿראָסט (פֿרעסט), דער (7)
religious, pious — *פֿרום (פֿרימער) 4
free — פֿרײַ (6) *16
joy, delight — פֿרייד(ן), די (6) *15א
Friday — *פֿרײַטיק(ן), דער 3
happy, gay — *פֿריילעך 7
cheerful tune or dance — פֿריילעכס(ן), דאָס (8א)
friend; Mr., Ms., ... — *פֿרײַנד (פֿרײַנד), דער 1
to rejoice, to be glad — פֿרייען זיך (זיך געפֿרייט) (8ב) *15א
fresh — *פֿריש 6
breakfast — *פֿרישטיק(ן), דער 10א
fresh: *dim. of* פֿריש — פֿרישינק (10ב):
to ask — *פֿרעגן (געפֿרעגט) 3
strange, foreign — *פֿרעמד 11ב

צ

amount — צאָל(ן), די (8ב)
to pay — *צאָלן (געצאָלט) 11א
tooth — צאָן (ציין/ציינער), דער (4)
braid — צאָפּ (צעפּ), דער △צעפּל(עך), דאָס □צעפּעלע(ך), דאָס (5)
side (of a family) — צד (צדדים), דער *[tsad-tsdodim]* (8א)
to — צו (4) *6
too — *צו 9א
to go up to, to approach — צוגיין (איז צוגעגאַנגען) (7)
צוגעגאַנגען ← צוגיין
צוגעדעקט ← צודעקן
to cover — צודעקן (צוגעדעקט) (11א)
twenty — *צוואַנציק/צוואָנציק 9א
two — *צוויי 2
thirty-second — צוויי און דרײַסיקסט (9א)
twig: *dim. of* צווײַג — △צווײַגעלע(ך), דאָס (9א):
second; other — *צווייט 5
between, among — צווישן (8ב) *15ב
twelve — *צוועלף 9א
together — צוזאַמען (8א) *8ב
צוזאַמענגעמישט ← צוזאַמענמישן
צוזאַמענגענומען ← צוזאַמעננעמען
צוזאַמענגעקומען זיך ← צוזאַמענקומען זיך
to mix/to blend together — צוזאַמענמישן (צוזאַמענגעמישט) (10א)
to bring together — צוזאַמעננעמען (צוזאַמענגענומען) (11ב)
to come together — צוזאַמענקומען זיך (איז זיך צוזאַמענגעקומען) (11ב)
to the — צום = צו דעם (4) *13ב
too many — צו פֿיל (8ב)
sugar — *צוקער, דער 10א
sweet as sugar — צוקער-זיס (9א)
back *adv.*; ago — צוריק (10א) *14א
צוריקגעקומען ← צוריקקומען
to come back, to return — צוריקקומען (איז צוריקגעקומען)(11ב) *12ב
whether, [or], *conj.*; introduces a question — * צי 3
onion — *ציבעלע(ס), די 10א
goat — ציג(ן), די △ציגל(עך), דאָס □ציגעלע(ך), דאָס (9ב)
kid goat: *imin. of* ציג — □ציגעלע(ך), דאָס (9ב):
to quiver, to tremble, to shiver — ציטערן (געציטערט) (9א) *20ב
time — צײַט(ן), די (4) *20ב
newspaper — צײַטונג(ען), די (11א) *19א
to count — ציילן (געציילט) (5)
to light, to kindle — *צינדן (געצונדן) 7
braid: *imin. of* צאָפּ — □צעפּעלע(ך), דאָס (5):

צעפּליִען זיך (זײַנען זיך צעפּלויגן) (8ב)	to fly in all directions
צעשלאָגן (צעשלאָגן) (10א)	to beat
*צרה (צרות), די [tsore(s)] 8א	trouble, distress

ק

*קאַווע(ס), די 10א	coffee
קאַטשקע(ס), די △קאַטשקעלע(ך), דאָס (4)	duck
קאָכן (געקאָכט) (10ב)	to cook
קאָכענען, (10ב)	to like/love *(from Polish)*; may also be a trivialization of קאָכן (to cook)
קאַלאָש(ן), דער (8ב)	galosh, rubber *n.*
*קאַלט (קעלטער) 6	cold
*קאַלעדזש(ן), דער 11א	college
קאַמאָרע(ס), די (9ב)	den, alcove
קאָמפּאָט(ן), דער (10א) *15א	fruit dessert, compote
קאָמפּלעט(ן), דער (9א)	suit
קאָן (קאָנען/קענער), דער (7)	round dance
*קאָפּ (קעפּ),דער △קעפּל(עך), דאָס ▢קעפּעלע(ך), דאָס 4	head
קאַפּאָטע(ס), די (9ב)	kaftan, long coat worn by observant Jews
*קאָפּווייטיק (ן), דער 10ב	headache
*קאַפּיטל(ען/עך), דער/דאָס 1	chapter
קאַץ (קעץ), די (9ב)	cat
*קאַשע(ס), די 10א	kasha
*קבצן(ים), דאָס *[kaptsn-kaptsonim]* 10ב	poor man, pauper
*קוגל(ען), דער 3	kugl, *(Jewish)* pudding
*קויפֿן (געקויפֿט) 9א	to buy
*קול(ער), דאָס *[kol-keler]* 6	voice
קומען (איז געקומען) (1) *2	to come
קומען אָן ← אָנקומען	
*קונה (קונים), דער *[koyne-koynim]* 10א	customer
קונסט, די (11ב)	art
*קוק(ן), דער 9ב	look, glimpse, glance
קוקן (געקוקט) (7) *11ב	to look
*קורץ (קירצער) 5	short
*קושן (געקושט) 8ב	to kiss
קיין (2) *4	any, not any
קיין (7) *14א	to *prep.*
*קיין עין־הרע *[eyn-(h)ore]* 8א	no evil eye
*קיכל(עך), דאָס 11א	cookie
*קינד(ער), דאָס △קינדערלעך, די	child 2 *(pl.*)
*קינדערלעך, די 2: *dim. of* קינדער	children
קישקע(ס), די (10ב)	intestine, (stuffed) derma
קלאַנג(ען), דער (7)	sound
קלאַס(ן), דער (3) *11א	class
קלאָר (קלערער) (6) *13ב	clear, obvious
*קלוג (קליגער) 3	smart, clever
*קלייד(ער), דאָס △קליידל(עך), דאָס 9א	dress
*△קליידל(עך), דאָס 9א: *dim.of* קלייד	dress
*קליידער, די 9א	clothes
*קליין (קלענער) 1	little, small
קלינגען (געקלונגען) (6) *8א	to ring, to sound
קמץ־אַלף, דער/די (2) *[komets-alef]*	the letter אָ
קנאָבל, דער △קנאָבעלע/קנעבעלע(ך), דאָס (10ב)	garlic
קני (קני/קניִען), דער (4)	knee
קנעפּל(עך), דאָס (9ב)	button
קעכין(ס), די (7)	cook
קעלנער(ס), דער (10א)	waiter
קעלער(ן), דער (11ב)	basement, cellar
*קענען (געקענט) 1	to be acquainted with; can, to be able; to know
*▢קעפּעלע(ך) דאָס 5: *imin. of* קאָפּ	head
קעשענע(ס), די (6)	pocket
*קראַנק 3	sick
קראַנקייט(ן), די (4)	sickness
קראַנקער (קראַנקע), דער (3)	sick person, patient
קרוג(ן), דער △קריגל(עך), דאָס ▢ קריגעלע(ך), דאָס (7)	pitcher
קרוין (די) (8ב)	crown *(affec. term)*
קרום (קרימער) (5) *19א	crooked
קריגן (געקראָגן) (7) *10א	to get, to receive
▢קריגעלע(ך), דאָס(7): *imin.of* קרוג	pitcher
קריכן (איז געקראָכן) (6)	to crawl
*קרעפּל(עך), דאָס 10א	krepl, a boiled dumpling

Yiddish-English Glossary

ר

ר' ← רב

ראָג(ן), דער (9ב) corner

ראַדיאָ-אַנאָנסער(ס), דער (6) radio announcer

*ראָש-השנה, דער [Rosheshone] 5 Rosh Hashanah, Jewish new year

רב [reb] (5) *12ב Mister (to a Jew only), traditional title prefixed to a man's first name

*רבי(ס/ים),דער [rebe (s/rabeim)] 1 hasidic rabbi

*רבי(ס/ים), דער 2 teacher of small boys in a *kheyder* (traditional boys' school)

רובל (רובל), דער (9א) ruble

רויך(עס), דער (5) smoke

*רויִק 6 quiet, calm

*רונד 6 round

*רוסלאַנד, (דאָס) 8א Russia

*רוען (גערוט) 1 to rest

רופֿן אַריַין ← אַריַינרופֿן

*רוקן(ס), דער 4 back

רחמנות, דאָס [rakhmones](8ב) pity, compassion

רייד, די (pl.) (10ב) talk

ריַיך (6) *8א rich

ריין (7) *9ב clean, pure

ריכטיק (8ב) *14ב correct

*רעגן(ס), דער 6 rain

רעדאַקטאָר(ן), דער (11א) *19א editor

*רעדן (גערעדט) 1 to speak, to talk

רעטשן (דער רעטשענער) (10ב) buckwheat

*רעכטס 3 right (direction)

*רעסטאָראַן(ען), דער 10א restaurant

רעפּאָרט(ן), דער (6) report

רעצעפּט(ן), דער (10א) recipe

רעקאָמענדאַציע(ס), די (10א) recommendation

רעקאָמענדירט ← רעקאָמענדירן

רעקאָמענדירן (רעקאָמענדירט) (10א) to recommend

*רעקל(עך), דאָס 9א jacket

רעשט(ן), דער/די/דאָס △רעשטל(עך), דאָס rest, remainder (8ב)

רעשטע, די ← רעשט

ש

*שאַ(ט) 8ב hush! quiet!

שאָד, דער (3) *20א shame, pity

שאַליקל(עך), דאָס (8ב) scarf

שאָלעכץ(ער), די/דאָס (10ב) peel; shell

שאַפּ (שעפּער), דער (11ב) (industrial) workshop

שאָקלען (געשאָקלט) (7) to rock, to shake

שאַרף (8ב) sharp

*שבת(ים), דער [Shabes-Shabosim] 3 Saturday; Sabbath

*שבתדיק [shabesdik] 9ב Sabbath *adj.*, festive

שגץ(ים), דער [sheygets-shkotsim] (9ב) gentile boy; smart aleck

שדכן(ים), דער [shatkhn-shatkhonim] (9ב) matchmaker

דער שוואָגער(ס) (8א) brother-in-law

שוואַך (4) *16 weak

*שוואַרץ 5 black

שוואַרץ-יאָר, דער (10ב) devil

*שוויגער(ס), די 8א mother-in-law

שווימען (איז געשווומען) (9א) to swim

*שוועגערין(ס), די 8א sister-in-law

*שוועסטער (שוועסטער), די 8א sister

*שוועסטערקינד(ער), דאָס 8א cousin

שווער (8ב) *16 difficult, hard, heavy

*שווער(ן), דער 8א father-in-law

*שווער-און-שוויגער (pl.) 8א parents-in-law; mother-in-law and father-in-law

שווערסט (11א) ← שווער

שוחט(ים), דער [shoykhet-shokhtim] (5) ritual slaughterer

שוטה (שוטים), דער [shoyte-shoytim] (8ב) blockhead, fool

שוין (6) *9א already

שוך (שיך), דער (6) *9א shoe

*שול(ן), די 4 school

*שול/שיל(ן), די 4 synagogue

שוסטער(ס), דער (9ב) *11א shoemaker

שטאָף(ן), דער (11א) stuff, material

שטאַרבן (איז געשטאָרבן) (9א) *17ב to die

שטאַרבן אָפּ ← אָפּשטאַרבן

*שטאַרק 7 strong, great

שטוב (שטיבער), די (2) *4 house; room

*שטודירן (שטודירט) 11א to study

storm — שטורעם(ס), דער (8ב)
house: *imin. of* — *□שטיבעלע(ך), דאָס 4: שטוב
boot — *שטיוול (שטיוול), דער 9א
to stand — שטיין (איז געשטאַנען) (6) *15ב
stands (written), to be written — שטיין (איז געשטאַנען) (10ב) *18ב
stone — שטיין(ער), דער (11ב)
שטיק(ער), דאָס, די △שטיקל(עך), דאָס (8ב)
piece — *10א
piece: *dim. of* שטיק — △שטיקל(עך), דאָס (8ב) *10א:
town — *△שטעטל(עך), דאָס 7
always — *שטענדיק 11א
to hinder, to disturb, to prevent — שטערן (געשטערט) (8ב)
ray, beam — שטראַל(ן), דער (7)
to punish — שטראָפֿן (געשטראָפֿט) (10ב)
straw — שטרוי(ען), דער/די (11א)
pretty, beautiful — *שיין (שענער, שענסט) 5
to shine, to beam — *שײַנען (געשײַנט) 6
to curse — שילטן/שעלטן (געשאָלטן) (9ב)
bowl, dish — שיסל(ען), די (10א)
umbrella — שירעם(ס), דער (6)
to hit, to beat, to strike — שלאָגן (געשלאָגן) (9ב) *16
to fight — שלאָגן זיך (זיך געשלאָגן) (9ב)
sleep — דער שלאָף (11א)
sleepless — שלאָפֿלאָז (5)
to sleep — *שלאָפֿן (איז געשלאָפֿן) 1
hello — *שלום-עליכם *[sholem-aleykhem]* 1
perfection, completion — שלמות, דאָס *[shleymes]*(11ב)
bad — *שלעכט (ערגער) 5
jerk, pull *verbal noun* — שלעפּ(ן), דער (11ב)
narrow — *שמאָל (שמעלער) 5
(animal) fat (as food) — שמאַלץ, דאָס/די (10א)
conversation — *שמועס(ן), דער 1
dirty — *שמוציק 9ב
to smile — שמייכלען (געשמייכלט) (6) *20ב
to smear, to spread (butter) — שמירן (געשמירט) (10ב)
to smell — *שמעקן (געשמעקט) 4
candle used to light the Hanukkah candles but not counted as one of the eight candles — שמש(ים), דער *[shames-shamosim]* (7)
שנאַפּס(ן), דער △שנעפּסל(עך), דאָס (6)
liquor, whiskey; alcoholic drink
daughter-in-law — *שנור(ן/שניר), די 8א
snow — *שניי(ען), דער 6
to cut — שנײַדן (געשניטן) (8ב) *10ב
שנײַדן אָפּ ← אָפּשנײַדן

tailor — שנײַדער(ס), דער (9ב) *11א
tailor (*fem.*) — *שנײַדערין(ס), די 11א
liquor, whisky: *dim. of* שנאַפּס — △שנעפּסל(עך), דאָס (6):
hour — שעה(ען), די *[sho(en)]* (7) *14א
שענער (9ב) ← שיין
to give (as a gift) — [שענקען (געשאָנקען)] (13)
שענקען אָפּ ← אָפּשענקען
שפּאַצירט ← שפּאַצירן
to walk, to go for a walk — שפּאַצירן (שפּאַצירט) (6) *14ב
spit *verbal noun* — שפּײַ, דער (9ב)
to play — *שפּילן (געשפּילט) 7
to jump — שפּרינגען (איז געשפּרונגען) (9א)
to write — *שרײַבן (געשריבן) 2
writer — *שרײַבער(ס), דער 11ב
to yell, to shout, to cry — שרײַען (געשריגן/געשריִען) (9ב) *20ב

שׂ

*שׂימחת-תּורה, דער *[Simkhes-toyre]* 5
Simchat Torah, Jew. holiday celebrating the completion of the year's reading of the Torah

ת

grain — תּבֿואה (תּבֿואות), די *[tvue(s)]* (8ב)
Torah, the Jewish law; the Pentateuch — תּורה (תּורות), די *[toyre(s)]* (4) *7
תּכשיט(ים), דער *[takhshet-takhshitim]* (9ב)
brat [*Lit.* "jewel"]
student *[talmed/talmid-talmid(im)]* (*masc.*) 5 — *תּלמיד(ים), דער
student 5 *[talmide(s)]* (*fem.*) — *תּלמידה (תּלמידות), די

א

as long as you're healthy — אַבי געזונט (3)

again and again — אָבער און ווידער (3)

a wonderful thing (*Lit.* "a gold") — אַ גאָלד (10א)

regards [to the folks] at home — *אַ גרוס אין דער היים 1

Thank you — *אַ דאַנק 3

(אַ) ווילדע מציאה ← ווילדע מציאה

if so — *אויב אַזוי (4)

אויב מען עסט ניט קיין ביינער, טוען ניט ווי די ציינער. (4)
If you don't eat bones, your teeth won't hurt

אויספּוצן זיך ווי יענטעלע צום גט [get] (9א)
to get all dressed up (*Lit.* "to deck oneself out like Yentele going to her divorce")

in old age — אויף דער עלטער (8ב) *15ב

in the fresh air — *אויף דער פֿרישער לופֿט 6

אויף כּפּרות ← (דאַרפֿן) אויף כּפּרות

the next day — אויף מאָרגן (8ב)

אויפֿן גנבֿ [ganev] ברענט דאָס היטל. (9א)
You've got guilt written all over your face. (*Lit.* "On the thief the hat is burning.")

for God's sake *Germ.* — אום גאָטעס ווילן (8ב)

So it goes — *אַזוי גייט עס 4

something wonderful/extraordinary — *אַזוינס און אַזעלכס 10א

this way, that's how — אָט אַזוי (8א) *10ב

next year — *איבער אַ יאָר 11א

איידער וואָס און איידער ווען (8ב)
before what and before when (*Lit.* "before you know it")

*איינס מיטן דריטן איז ניט קיין מחותן
to bear no relationship (8א). [mekhutn] (*Lit.* "One person is no in-law to the third.")

one to the other, (to) each other — *איינער צום צווייטן 8ב

in the evening — *אין אָוונט 10א

אין איין אויער אַרײַן פֿון דעם צווייטן אַרויס. (5)
In one ear and out the other.

in one voice, in unison — אין איין קול [kol] (9ב)

in truth — *אין אמתן [emesn] 11ב

for a change — אין אַ נאָווענע (3)

*אין (צוויי וואָכן, פֿיר שעה. . .) אַרום 10א
in (two weeks, four hours) from now

at home — *אין דער היים 1

in style — אין דער מאָדע (9א)

in the morning — *אין דער פֿרי 9א

outside, out of doors — *אין דרויסן 6

in the middle of the road — *אין מיטן וועג 8ב

איר זאָלט ניט וויסן פֿון דעם! (4)
You shouldn't know from it! May you never know of such a thing!

אַלטע היים ← די אַלטע היים

אַלע שוסטערס גייען באָרוועס. (11א)
All shoemakers go barefoot.

to honor, to give honor — אָפּגעבן כּבֿוד [koved] (9ב)

דער אַפּעטיט קומט מיטן עסן. (10א)
Enthusiasm comes with involvement. (*Lit.* "The appetite comes with the eating.")

Woe! Damn it! — אַ קלאָג! (10ב)

A shame! — אַ שאָד! (3)

Thank you very much — *אַ שיינעם דאַנק 2

ב

What do you work at? What kind of work do you do? — בײַ וואָס אַרבעט איר? (11א)

in the daytime; by day — *בײַ טאָג 10א

at night — *בײַ נאַכט 10א

בײַשטיין דעם נסיון [nisoyen] (11ב)
to withstand temptation

אַ ביסל און אַ ביסל, ווערט אַ פֿולע שיסל.
Keep at it and you'll have something. (10א) (*Lit.* "Bit by bit, it becomes a bowlful.")

ג

God forbid! — גאָט זאָל אָפּהיטן! (6)

reply to any greeting beginning with גוט — *גוט-יאָר 2

good morning, hello — *גוט-מאָרגן 2

to take a look — *געבן אַ קוק 9ב

Regards [to the folks] at home — *אַ גרוס אין דער היים 1

to set the table — גרייטן צום טיש (10א)

ד

Thank God! — *דאַנקען גאָט! 4

the old country — *די אַלטע היים 11א

to have no use for — (6) (דאַרפֿן) אויף כּפּרות [kapores]

ה

to want everything one sees (*Lit.* "to have big eyes") — *האָבן גרויסע אויגן 4

*זײַ(ט) אַזוי גוט 2 Please (*Lit.* "Be so good")

*זײַ(ט) געזונט 1 Good-bye (*Lit.* "Be well")

*זיידע-באָבע (pl.) 11א grandparents

זײַ(ט) מוחל [moykhl] (5) *6 Excuse/ Pardon (me)

*זײַן פֿאַרקילט 4 to have a cold

*זע(ט) נאָר (5ב) Just look, How do you like that?!

ט

טאָן אַ קוק (9ב) to take a look

טעם-גן-עדן [tam ganeydn] (10 א) taste of paradise, out of this world

*טראָג(ט) געזונטערהייט! 9א Wear it in good health! (said when somebody gets a new article of clothing)

י

אַ ייִדישער גנבֿ [ganev/ganef] גנבֿעט [ganvet] נאָר ביכער. (2) A Jewish thief steals only books.

אַ ייִדישער טעם [tam] (10 א) a Jewish (i.e. very good) taste

*יעדער איינער 11א each person, everyone

כּ

*כאַפּן אַ מציאה [metsie] (9א) to get a bargain

ל

לאַכן איז געזונט, דאָקטוירים הייסן לאַכן. (3) Laughing is healthy, doctors tell you to laugh. (Sholem Aleichem)

ליבע איז גוט מיט ברויט. (10א) Love is good with bread.

לעקן די פֿינגער (10א) to enjoy (*Lit.* "to lick one's fingers")

מ

מאַכן אַ פּנים [ponem] (7) to make a face

מאַכן אַ שנעפּסל (6) to take a drink

*מיט (צוויי יאָר, דרײַ וואָכן...) צוריק 10א (two years, three weeks. . .) ago

אַ מלאָכה [melokhe] איז אַ מלוכה [melukhe]. (11ב) A trade is a kingdom.

האַלטן (זיך) אין איין. . . (11ב) *18ב to keep on doing...to do such and such continuously

*האַק(ט) ניט קיין טשײַניק. 4 Don't talk nonsense. (*Lit.* "Don't bang a tea kettle.")

האַקן אַ טשײַניק (4) to talk nonsense, to bother someone (*Lit.* "to bang a tea kettle")

הייסט עס (8א) that is, that means

ו

*וואָס איז דער מער? 3א What's the matter?

וואָס ביליק איז טײַער (9א) What's cheap is expensive

וואָס (זשע) הערט זיך? (2) What's new?, What's happening?

וואָס זאָל זיך הערן? (2) What should be happening? Response to וואָס הערט זיך?

*וואָס מאַכסטו? 3 How are you?

וואָס עפּעס? (7) Why in the world?

וואָס פֿאַר אַ מחותּן [mekhutn] בין איך? (10ב) How am I related? What have I got to do with?. . .

*ווי איז אין דרויסן? (6) How's the weather? What's it like outside?

ווי געהעריק (11ב) properly

*ווי הייסט איר? 1 What's your name? (*Lit.* "How are you called ?")

וויי איז מיר און ווינד מיר! (8ב) Woe is me! Alack and alas!

אַ ווילדע מציאה [metsie] (9א) a big bargain

ווינד און וויי! (9ב) Alack and alas!

*וויפֿל אַ זייגער. . . ? 10א What time...?

*וויפֿל איז דער זייגער? 10א What time is it?

אַ וועלט מיט וועלטעלעך! (1) A world with small worlds!

ווענט האָבן אויערן און גאַסן האָבן אויגן. (5) Walls have ears and streets have eyes.

ווערן אין כּעס [kas] (7) to become angry

ז

זאָג מיר ווער דײַן חבֿר [khaver] איז, וועל איך וויסן ווער דו ביסט. (4) Tell me who your friend is and I'll know who you are.

די זון שײַנט גלײַך אויף אָרעם און רײַך. (6) The sun shines equally on rich and poor.

*פֿון דער ווײַטן 10ב from afar

פֿון וואָס לעבט אַ ייִד? (11א) How does a Jew earn a living? How do you (speaking to a Jew) earn a living?

פֿרעג(ט) ניט דעם דאָקטער, פֿרעג(ט) דעם קראַנקן. (3) Don't ask the doctor, ask the patient.

צ

צו דער קאַווע (10א) with the (my, your, etc.) coffee

*צוזאַמענמישן קאַשע מיט באָרשט 10א to talk in a confusing way (*Lit.* "to mix together kasha and borscht")

*צום באַדויערן 8א unfortunately

צו פֿיל (9א) too much

צעררײַס(ט) געזונטערהייט! (9א) Tear it in good health! (said when someone gets a new article of clothing, especially for apparel made of leather or fur, e.g. shoes)

ק

*קיין עין-הרע [*kin eyn-(h)ore*] 8א no evil eye! (used like "knock wood" to fight off evil when mentioning something positive)

אַ קליינע וועלט! (1) (A) small world !

קליינע קינדער קליינע צרות [*tsores*], גרויסע קינדער גרויסע צרות. (8א) Little children little problems, big children big problems.

אַ קראַנקן פֿרעגט מען, אַ געזונטן גיט מען. (5) The sick are pampered, the healthy are not. (*Lit.* "You ask the sick, you give to the healthy.")

ר

רו(ט) זיך אָפּ (4) Rest, Relax (imp.)

ש

*אַ שאָד! (3) (What) a shame!

שטודירן אויף דאָקטער (11א) to study to become a doctor

*אַ שיינעם דאַנק 2 Thank you very much

*שלום-עליכם [*sholem-aleykhem*] 1 Hello

שפּאָגל נײַ (9ב) brand new

*שפּילן אין דריידל (7) to play *dreydl*

מע זאָגט דער טאָכטער מע מיינט די שנור. (8א) To tell something to someone when you should really tell it to someone else. (*Lit.* "You tell your daughter, you mean your daughter-in-law.")

אַ מענטש טראַכט און גאָט לאַכט. (1) Man proposes, God disposes. (*Lit.* "A person thinks and God laughs.")

נ

*נאָך מיטאָג (10א) in the afternoon

אַ נאַר ווײַזט מען ניט קיין האַלבע אַרבעט. (11א) You don't show a fool half [finished] work.

*ניטאָ פֿאַר וואָס 2 You're welcome (*Lit.* "There's not what for")

ע

*עליכם-שלום [*aleykhem-sholem*] 1 Hello (in answer to שלום-עליכם)

*עס איז דאָ 2 There is

עס איז ניטאָ קיין נײַעס. (2) There is nothing new.

עס איז ניט דײַן געשעפֿט. (9א) It's not your business.

*עס בלאָזט (ניט) אַ (קיין) ווינט. 6 The wind is (not) blowing .

*עס גייט (ניט) אַ (קיין) רעגן. 6 It is (not) raining.

עס גייט מיך אָן ווי דער פֿאַראַיאָריקער שניי. (6) I don't care. (*Lit.* "It concerns me as much as last year's snow.")

עס דאַכט זיך (מיר, דיר, אים, איר, אונדז, אײַך, זיי) (7) It seems to (me, you, him, her, us, you, them)

*עס וועט גאָרניט העלפֿן. 6 It won't help at all.

*עס זײַנען דאָ 3 There are

*עס טוט (מיר, דיר, אים, איר, אונדז, אײַך, זיי) וויי 3 It hurts (me, you, him, her, us, you, them)

*עס מאַכט ניט אויס. 5 It doesn't matter.

*עס שײַנט די זון. 6 The sun is shining .

דאָס עפּעלע פֿאַלט ניט ווײַט פֿון ביימל. (11א) a chip off the old block (*Lit.* "The apple doesn't fall far from the tree.")

פּ

*פֿאַר מיטאָג 10א before noon, A.M.

פֿון דײַן מויל אין גאָטס אויערן. (4) From your mouth to God's ears.

Addendum: Yiddish-English Glossary

א

אַ (6) — approximately

אַ ← דער אַ

אַהיים (8א) — home(ward)

אַוועק = אַוועקגיין אויף (איז אַוועקגעגאַנגען) (אויף) (10ב) — be spent/used (for)

אויפֿשטאַנד(ן), דער (7) — rebellion, uprising

אַזאַ אַ (9ב) — such a one *(emph.)*

אַזעלכ(ער) (10ב) — such

אָט אַזוי (8א) — this way, that's how

אמת(ן), דער [emes(n)] (11ב) — truth

אָנהייבן (אָנגעהויבן) (6) — start, begin

אָנזען (אָנגעזען) (מע זעט עס אָן/אָנזען זיך) (11א) — be visible, evident, apparent, conspicuous, be in sight; tell (have an effect)

אָפּט (11ב) — often

אַרויסגיין (איז אַרויסגעגאַנגען) (11ב) — go out; depart, leave (on foot)

אַרויסגעגאַנגען ← אַרויסגיין

אַרויסנעמען (אַרויסגענומען) (11א) — take out

אַרײַננעמען (אַרײַנגענומען) (8ב) — take in

אַרײַנקומען (אַרײַנגעקומען) (10א) — come in; visit briefly; drop in

אָרעמאַן (אָרעמע־לײַט), דער (11א) — poor man

ב

באַנק (בענק/ען), די/דער (9א) — bank

בלאָנד (5) — blond, fair

דער בריוו (בריוו), דער (7) — letter

ג

גאָר (9ב) — surprisingly, of all things *(emph. adj.)*

גיין אַרויס ← אַרויסגיין

געטיילט אויף (9א) — divided by

גראָשן(ס), דער (10ב) — *(Polish)* grosz; small coin, penny

ד

דעצעמבער(ס), דער — December

דער/די/דאָס אַ (9ב) — this ... here; this one

ה

הייבן אָן ← אָנהייבן

הענטשקע(ס), די (9א) — glove

ו

ו [ve/v/u] (10ב) — and *Heb.*

וואַסער(ן), דאָס 10א — water

ווילער־יונג (ווילע־יונגען), דער (9ב) — rascal

ווי (6) — than

ז

זײַ(ט) וויסן (6) — you should know, make note

ח

חזן(ים), דער [khazn-khazonim] (11א) — (synagogue) cantor

ט

△טעפּל(עך), דאָס (10ב) — pot *dim. of* טאָפּ

טפֿו (10ב) — phooey

י

יאַריד(ן)/יריד(ן), דער (11א) — fair

יונג(ען), דער (9ב) — boy, guy

כּ

כּעס, דער [ka(a)s] (6) — anger

ל

לאַטע(ס), די (6) — patch

Addendum: Yiddish-English Glossary

מ

מאָל (9א) — times, multiplied by

מחותנתטע(ס), די [mekhuteneste(s)] (8א) — mother of son/daughter-in-law; *fem.* relation by marriage

מילד (7) — mild(ly), gentle/gently

מינוס (9א) — minus

מיצווה (מיצוות), די [mitsve(s)] (9א) — *Jew.* commandment; good deed

מתנה (מתנות), די [matone(s)] (9א) — gift, present

נ

נעמען אַרײַן ← אַרײַננעמען

ס

סאָוועטיש (4) — Soviet

ע

עלטער, די (8ב) — old age

דער עלטער־פֿעטער(ס) (8ב) — great-uncle

פּ

פּאַפּיר(ן), דאָס (4) — paper

פּלוס (9א) — plus

פּונקט (10א) — exactly

פּערל (פּערל), דער ∆פּערעלע(ך), דאָס (5) — pearl

∆פּערעלע(ך), דאָס (5) — pearl *dim. of* פּערל

פּרעגלען (געפּרעגלט) (10ב) — fry

פֿ

פֿרוי(ען), די (5) — woman

צ

צונג(ען/צינגער), די (9ב) — tongue

צימער(ן), דער/דאָס (11ב) — room

צעריסן (דער צעריסענער) (9ב) — torn

ק

קאָלנער(ס), דער (9ב) — collar

קאָסטן (געקאָסט) (9א) *10א — cost

קוזינע(ס), די (8א) — cousin *(fem.)*

קיינער ... ניט (10א) *12ב — nobody, no one

קלעפּיק (10ב) — sticky

ר

רויט (7) — red

∆רעדל(עך), דאָס (8ב) — circle; *dim. of* ראָד round dance

ש

שטאָט (שטעט), די (9א) — city

שפּעטער (10א) — later

ד

דאָס הייסט (8א)	that is, that means

ו

וואָס הערט זיך עפּעס? (4)	So, what's new? (*Epes* is not translatable here.)

ז

זײַן אויף צרות *[tsores]* (10ב)	to have a hard time, to be hard up

BIBLIOGRAPHY

For background information on some of the topics in the text, you may find the following bibliography helpful.

Unit 6: Chelm

Encyclopaedia Judaica , 1971 ed. Vol. 5. s.v. " Chelm in Folklore."

Novak, William, and Waldoks, Moshe. *The Big Book of Jewish Humor.* New York: Harper and Row, Publishers, 1981.

Simon, Solomon. *The Wise Men of Helm and Their Merry Tales.* New York: Behrman House, 1942; reprint ed., Behrman House, 1973.

______________ . *More Wise Men of Helm and Their Merry Tales.* New York: Behrman House, 1965.

Tenenbaum, Samuel. *The Wise Men of Chelm.* New York: Thomas Yoseloff, 1965.

סיַימאַן, ש. *די העלדן פֿון כעלעם.* ניו-יאָרק: פֿאַרלאַג מתּנות, 1942.

Unit 7: Hanukkah

Encyclopaedia Judaica , 1971 ed. Vol. 7. s.v. "Hanukkah."

Gaster, Theodore. *Festivals of the Jewish Year.* New York: William Morrow & Co., 1953.

Goodman, Philip. *The Hanukkah Anthology.* Philadelphia: Jewish Publication Society of America, 1976.

Schauss, Hayyim. *Guide to Jewish Holy Days: History and Observance.* New York: Schocken, 1962.

חיים שויס. *דאָס יום-טובֿ-בוך.* ניו-יאָרק: מחבר, 1933.

Lesson 9B: Hershele Ostropoler

Encyclopaedia Judaica, 1971 ed. Vol. 12. s.v. "Ostropoler, Hershele."

Novak, William, and Waldoks, Moshe. *The Big Book of Jewish Humor.* New York: Harper and Row, Publishers, 1981.

האָלדעס, אַ. *מעשׂיות, וויצן, און שפּיצלעך פֿון הערשל אָסטראָפּאָליער.* וואַרשע: יידיש-בוך, 1960.

Lesson 11B: Rabbi Nahman of Bratslav

Encyclopaedia Judaica , 1971 ed. s.v. "Nahman of Bratslav."

Green, Arthur. *Tormented Master: A Life of Rabbi Nahman of Bratslav.* University of Alabama Press, 1979.

Songbooks

Ben Yomen. *Oneg Shabbat Songs.* [*עונג שבת לידער*] Miami Beach: 1962.

Bugatch, Shmuel, ed. *Songs of Our People* [דורות זינגען]. New York: Farband Book Publishing Ass. Inc., 1961.

Gottlieb, Malke, and Mlotek, Eleanor Gordon. *Songbook for the Jewish Holidays [יום־טובֿדיקע טעג: לידערבוך פֿאַר די ייִדישע יום־טובֿים].* New York: Workmen's Circle, 1985.

____________________ . *We are Here: Songs of the Holocaust.* New York: Workmen's Circle, 1985.

Kovner, Abba, Leichter, Sinai, and Vinkovetzky, Aharon. *Anthology of Yiddish Folksongs [אַנטאָלאָגיע פֿון ייִדישע פֿאָלקסלידער]* . 4 Vols. Jerusalem: Magnes Press, 1983.

Mlotek, Eleanor Gordon. *Mir Trogn a Gezang [מיר טראָגן אַ געזאַנג].* New York: Workmen's Circle Education Dept., 1977.

Mlotek, Eleanor Gordon, and Mlotek, Joseph. *Pearls of Yiddish Song: Favorite Folk, Art, and Theatre Songs. [פּערל פֿון ייִדישן ליד: 115 ייִדישע פֿאָלקס־, אַרבעטער־, קונסט־ און טעאַטער־לידער]* New York: Workmen's Circle Education Dept., 1989.

__________ . *Songs of Generations: New Pearls of Yiddish Song [לידער פֿון דור צו דור: נײַע פּערל פֿון ייִדישן ליד].* New York: Workmen's Circle.

Rubin, Ruth. *A Treasury of Jewish Folksongs.* New York: Schocken Books, 1950.

__________ . *Voices of a People: The Story of Yiddish Folksong.* Philadelphia: Jewish Publication Society, 1979.

Warembod, Norman. *Great Songs of the Yiddish Theater*. New York: Quadrangle/New York Times Book Co., 1975.

INDEX

MW01070147